l'Abbé Prévost

Deux portraits vraiment authentiques de Prévost existent; (*a*) celui que nous reproduisons, dessiné à Paris d'après nature et gravé à Berlin par J.-F. Schmidt, graveur du roi (1745), et (*b*) un autre dessiné par C. H. Cochin le fils, gravé par J.-G. Will (1746). Harrisse a recueilli cette description de Prévost faite par ses Supérieurs à Saint-Germain: « cheveux blonds, yeux bleus bien fendus, teint vermeil, visage plein, l'air doux et modeste ... » (2, p. 25).

Oxford French Series

By AMERICAN SCHOLARS

GENERAL EDITOR: RAYMOND WEEKS, PH.D.

HISTOIRE

DU

CHEVALIER DES GRIEUX

ET DE

MANON LESCAUT

PAR

L'ABBÉ PRÉVOST

TEXTE DÉFINITIF DE 1753, PUBLIÉ AVEC
DES CONSIDÉRATIONS LITTÉRAIRES,
UNE LEÇON EXPLIQUÉE, DES NOTES
UNE BIBLIOGRAPHIE ET
UNE INTRODUCTION

PAR

HARRY KURZ

PROFESSEUR DE LANGUES ROMANES À KNOX COLLEGE

NEW YORK

OXFORD UNIVERSITY PRESS

LONDON, TORONTO, MELBOURNE AND BOMBAY

1929

COPYRIGHT, 1929, BY
OXFORD UNIVERSITY PRESS
NEW YORK, INC.

PRINTED IN THE UNITED STATES OF AMERICA

PREFACE

THIS edition of *Manon* is being offered with a two-fold purpose: first, to enable all college students of French to read this novel in class; and second, to provide them with a well-tried instrument for independent thought and research.

It would be hard to justify an American edition of *Manon* when the text is available in cheap French printings of all kinds. The fact remains however that there are numerous college graduates who have followed French courses without reading this novel. This is due to a remnant of prudishness in our classroom program, and partly also to the fact that the one library copy cannot go far. Though it is not sufficiently read, few would question the importance of knowing this classic in its proper place in the survey course. It seems to us that our students have grown to the point where they can be given this immortal story of a passion, withal perhaps the truest presentation of Parisian life of the eighteenth century. It should not be unreasonable to hope that Americans who go to the opera of *Manon* will have read the book in French.

The ambition to make this romance more available here has been encouraged by the excellent opportunity this text presents for a distinct type of classroom study. *Manon* occupies such an essential place in the history of French literature that we have decided to append to the

iii

text suggestions for that literary exercise so familiar in France and so desirable in our work here, the *explication littéraire*. We hope that the method outlined here will be found practicable and helpful in connection with the anthologies used in the survey course, and form the basis for classroom procedure in more advanced work. Within short compass at the end of the story, teachers will find a model *leçon*, and a series of proposed lessons of a similar nature. To provide additional practice in literary appraisal, we have culled from French critics many of their judgments and analyses of this novel, and have compactly arranged them under leading headings, so that they form both a supplementary series of literary exercises appropriate to the novel, and a precious body of interpretative material adding much light to our understanding and appreciation. It seems to us that our edition of the great classic receives unique value by making available this material, so hard to find except in Paris, and never yet assembled in this usable form. A group of students following the studies proposed should get not only a wise and deep penetration into the novel and the literary period to which it belongs, but should also develop the point of view of experience in the detailed study of a book or a passage, and a sense of method in independent research and criticism.

Acknowledgments are due to M. Marc Blanchard, *agrégé* of the University of Paris, who, in Manon's city, listened patiently one whole night to the *exercices littéraires* and made many helpful suggestions; to my wife, for her encouragement in the long process of preparing this work; and to the Bibliothèque de l'Arsenal in Paris, where the librarians, working under hardship of poor lighting and incomplete cataloguing, nevertheless showed the editor perfect courtesy in his multifarious demands.

Words are inadequate to express the debt of gratitude incurred in this work to two beautiful influences in the editor's life: that of the city of Paris with her stimulation, her exaltation, her love of ideas and ideals; and that of a great personality who has freely given his guidance and inspiration and comradeship during the hard days of the War, and ever since. To Raymond Weeks, the debt of gratitude can never be measured.

H. K.

PARIS, 1927–1928
GALESBURG, 1929

CONTENTS

	PAGE
FRONTISPIECE	*Facing title*
PREFACE	iii
INTRODUCTION	ix

TEXT OF MANON LESCAUT

a. Avis de l'auteur	I
b. Première partie	5
c. Seconde partie	130

NOTES EXPLICATIVES	233
EXPLICATION LITTÉRAIRE	251
EXERCICES LITTÉRAIRES ET CRITIQUES	263
BIBLIOGRAPHIES	289

INTRODUCTION

I

(To avoid encumbering the Introduction and other critical material with the titles of books to which reference is made, such books have been listed in the Bibliography at the end, where they can be found under their respective numbers as indicated.)

It is surprising how little Prévost was personally known to his illustrious contemporaries. His monastic career, his long exile abroad, the many years of his later life spent just outside of Paris, and his solitary labors as a hack-writer, all limited his contacts with the " century." His renown as an author was well established but of the man little was heard except unsavory reports, partly due to the book *Manon* and mainly to the fabrications of literary enemies.[1] It was easy in an atmosphere very un-

[1] One of these was Charles Collé (1709–1783), dramatic author and licentious song-writer, who published some vindictive paragraphs in hand-delivered scandal sheets. Another was Lenglet-Dufresnoy, whose *Marot* Prévost had criticized too frequently in his journal *le Pour et Contre*. After repeated slanders on his private life, Prévost thus answered his critics in his journal, sketching his own portrait (Tome IV, 1734, p. 32): "Ce Médor, si chéri des belles, est un homme de 37 à 38 ans, qui porte sur son visage et dans son humeur les traces de ses anciens chagrins, qui passe quelquefois des semaines entières dans son cabinet et qui emploie tous les jours sept ou huit heures à l'étude, qui cherche rarement les occasions de se réjouir, qui résiste même à celles qui lui sont offertes, et qui préfère une heure d'entretien avec un ami de bon sens à tout ce qu'on appelle plaisirs du monde et passe-temps agréables; civil,

favorable to an unfrocked priest, for also this Prévost was unjustly reported to be, it was easy for the mushrooms of scandal to prosper. It was thus repeated that he had killed his father to avenge his mistress whom the old man had kicked when she was with child; that he visited houses of ill repute, that he gambled, worked as a " garçon de café," issued false money drafts, and to cap the climax, had during his sojourn abroad embraced Protestantism. During his exile this poem was circulated (6, 198):

> Qu'est devenu l'auteur du Pour et Contre,
> Maître Didot ?[2] — Messieurs, je n'en sais rien.
> — Nul ne le lit et nul ne le rencontre;
> Se seroit-il refait Ignatien?[3]
> Bénédictin? soldat? comédien?
> A-t-il enlevé femme ou fille?
> L'a-t-on mis dans quelque Bastille
> Pour faux billets au libraire déçu?
> Est-il à Londres ? à Paris? en Turquie?
> Répondez donc. — Messieurs, dessus ma vie,
> Ce que je sais, c'est qu'il n'est pas pendu.

---

d'ailleurs, par l'effet d'une excellente éducation, mais peu galant; d'une humeur douce mais mélancolique; sobre, enfin, et réglé dans sa conduite. Je me suis peint fidèlement, sans examiner si ce portrait flatte mon amour-propre ou s'il le blesse." Contrast this cloistered life with this familiar picture of the 18th century abbé in a lady's boudoir (5, p. 81): "Et l'abbé, car l'abbé est de fondation à la toilette, quelque petit abbé vif et sémillant, se trémoussant sur le siège qu'une femme lui a avancé, conte l'anecdote du jour, ou fredonne l'ariette courante, pirouette sur le talon, et taille des mouches tout en parlant."

[2] Didot was the publisher in Paris of Prévost's journal, *le Pour et Contre*.　　　　[3] A Jesuit.

Finally, to provide a fitting exit for such a strange character, it was believed for a long time that when he was picked up lifeless on the road near his home at Chantilly, he revived when the surgeon plunged his scalpel into him to perform the autopsy, gave an agonized cry, and died.[4]

There is hardly an atom of truth in any of the foregoing gossip.

II

The real abbé Prévost is a sad and lovable figure. The facts of his life are given below,[5] but they cannot convey the true human quality of this unhappy monk who in

[4] Even the édition Jouaust of *Manon* in the Librairie des Bibliophiles (no date) repeats this tale: "Pourtant sa destinée fut étrange jusqu'à la fin: un médecin de village lui donna un coup de scalpel par amour de la science; l'abbé Prévost, qui n'était qu'en léthargie, se réveilla pour assister à sa mort. Quel dénoûment pour un romancier ! Trois heures d'agonie devant son assassin." (p. 34) Ste. Beuve repeats this tale.

[5] Biographical note: Antoine-François Prévost d'Exiles was born April 1, 1697, at Hesdin (Artois), the son of a lawyer; (1713–15) he serves his novitiate with the Jesuits in Paris and at La Flèche; (1716) at the age of 19, he runs away to join the army, probably serving three years, as in 1719 he begs for re-instatement in the Company of Jesus but is refused; (1720) he enters as a novice among the Benedictines and a year later, Nov. 9, 1721, at the age of 24, pronounces his vows; he wanders from one monastery to another, achieving reputation as a preacher, till in 1727, he stops with the Blancs-Manteaux in Paris and at Saint-Germain-des-Prés; (1728), he publishes anonymously two volumes of his first work; applying for transfer to the Abbaye de Cluny, he leaves Saint-Germain-des-Prés but flees when he learns that a *lettre de cachet* has been issued for his arrest; (1728–34) he travels to England, Holland and again to England, publishing his best work during these six years of his exile; in

early life lacked the vocation and who was always tormented by the driving need of earning a living. Not so dignified as La Bruyère, with his sensibilities closer to the surface than is the case with that cynical portraitist, Prévost nevertheless inspires a profound respect for his early resolution to make his own way by his pen. He was one of the pioneers in this process of emancipation of men of letters from an inglorious dependence on the favor of the rich or the aristocratic. To accomplish this he turned out a total of 112 volumes, 65 of which are original writing, the remainder, translations from English, Latin, and Dutch. Most of the volumes are small 12-mo and they appeared at the rate of about three a year from 1728 to 1763. Even with this immense labor he probably earned barely 3000 francs a year. Although his novels were constantly reprinted in France and abroad and sold

---

England, he uses the name d'Exiles as a token of his situation, a name not in any way connected with his family; (1734) he returns to France with his literary reputation achieved; (1736) he leaves the monastery and becomes officially attached as almoner to the household of the Prince of Conti, but without remuneration, merely obtaining lodging; (1741-42) forced to flee from France because his name is connected with the publication of a political gazette, he goes to Frankfort and Brussels; (1742) he returns and begins the period of his translations or adaptations of Richardson and other English contemporaries; his last twenty years are peaceful and laborious; (1763) he buys a house at Saint-Firmin, near Chantilly, and plans to compose three large religious works; (November 23, 1763) death takes him suddenly while he is walking near his home; the Benedictines claim his body for he has never left their order and he is buried at their church at Saint-Nicolas d'Acy; a fitting epitaph in Latin mentions his writings; during the Revolution the monastery was demolished; not a trace remains today of Prévost's tomb.

widely, it often happened that the author did not have enough money for his immediate needs. Once he thought of accepting an ungracious invitation of Frederick the Great to stay at his court. In 1740 a seizure of his goods is threatened. He needs fifty louis. He writes Voltaire for a loan but the latter, stranded in Brussels, turns him down with kind words: " Rien ne me serait plus agréable et plus glorieux que de pouvoir n'être pas inutile à celui de nos écrivains que j'estime le plus " (2, p. 31). Thrown back on his own resources he grinds out in that year a total of nine volumes ! [6]

The pathetic fact stands out also that his early career was clouded with hesitations concerning his vocation. The truth is that when he entered as a novice among the Jesuits at the age of 16, he did not know what else he could do. His independent creative spirit could not however brook their rigid discipline. He tried army life with no better result. His stay with the Benedictines in various monasteries, nine in seven years, was hardly more happy, but it was at their abbey of Saint-Germain-des-Prés in Paris that he completed in 1728 his first two volumes of fiction. He detested monastic life however and now determined to make another change, this time to the Abbey of Cluny in Paris where life for the secular clergy was hedged in with much less restriction. His request was favorably received by his bishop at Amiens and the transfer was to be published on a certain day. At the last minute, action was delayed at the suggestion

[6] This includes two volumes of *le Pour et Contre*.

of an inferior that Prévost's reasons for requesting the change be further examined. The writer had, however, left Saint-Germain under the delusion that his transfer was imminent. He was thus exposed to the accusation of breach of discipline and to consequent arrest. He preferred to flee from the country.[7]

Strange to find a man of his equable acquiescent temperament an exile beyond the pale of the law. He had no harsh enemies. Brunetière remarks that Prévost is one of the few literary men whom Rousseau mentions in the *Confessions* " sans rancune et sans fiel," calling him " un homme très aimable et très simple dont le cœur vivifiait les écrits " (2, p. 31). Perhaps Voltaire's comment is the best summing up of our author's misfortunes: " Je n'ai jamais parlé de l'abbé Prévost que pour le plaindre d'avoir une tonsure, des liens de moine honteux pour l'humanité, et de manquer de fortune." [8]

---

[7] Three years later he wrote to a friend, Dom Clément de la Rue (2, p. 15): "S'il y a quelque chose à me reprocher, c'est d'avoir rompu mes engagements: Mais est-on bien sûr que j'en aie jamais pris d'indissolubles ? Le Ciel connaît le fond de mon cœur, et c'en est assez pour me rendre tranquille. Si les hommes le connaissaient comme lui, ils sauraient que de malheureuses affaires m'avaient conduit au noviciat comme dans un asile, qu'elles ne permirent point d'en sortir aussitôt que je l'aurais voulu et que forcé par la nécessité, je ne prononçai la formule de nos vœux qu'avec toutes les restrictions intérieures qui pouvaient m'autoriser à les rompre. Voilà le mystère; les hommes en jugent à leur façon, mais ma conscience me répond que le Ciel en juge autrement et cela me suffit."

[8] Œuvres complètes, édition Moland, Vol. 33, p. 577, letter dated 1735.

III

The 18th century in France continues mainly the classical tradition of the preceding epoch in literary creation. The novel therefore did not occupy a high place in critical estimation. The great prose writers used this form purely for pot-boiling and quite unwittingly made thereby their most original contributions. It had been neglected in the age of Louis XIV and was bequeathed fairly unburdened with respect to rules and traditions. It was natural for Lesage with his Spanish interest and his facility at farce writing, to recount a bit satirically the adventures of Gil Blas with the aid of a Castillian background, for Marivaux with his analytic tendencies to write discursive romances of personality. Like these two, Prévost also gropingly used the novel form with uncertainties in dimension and process of composition, and with the same devastating effects as to length. His first novel was in six volumes (seven including *Manon*), his second in eight, his third in six. Since each manuscript page represented about 24 francs of earnings, (today we handsomely calculate by the word for popular authors) interpolated tales came to swell the total of writing. In less than three months our exiled abbé scribbled the first two volumes of *Cleveland*. " Sa facilité était si grande qu'en composant il suivait une conversation sur des sujets différents." [9] The total of his 112 volumes furnishes

[9] *Pensées de M. l'abbé Prévost, précédées d'un abrégé de sa vie*, A. N. Dupuis, bénédictin, Amsterdam, 1764. (p. xvii) Harrisse thinks that

much paper of inconsiderable importance for us, but greatly relished by his contemporaries. We separate *Manon* from the rest of his writing, thinking it different. His eighteenth century readers, however, were no less interested in the misadventures of Cleveland than in those of Des Grieux. Brunetière claims that even if he had not written *Manon*, his rôle would be great as judged by his influence in his day. We are likely to belittle him as an author of one masterpiece, for that is a process hurried modernity applies generally to such as Cervantes, Manzoni, Bernardin de St. Pierre, Defoe and Lesage.

It is true that *Manon* is a work apart. We believe that Prévost was still free of English influence when he wrote it and that at one bound he attained perfection. But his other romances have marvelous pages. Brunetière exclaims (6, p. 211): " Que de traits inoubliables dans ces romans justement oubliés ! Quels accents de sensibilité profonde ! " *Gil Blas* may be the first novel in which one eats, but Prévost's are the first which made people weep. The sensitive Diderot, given to gusts of feeling, wrote in 1758: " Chaque ligne de *l'Homme de Qualité*, du *Doyen de Killerine*, excite en moi un mouvement d'intérêt sur les malheurs de la vertu et me coûte des larmes." Mlle Ayssé whose life furnished Prévost with

---

this Benedictine editor had access to Prévost's manuscripts. Ste. Beuve remarks even of the writing of *Manon:* . . . ce petit chef-d'œuvre échappé en un jour de bonheur à l'abbé Prévost, et sans plus de peine. assurément, que les innombrables épisodes à demi-réels, à demi-inventés, dont il a semé ses écrits " (*Portraits littéraires*, Tome 1, p. 252). Prévost's production of nine volumes in 1740 has already been mentioned.

the material for his *Grecque Moderne*, wrote in 1728 of *l'Homme de Qualité:* [10] " On en lit 190 pages en fondant en larmes." *Cleveland* has pages of power and truth drowned in dreadful impossibilities and long moralizings.[11] All students of Prévost are agreed that his *Histoire d'une Grecque Moderne* should be republished for modern reading. It is his best work after *Manon*, a lovely study in sentiment, the actual record of a great love that liberated an oriental woman from the harem and brought her to the Occident, unlike Zaïre. Its superiority consists in that it has only two volumes, just as *Manon's* virtue lies in the fact that it has but one. When under pressure of actual experience, Prévost could be concise and clear. He could then lose all sense of writing and, according to Pascal's fine phrase, delight his readers by letting the man show through.

No summary of his work should omit his literary journal, *le Pour et Contre*, edited by him through seven years (1733-40), and printed weekly by Didot. Its title indicates its independent aim. The editor planned to present an impartial critique of letters, arts and sciences, particularly examining works in French, Latin, English, Italian and Spanish, analyzing other periodicals and offering also stories and sociological studies. Prévost's journal resembles and is inspired by Addison's *Spectator*.

[10] Lettres de Mlle Aïssé, Paris, 1873, p. 271. See page 280.

[11] Schroeder (3, p. 349) suggests that Rousseau owes much to Prévost's descriptions in *Cleveland* of the Abaqui Indians and to his enthusiastic admiration of these unspoiled primitives, living according to nature and ignoring the vices of civilization.

There is, however, much erudition spread through its pages. There are contemporary judgments of Lesage, Marivaux, Crébillon fils, etc. English literature comes in for extensive treatment. There are fragments of translations from Shakespeare, Dryden, Steele and Swift. The journal was a success. Even Voltaire jealously watched its pages for opinions of his works. Readers admired this periodical which contributed immensely in the first half of the century to making English culture known in France, it is true, with less pugnaciousness than Voltaire and less political insight than Montesquieu. Prévost thus helps to prepare the way in his journal, in *Cleveland*, in *Killerine*, and in his adaptations from Richardson, which are said to be better than the original, for the anglomania that reaches its climax in France with the Revolution.

The bane of Prévost's novels is that he uses them as his pulpit. He generally pictures a man seized by events that mold his character, that involve his conscience, and then relates the consequences, good or bad, that result from the decisions taken after these inner struggles. In *Killerine* he announces prefatorially that he will show us how the rules of religion can be harmonized with the ways of society and without fear of reproach of conscience. The *Homme de Qualité* frequently stops to edify us by little lessons in conduct. In *Cleveland* he hopes to prove that peace and veritable wisdom consist in a knowledge of religion. Tiberge and Des Grieux in *Manon* are two contrasting characters that effectively affirm this truism.

The true originality of our author lies in the fact that
he was the first to proclaim in the novel the divine right
of passion. The 17th century had shown a disdainful
severity against the weakness of the flesh. In the 18th,
Prévost is one of the most influential in creating sym-
pathy for those whom passion leads astray, whose lives
are a battleground between the dictates of the heart and
those of conscience. Love with Prévost is not an " amu-
sette," but assumes a foremost rôle, bringing both joy
and torment, elation and despair. Strange how attractive
he makes an ill-directed unconventional passion seem in
spite of its attendant misfortunes, though our author's
avowed object is to turn his readers away from this fatal
error ! He does not wish to exalt love, but its inspiration
lights up his writing. Passion had glinted through Mme.
de la Fayette's guarded pages, but with Prévost its
flames break through freely. " Ses romans sont vraiment
des drames ou des tragédies d'amour; il le sait, il s'en
rend compte lui-même, il s'en fait un juste mérite quand
il dit que ses histoires ne sont pas composées que d'actions et de sentiments, qu'elles n'ont besoin comme celles
de ses rivaux de popularité, ni du sel de la satire ni de
celui de la licence; qu'elles peuvent même se passer de
l'éclat des descriptions ou de la recherche du style; et,
en effet, elles contiennent quelque chose qui vaut mieux
que tout cela, puisque la passion y fait, y domine et y
emporte tout " (6, p. 201). Love becomes a sort of
frenzy whose victims inspire us with a deserved pity since
they are incapable of self-direction. Des Grieux, Cleve-

land, Patrice in *Killerine* are the authentic ancestors of Werther, Saint-Preux, René. Prévost is the first to have imagined the fatal hero, implacably tortured by destiny, who goes through life leaving wrack and ruin behind him. Schroeder selects Cleveland as " le héros sombre et mélancolique par excellence," the first of a long lineage of young men with pale foreheads. Brunetière likewise points to Cleveland as " le point de départ " that leads to Romanticism.

For these reasons, in spite of the manifest superiority in present-day judgment of *Manon*, the rest of Prévost's work deserves renewed critical attention.[12]

IV

" Se figure-t-on un homme froid, raisonnable et de sens rassis composant *Manon Lescaut ?* Non, il fallait avoir vécu des heures d'enivrement et de douleur, avoir vidé jusqu'à la lie la coupe des désirs et des jouissances, il fallait avoir été aimé et trompé par une Manon, s'être traîné lamentablement sur la route du Havre, à la suite de la charrette infâme, pour écrire un pareil livre. Seule, l'expérience personnelle a dicté ses pages toutes brûlantes de volupté, toutes trempées de larmes . . . " (3, p. xii).

The foregoing admirably states the conclusions of all critics with one exception. This agreement is all the more

[12] Consult George R. Havens, *The Abbé Prévost and English Literature*, Paris, Champion (1921). Also Bibliographie A, No. 13

remarkable because not a single autographic paper of Prévost has ever been found referring in the slightest way to his adolescence, no tender *billet doux* addressed to a problematic Manon. Harrisse has permitted himself (2, pp. 9-10) to reconstitute the young man's actual experience, from the occasion of his visit to his relative at Amiens, M. Louis-Michel Dargues (1683-1756), " grand pénitencier du diocèse d'Amiens," whom all recognize in the character of Tiberge, to the town of Yvetot where Prévost for lack of food faints, as the convoy relentlessly passes on bearing his Manon away. When he comes to, he sees lights in the distance. They are from the monastery of Saint-Wandrille, near Rouen, and he drags himself there for shelter. We can only imagine the agony and tumult in his heart. " La malheureuse fin d'un engagement trop tendre me conduisit au tombeau: c'est le nom que je donne à l'ordre respectable où j'allai m'ensevelir ... Cependant le sentiment me revint et je reconnus que ce cœur si vif était encore brûlant sous la cendre ... La perte de ma liberté m'affligea jusqu'aux larmes. Il était trop tard. Je cherchai ma consolation dans l'étude ... Mes livres étaient mes amis fidèles, mais ils étaient morts comme moi." [13] In these sad words Prévost takes leave of his past buried forever. By the end of October 1720, he is admitted to the novitiate and a year later pronounces his vows.

[13] Quoted from 6, p. 192. Brunetière comments: "on a cité souvent ces lignes éloquentes; on n'en a pas assez fait remarquer l'accent profond de mélancolie."

There were other women in his life, especially during his stay in Holland and England. But the early tragedy of love left indelible traces in his soul, and on his face such a melancholy that those who knew him were struck by it. The agony of his experience dwelt in him, so that some years later when he wrote it out, it poured forth into that incomparable confession of human weakness, that infinitely pathetic account of a young man's desperate passion that we today know as *Manon*.

V

The series in which *Manon* appeared as Vol. VII is known as the *Mémoires et avantures d'un homme de qualité qui s'est retiré du monde*, à Paris, au Palais, chez Théodore Le Gras: tomes I–II, 1728: tomes III–IV, suite, 1729. Vols. V–VI appeared at Amsterdam in 1731, aux dépens de la Compagnie. It was clearly the plan of the author to end the series with the sixth volume, for its title page bears the remark: " suite et conclusion des mémoires du Marquis de . . . " Its last page bears the word FIN. These memoirs were practically an anthology of stories, many of them well known, which Prévost wove together rather loosely. The early volumes had sold so well that the Dutch publishers preferred to add *Manon* as a seventh volume, availing themselves in this way of the popularity of a known title. To patch up the difficulty of adding a book to a concluded series, Prévost had to write the early pages of our text furnishing explanation of how the Marquis happened upon Des Grieux. And so *Manon* appeared in 1731.

It is difficult to say when Prévost actually wrote *Manon*. Harrisse (1, p. 40) guesses that he did it at The Hague, at the same time that he was composing *Cleveland*. In another study (2, p. 165) he advances the theory that he wrote it in London and had the ms. in his valise when he left for Holland. He assumes that the Dutch publishers at first rejected it, preferring that Prévost continue the *Mémoires*, a series already known. He therefore composed Vols. V–VI, and the Compagnie then added *Manon* as Vol. VII, taking advantage of the vogue of the others. Some critics have suggested that he may have written *Manon* shortly after he had lived the experience, perhaps at the abbey of Saint-Ouen, in 1722 or 23. The present editor is inclined to agree with this latter opinion and therefore hazards the idea that this masterpiece is presumably its author's first work. The very first sentence of the *Avis de l'auteur* indicates that he had had his *Manon* material in available form long before the completion of Vol. VI of the *Mémoires*. The fact that he preferred to publish *Manon* separately indicates that he felt keenly the confessional nature of this work and could not connect it easily with the fictitious *Mémoires*, where he gave full play to his love for exotic elements, Turks, Spaniards, Portuguese. Besides if he had really written *Manon* after his flight abroad he would certainly have worked in English and Dutch impressions, as he does in

Vols. V and VI of the *Mémoires*.[14] As a matter of fact nothing could be more French or more Parisian than the scenes that furnish the background for *Manon*. Finally to those who are fond of inner evidence, this book makes an instant appeal by its sincerity, its glow, its passion, in a word, its youth. It is much easier to attribute this account of an overwhelming love to a man of twenty-four than to one of thirty-four. Harrisse is convinced that it was written at the white heat of feeling in but a few weeks — " certainement sans que l'auteur se doutât qu'il venait de faire un chef-d'œuvre " (1, p. 9).

Two years after its publication as the seventh volume of the *Mémoires*, the first separate edition of *Manon* appeared in Amsterdam, entitled *Les avantures du chevalier Des Grieux et de Manon Lescaut*. In the same year, 1733, Pichon, an enterprising Rouen printer, published it without any reference to the *Mémoires*. It proved an exceedingly successful venture. Mathieu Marais, lover

[14] Prévost loved foreign countries but knew little about them, outside of his own visits to London, Amsterdam, The Hague, Brussels and Frankfort. His heroes however travel in Italy, Genoa, Florence, Vienna, Madrid, the Balkans. Cleveland goes to the Indians in America. In 1744, Prévost published further fictitious travels under the title of *Voyages du Capitaine Robert Slade en différentes parties de l'Afrique, de l'Asie, de l'Amérique*. Critics agree that this work is of his own invention though passed off as a translation from the English. Later Prévost was entrusted with the task of translating a series of travels, published by Astley in London known in French as the *Histoire générale des voyages*. The English venture had been abandoned after the seventh volume, and Prévost continued the French edition adding eight volumes in quarto himself. Outside of his novels, these books of travel had the greatest success.

of letters, "bâtonnier de l'ordre des avocats au Parlement de Paris," writes in a letter dated Dec. 1, 1733: " Ce livre s'est vendu à Paris et on y couroit comme au feu dans lequel on auroit dû brûler le livre et l'autheur qui a pourtant du stile." The *Journal de la Cour et de Paris* (June 21, 1733) has this entry: " Ce livre est écrit avec tant d'art et d'une façon si intéressante, que l'on voit les honnêtes gens s'attendrir en faveur d'un escroc et d'une catin." In October the same journal adds: " Cet homme (Prévost) peint à merveille; il est en prose ce que Voltaire est en vers." Another comment runs: [15] " Il faut rendre justice à l'auteur; son ouvrage est bien écrit, avec goût, et rempli de caractères vrays et intéressans. C'est dommage qu'il n'ait pas choisi un sujet plus noble." These contemporary opinions indicate sufficiently the interest aroused by the novel. The impression it gave in the reading was so realistic that people sought a key to its characters. Finally the fortune of the book was really made, much in the manner of books today that fall under the ban of index or moral societies, when the copies at two booksellers (there were only seven left) were ordered seized by the syndic Rouillé, November 1733, to stop the circulation of such a scandalous account of a young reprobate's misadventures. By that time the book was in all hands and when a year later the author was permitted

[15] Harrisse from whom the preceding citations have been taken has copied this from the *ms.* notations of the author Lenglet-Dufresnoy in his own work — *De l'usage des romans, avec une bibliothèque des romans,* Amsterdam, 1734, 2 vols. 12-mo, published under the pen name of Gordon de Percel.

to return to France, his reputation secured him an enthusiastic reception. Prévost apparently still felt the necessity of staving off criticism of his book, for he takes up the cudgels in an article in *Pour et Contre*.[16] In spite of his eloquent defence, the order was issued July 18, 1735 by M. le Garde des Sceaux suppressing the seized volumes of *Manon*. However nine more editions followed before 1753, most of them Dutch.

After Prévost had acquired new laurels as a translator of Richardson, and the sentimental taste in novel reading had manifested itself, people began to call again for his *Manon*. Its relentless sadness as well as the beauty of its style became more appealing and gradually this tale " qui reste le plus vibrant de toute la littérature française moderne " (2, p. 5) assumed the place it has ever since held. An *édition définitive* became a necessity and Prévost set to work making several hundred slight changes in phraseology and adding one episode, the adventure with the Italian prince at the beginning of Part II. The result was the edition of 1753, Amsterdam, *aux dépens de la compagnie*, 2 vols. 8-vo, illustrated, which contains this NOTA after the *Avis de l'auteur:* " C'est pour se rendre aux instances de ceux qui aiment ce petit Ouvrage, qu'on s'est décidé à le purger d'un grand nombre de fautes grossières, qui se sont glissées dans la plupart de ses éditions. On y fait aussi quelques additions qui ont paru nécessaires pour la plénitude d'un des principaux caractères".

[16] Vol. III, No. XXXVI, p. 137, Paris, Didot, 1734: quoted here p. 275.

A selection of these variants is given pp. 264–5. It is doubtful whether the author has in every case improved his original text. Critics disagree quite naturally on this matter. For a long time the text of 1753 was considered the original edition of *Manon*. Harrisse was the first to set literary historians right and his two books [17] are still the foundation works for any study of Prévost.

It is of interest to note here that, as was often the case then with a successful book, a spurious sequel to *Manon* was issued in Amsterdam in 1762, entitled *Suite de l'histoire du Chevalier Des Grieux et de Manon Lescaut, troisième partie*, 2 vols. 12-mo. It lives up to the reputation of spurious sequels in its insipidity and was for a time unjustly attributed to Choderlos de Laclos, whose *Liaisons dangereuses* should have saved him from such suspicions.

From 1731 to the end of the 18th century we can count in all thirty editions of *Manon;* from 1800 to 1878, thirty more. Today every self-respecting French publisher has his *Manon* in an *édition de luxe.*

[17] See Bibliographie A, Nos. 1–2, page 289. Special mention should be made here of the Hazard studies No. 13 in this Bibliography. Dr. G. J. Laing, Editor of the University of Chicago Press, courteously sent a copy of these studies in galley proof form at the request of the present editor. The Hazard group of essays presents materials which cast some doubt on the conclusions in Section IV of this introduction. The new evidence however is very rudimentary.

Until further documents are uncovered, the editor will adhere to his beliefs as presented, which are those held also by Dr. George R. Havens. See Note 12.

AVIS

DE L'AUTEUR DES MÉMOIRES
D'UN HOMME DE QUALITÉ

QUOIQUE j'eusse pu faire entrer dans mes Mémoires les Aventures du Chevalier des Grieux, il m'a semblé que, n'y ayant point un rapport nécessaire, le Lecteur trouverait plus de satisfaction à les voir séparément. Un récit de cette longueur aurait interrompu trop long- 5 temps le fil de ma propre histoire. Tout éloigné que je suis de prétendre à la qualité d'écrivain exact, je n'ignore point qu'une narration doit être déchargée dès circonstances qui la rendraient pesante et embar- rassée. C'est le précepte d'Horace : 10

Ut jam nunc dicat jam nunc debentia dici,
*Pleraque differat, ac præsens in tempus omittat.**

Il n'est pas même besoin d'une si grave autorité pour prouver une vérité si simple ; car le bon sens est la première source de cette règle. 15

Si le Public a trouvé quelque chose d'agréable et d'intéressant dans l'histoire de ma vie, j'ose lui pro- mettre qu'il ne sera pas moins satisfait de cette addi- tion. Il verra, dans la conduite de M. des Grieux, un exemple terrible de la force des passions. J'ai à peindre 20 un jeune aveugle, qui refuse d'être heureux, pour se

1

précipiter volontairement dans les dernières infortunes;
qui, avec toutes les qualités dont se forme le plus
brillant mérite, préfère par choix une vie obscure et
vagabonde à tous les avantages de la Fortune et de la
5 Nature; qui prévoit ses malheurs, sans vouloir les
éviter; qui les sent et qui en est accablé, sans profiter
des remèdes qu'on lui offre sans cesse, et qui peuvent à
tous moments les finir; enfin un caractère ambigu,
un mélange de vertus et de vices, un contraste per-
10 pétuel de bons sentiments et d'actions mauvaises.
Tel est le fond du tableau que je présente. Les personnes de bon sens ne regarderont point un ouvrage
de cette nature comme un travail inutile. Outre le
plaisir d'une lecture agréable, on y trouvera peu
15 d'événements qui ne puissent servir à l'instruction des
mœurs; et c'est rendre, à mon avis, un service considérable au Public, que de l'instruire en l'amusant.*

On ne peut réfléchir sur les préceptes de la morale,
sans être étonné de les voir tout à la fois estimés et
20 négligés; et l'on se demande la raison de cette bizarrerie
du cœur humain, qui lui fait goûter des idées de bien
et de perfection, dont il s'éloigne dans la pratique. Si
les personnes d'un certain ordre d'esprit et de politesse
veulent examiner quelle est la matière la plus commune
25 de leurs conversations, ou même de leurs rêveries
solitaires, il leur sera aisé de remarquer qu'elles
tournent presque toujours sur quelques considérations
morales. Les plus doux moments de leur vie sont ceux
qu'ils passent, ou seuls, ou avec un ami, à s'entretenir à

cœur ouvert des charmes de la vertu, des douceurs de
l'amitié, des moyens d'arriver au bonheur, des faiblesses de la nature qui nous en éloignent, et des
remèdes qui peuvent les guérir. Horace et Boileau
marquent cet entretien, comme un des plus beaux 5
traits dont ils composent l'image d'une vie heureuse.
Comment arrive-t-il donc qu'on tombe si facilement de
ces hautes spéculations, et qu'on se retrouve sitôt au
niveau du commun des hommes ? Je suis trompé si la
raison que je vais en apporter n'explique bien cette 10
contradiction de nos idées et de notre conduite; c'est
que, tous les préceptes de la morale n'étant que des
principes vagues et généraux, il est très difficile d'en
faire une application particulière au détail des mœurs
et des actions. Mettons la chose dans un exemple. 15
Les âmes bien nées sentent que la douceur et l'humanité sont des vertus aimables, et sont portées
d'inclination à les pratiquer; mais sont-elles au moment de l'exercice ? elles demeurent souvent sus-
pendues. En est-ce réellement l'occasion ? Sait-on 20
bien quelle en doit être la mesure ? Ne se trompe-t-on
point sur l'objet ? Cent difficultés arrêtent. On
craint de devenir dupe en voulant être bienfaisant et
libéral; de passer pour faible en paraissant trop tendre
et trop sensible; en un mot, d'excéder ou de ne pas 25
remplir assez des devoirs, qui sont renfermés d'une
manière trop obscure dans les notions générales d'humanité et de douceur. Dans cette incertitude, il n'y
a que l'expérience, ou l'exemple, qui puisse déterminer

raisonnablement le penchant du cœur. Or, l'expérience n'est point un avantage qu'il soit libre à tout le
monde de se donner; elle dépend des situations différentes où l'on se trouve placé par la Fortune. Il ne
5 reste donc que l'exemple, qui puisse servir de règle à
quantité de personnes dans l'exercice de la vertu.
C'est précisément pour cette sorte de Lecteurs que des
ouvrages tels que celui-ci peuvent être d'une extrême
utilité; du moins, lorsqu'ils sont écrits par une per-
10 sonne d'honneur et de bon sens. Chaque fait qu'on y
rapporte est un degré de lumière, une instruction qui
supplée à l'expérience; chaque aventure est un modèle,
d'après lequel on peut se former: il n'y manque que
d'être ajusté aux circonstances où l'on se trouve.
15 L'ouvrage entier est un traité de morale, réduit
agréablement en exercice.

Un lecteur sévère s'offensera peut-être de me voir
reprendre la plume, à mon âge, pour écrire des aventures de fortune et d'amour; mais si la réflexion que
20 je viens de faire est solide, elle me justifie; si elle est
fausse, mon erreur sera mon excuse.

HISTOIRE DE
MANON LESCAUT

PREMIÈRE PARTIE

JE suis obligé de faire remonter mon Lecteur au
temps de ma vie où je rencontrai pour la première fois
le Chevalier des Grieux. Ce fut environ cinq ou six
mois avant mon départ pour l'Espagne. Quoique je
sortisse rarement de ma solitude, la complaisance que 5
j'avais pour ma fille m'engageait quelquefois à divers
petits voyages, que j'abrégeais autant qu'il m'était
possible.

Je revenais un jour de Rouen, où elle m'avait prié
d'aller solliciter une affaire au Parlement de Norman- 10
die, pour la succession de quelques terres auxquelles je
lui avais laissé des prétentions du côté de mon grand-
père maternel. Ayant repris mon chemin par Evreux,*
où je couchai la première nuit, j'arrivai le lendemain
pour dîner à Pacy,* qui en est éloigné de cinq ou six 15
lieues. Je fus surpris, en entrant dans ce bourg, d'y
voir tous les habitants en alarme: ils se précipitaient
de leurs maisons pour courir en foule à la porte d'une
mauvaise hôtellerie, devant laquelle étaient deux cha-
riots couverts. Les chevaux qui étaient encore attelés, 20
et qui paraissaient fumants de fatigue et de chaleur,
marquaient que ces deux voitures ne faisaient qu'arri-

ver. Je m'arrêtai un moment pour m'informer d'où
venait le tumulte; mais je tirai peu d'éclaircissement
d'une populace curieuse, qui ne faisait nulle attention
à mes demandes, et qui s'avançait toujours vers l'hô-
5 tellerie, en se poussant avec beaucoup de confusion.
Enfin, un archer revêtu d'une bandoulière, et le mous-
quet sur l'épaule, ayant paru à la porte, je lui fis signe
de la main de venir à moi. Je le priai de m'apprendre
le sujet de ce désordre.

10   — Ce n'est rien, Monsieur, me dit-il; c'est une
douzaine de filles de joie que je conduis, avec mes
compagnons, jusqu'au Havre-de-Grâce,* où nous les
ferons embarquer pour l'Amérique. Il y en a quelques-
unes de jolies, et c'est apparemment ce qui excite la
15 curiosité de ces bons paysans.

J'aurais passé* après cette explication, si je n'eusse
été arrêté par les exclamations d'une vieille femme qui
sortait de l'hôtellerie en joignant les mains, et criant
que c'était une chose barbare, une chose qui faisait
20 horreur et compassion.

— De quoi s'agit-il donc ? lui dis-je.

— Ah ! monsieur, entrez, répondit-elle, et voyez si
ce spectacle n'est pas capable de fendre le cœur ?

La curiosité me fit descendre de mon cheval, que je
25 laissai à mon palefrenier. J'entrai avec peine, en
perçant la foule, et je vis, en effet, quelque chose d'assez
touchant. Parmi les douze filles qui étaient enchaî-
nées six à six par le milieu du corps, il y en avait une
dont l'air et la figure étaient si peu conformes à sa

condition,* qu'en tout autre état je l'eusse prise pour
une personne du premier rang. Sa tristesse et la
saleté de son linge et de ses habits l'enlaidissaient si
peu, que sa vue m'inspira du respect et de la pitié.
Elle tâchait néanmoins de se tourner, autant que sa 5
chaîne pouvait le permettre, pour dérober son visage
aux yeux des spectateurs. L'effort qu'elle faisait pour
se cacher était si naturel, qu'il paraissait venir d'un
sentiment de modestie. Comme les six gardes, qui
accompagnaient cette malheureuse bande, étaient 10
aussi dans la chambre, je pris le chef en particulier,
et je lui demandai quelques lumières sur le sort de
cette belle fille. Il ne put m'en donner que de fort
générales.

—Nous l'avons tirée de l'Hôpital,* me dit-il, par 15
ordre de M. le Lieutenant Général de Police. Il n'y a
pas d'apparence qu'elle y eût été renfermée pour ses
bonnes actions. Je l'ai interrogée plusieurs fois sur la
route: elle s'obstine à ne me rien répondre. Mais
quoique je n'aie pas reçu ordre de la ménager plus que 20
les autres, je ne laisse pas d'avoir quelques égards pour
elle, parce qu'il me semble qu'elle vaut un peu mieux
que ses compagnes. Voilà un jeune homme, ajouta
l'archer, qui pourrait vous instruire mieux que moi sur
la cause de sa disgrâce; il l'a suivie depuis Paris, sans 25
cesser presque un moment de pleurer. Il faut que ce
soit son frère ou son amant.

Je me tournai vers le coin de la chambre où ce jeune
homme était assis; il paraissait enseveli dans une

rêverie profonde. Je n'ai jamais vu de plus vive image
de la douleur. Il était mis fort simplement; mais on
distingue, au premier coup d'œil, un homme qui a de la
naissance et de l'éducation. Je m'approchai de lui.
5 Il se leva; et je découvris dans ses yeux, dans sa figure
et dans tous ses mouvements, un air si fin et si noble,
que je me sentis porté naturellement à lui vouloir du
bien.

— Que je ne vous trouble point, lui dis-je, en m'as-
10 seyant près de lui. Voulez-vous bien satisfaire la
curiosité que j'ai de connaître cette belle personne, qui
ne me paraît point faite pour le triste état où je la vois ?

Il me répondit honnêtement qu'il ne pouvait
m'apprendre qui elle était sans se faire connaître lui-
15 même, et qu'il avait de fortes raisons pour souhaiter de
demeurer inconnu.

— Je puis vous dire, néanmoins, ce que ces misérables n'ignorent point, continua-t-il en montrant les
archers; c'est que je l'aime avec une passion si vio-
20 lente, qu'elle me rend le plus infortuné de tous les
hommes. J'ai tout employé, à Paris, pour obtenir sa
liberté. Les sollicitations, l'adresse et la force m'ont
été inutiles. J'ai pris le parti de la suivre, dût-elle
aller au bout du monde. Je m'embarquerai avec elle,
25 je passerai en Amérique. Mais, ce qui est de la dernière inhumanité, ces lâches coquins, ajouta-t-il en
parlant des archers, ne veulent pas me permettre
d'approcher d'elle. Mon dessein était de les attaquer
ouvertement, à quelques lieues de Paris. Je m'étais

associé quatre hommes, qui m'avaient promis leur
secours pour une somme considérable. Les traîtres
m'ont laissé seul aux mains et sont partis avec mon
argent. L'impossibilité de réussir par la force m'a fait
mettre les armes bas. J'ai proposé aux archers de me 5
permettre du moins de les suivre, en leur offrant de les
récompenser. Le désir du gain les y a fait consentir;
ils ont voulu être payés, chaque fois qu'ils m'ont
accordé la liberté de parler à ma maîtresse. Ma bourse
s'est épuisée en peu de temps; et maintenant que je 10
suis sans un sou, ils ont la barbarie de me repousser
brutalement lorsque je fais un pas vers elle. Il n'y a
qu'un instant qu'ayant osé m'en approcher malgré
leurs menaces, ils ont eu l'insolence de lever contre moi
le bout du fusil. Je suis obligé, pour satisfaire leur 15
avarice et pour me mettre en état de continuer la
route à pied, de vendre ici un mauvais cheval qui
m'a servi jusqu'à présent de monture.

Quoiqu'il parût faire assez tranquillement ce récit, il
laissa tomber quelques larmes en le finissant. Cette 20
aventure me parut des plus extraordinaires et des plus
touchantes.

— Je ne vous presse pas, lui dis-je, de me découvrir
le secret de vos affaires; mais si je puis vous être utile
à quelque chose, je m'offre volontiers à vous rendre 25
service.

— Hélas ! reprit-il, je ne vois pas le moindre jour à
l'espérance; il faut que je me soumette à toute la
rigueur de mon sort. J'irai en Amérique; j'y serai du

moins libre avec ce que j'aime. J'ai écrit à un de mes
amis qui me fera tenir quelques secours au Havre-de-
Grâce. Je ne suis embarrassé que pour m'y conduire,
et pour procurer à cette pauvre créature, ajouta-t-il
5 en regardant tristement sa maîtresse, quelque soulage-
ment sur la route.

— Hé bien, lui dis-je, je vais finir votre embarras.
Voici quelque argent que je vous prie d'accepter; je
suis fâché de ne pouvoir vous servir autrement.

10   Je lui donnai quatre louis d'or, sans que les gardes
s'en aperçussent; car je jugeais bien que, s'ils lui
savaient cette somme, ils lui vendraient plus chère-
ment leurs secours. Il me vint même à l'esprit de faire
marché avec eux, pour obtenir au jeune amant la
15 liberté de parler continuellement à sa maîtresse
jusqu'au Havre. Je fis signe au chef de s'approcher, et
je lui en fis la proposition. Il en parut honteux, malgré son effronterie.

— Ce n'est pas, Monsieur, répondit-il d'un air
20 embarrassé, que nous refusions de le laisser parler à
cette fille; mais il voudrait être sans cesse auprès
d'elle. Cela nous est incommode; il est bien juste
qu'il paye pour l'incommodité.

— Voyons donc, lui dis-je, ce qu'il faudrait pour
25 vous empêcher de la sentir.

Il eut l'audace de me demander deux louis. Je les
lui donnai sur-le-champ.

— Mais prenez garde, lui dis-je, qu'il ne vous
échappe quelque friponnerie; car je vais laisser mon

adresse à ce jeune homme, afin qu'il puisse m'en informer, et comptez que j'aurai le pouvoir de vous faire punir.

Il m'en coûta six louis d'or. La bonne grâce et la vive reconnaissance avec laquelle ce jeune inconnu me 5 remercia, achevèrent de me persuader qu'il était né quelque chose et qu'il méritait ma libéralité. Je dis quelques mots à sa maîtresse avant que de sortir; elle me répondit avec une modestie si douce et si charmante, que je ne pus m'empêcher de faire, en 10 sortant, mille réflexions sur le caractère incompréhensible des femmes.

Etant retourné à ma solitude, je ne fus point informé de la suite de cette aventure. Il se passa près de deux ans, qui me la firent oublier tout à fait, jusqu'à ce que 15 le hasard me fît renaître l'occasion d'en apprendre à fond toutes les circonstances.

J'arrivais de Londres à Calais, avec le Marquis de . . ., mon élève. Nous logeâmes, si je m'en souviens bien, au *Lion d'Or*,* où quelques raisons nous obli- 20 gèrent de passer le jour entier et la nuit suivante. En marchant l'après-midi dans les rues, je crus apercevoir ce même jeune homme dont j'avais fait la rencontre à Pacy: il était en fort mauvais équipage, et beaucoup plus pâle que je ne l'avais vu la première fois. Il 25 portait sur le bras un vieux porte-manteau, ne faisant qu'arriver dans la ville. Cependant, comme il avait la physionomie trop belle pour n'être pas reconnu facilement, je le remis aussitôt.

— Il faut, dis-je au Marquis, que nous abordions ce
jeune homme.

Sa joie fut plus vive que toute expression, lorsqu'il
m'eut remis à son tour.

5   — Ah ! Monsieur, s'écria-t-il en me baisant la main,
je puis donc encore une fois vous marquer mon immor-
telle reconnaissance.

Je lui demandai d'où il venait. Il me répondit qu'il
arrivait par mer du Havre-de-Grâce, où il était revenu
10 de l'Amérique peu auparavant.

— Vous ne me paraissez pas fort bien en argent, lui
dis-je. Allez-vous-en au *Lion d'Or*, où je suis logé; je
vous rejoindrai dans un moment.

J'y retournai en effet, plein d'impatience d'ap-
15 prendre le détail de son infortune et les circonstances
de son voyage d'Amérique. Je lui fis mille caresses, et
j'ordonnai qu'on ne le laissât manquer de rien. Il
n'attendit point que je le pressasse de me raconter
l'histoire de sa vie.

20   — Monsieur, me dit-il, vous en usez si noblement
avec moi, que je me reprocherais, comme une basse
ingratitude, d'avoir quelque chose de réservé pour
vous. Je veux vous apprendre, non seulement mes
malheurs et mes peines, mais encore mes désordres et
25 mes plus honteuses faiblesses. Je suis sûr qu'en me
condamnant, vous ne pourrez pas vous empêcher de
me plaindre.

Je dois avertir ici le Lecteur que j'écrivis son histoire
presque aussitôt après l'avoir entendue, et qu'on peut

s'assurer par conséquent que rien n'est plus exact et
plus fidèle que cette narration : je dis fidèle jusque dans
la relation des réflexions et des sentiments que le
jeune aventurier exprimait de la meilleure grâce du
monde. Voici donc son récit, auquel je ne mêlerai, 5
jusqu'à la fin, rien qui ne soit de lui.

J'avais dix-sept ans et j'achevais mes études de
philosophie à Amiens, où mes parents, qui sont d'une
des meilleures maisons de P . . ., m'avaient envoyé.
Je menais une vie si sage et si réglée, que mes maîtres 10
me proposaient pour l'exemple du collège; non que je
fisse des efforts extraordinaires pour mériter cet éloge,
mais j'ai l'humeur naturellement douce et tranquille.
Je m'appliquais à l'étude par inclination, et l'on me
comptait pour des vertus quelques marques d'aversion 15
naturelle pour le vice. Ma naissance, le succès de mes
études et quelques agréments extérieurs m'avaient fait
connaître et estimer de tous les honnêtes gens de la
ville. J'achevai mes exercices publics* avec une
approbation si générale, que Monsieur l'Evêque, qui y 20
assistait, me proposa d'entrer dans l'état ecclésiastique,
où je ne manquerais pas, disait-il, de m'attirer plus de
distinction que dans l'ordre de Malte,* auquel mes
parents me destinaient. Ils me faisaient déjà porter la
croix, avec le nom de Chevalier des Grieux.* 25
Les vacances arrivant, je me préparais à retourner
chez mon père, qui m'avait promis de m'envoyer bientôt à l'Académie.* Mon seul regret, en quittant

Amiens, était d'y laisser un ami avec lequel j'avais
toujours été tendrement uni. Il était de quelques
années plus âgé que moi; nous avions été élevés ensemble. Mais le bien de sa maison étant des plus
5 médiocres, il était obligé de prendre l'état ecclésiastique, et de demeurer à Amiens après moi, pour y faire
les études qui conviennent à cette profession. Il avait
mille bonnes qualités. Vous le connaîtrcz par les
meilleures dans la suite de mon histoire, et surtout par
10 un zèle et une générosité en amitié, qui surpassent les
plus célèbres exemples de l'antiquité. Si j'eusse alors
suivi ses conseils, j'aurais toujours été sage et heureux.
Si j'avais du moins profité de ses reproches dans le
précipice où mes passions m'ont entraîné, j'aurais
15 sauvé quelque chose du naufrage de ma fortune et de
ma réputation. Mais il n'a point recueilli d'autre fruit
de ses soins, que le chagrin de les voir inutiles, et
quelquefois durement récompensés par un ingrat qui
s'en offensait et qui les traitait d'importunités.

20   J'avais marqué le temps de mon départ d'Amiens.
Hélas! que ne le marquais-je un jour plus tôt! J'aurais porté chez mon père toute mon innocence. La
veille même de celui que je devais quitter cette ville,
étant à me promener avec mon ami, qui s'appelait
25 Tiberge, nous vîmes arriver le coche d'Arras, et nous le
suivîmes jusqu'à l'hôtellerie où ces voitures descendent; nous n'avions pas d'autre motif que la
curiosité. Il en sortit quelques femmes, qui se re-
tirèrent aussitôt; mais il en resta une, fort jeune, qui

s'arrêta seule dans la cour, pendant qu'un homme d'un
âge avancé, qui paraissait lui servir de conducteur,
s'empressait pour faire tirer son équipage des paniers.
Elle me parut si charmante, que moi, qui n'avais
jamais pensé à la différence des sexes, ni regardé une 5
fille avec un peu d'attention; moi, dis-je, dont tout le
monde admirait la sagesse et la retenue, je me trouvai
enflammé tout d'un coup jusqu'au transport. J'avais
le défaut d'être excessivement timide et facile à déconcerter; mais loin d'être arrêté alors par cette 10
faiblesse, je m'avançai vers la maîtresse de mon cœur.*
Quoiqu'elle fût encore moins âgée que moi, elle reçut
mes politesses sans paraître embarrassée. Je lui
demandai ce qui l'amenait à Amiens et si elle y avait
quelques personnes de connaissance; elle me répondit 15
ingénument qu'elle y était envoyée par ses parents
pour être religieuse. L'amour me rendait déjà si
éclairé, depuis un moment qu'il était dans mon cœur,
que je regardai ce dessein comme un coup mortel pour
mes désirs. Je lui parlai d'une manière qui lui fit 20
comprendre mes sentiments; car elle était bien plus
expérimentée que moi. C'était malgré elle qu'on
l'envoyait au couvent, pour arrêter sans doute son
penchant au plaisir qui s'était déjà déclaré, et qui a
causé dans la suite tous ses malheurs et les miens. Je 25
combattis la cruelle intention de ses parents par toutes
les raisons que mon amour naissant et mon éloquence
scolastique purent me suggérer. Elle n'affecta ni
rigueur ni dédain; elle me dit, après un moment de

silence, qu'elle ne prévoyait que trop qu'elle allait
être malheureuse, mais que c'était apparemment la
volonté du Ciel,* puisqu'il ne lui laissait nul moyen de
l'éviter. La douceur de ses regards, un air charmant de
5 tristesse en prononçant ces paroles, ou plutôt l'ascendant de ma destinée qui m'entraînait à ma perte, ne me
permirent pas de balancer un moment sur ma réponse.
Je l'assurai que, si elle voulait faire quelque fond sur
mon honneur et sur la tendresse infinie qu'elle m'inspi-
10 rait déjà, j'emploierais ma vie pour la délivrer de la
tyrannie de ses parents et pour la rendre heureuse.
Je me suis étonné mille fois, en y réfléchissant, d'où
me venait alors tant de hardiesse et de facilité à m'exprimer; mais on ne ferait pas une divinité de l'Amour,
15 s'il n'opérait souvent des prodiges. J'ajoutai mille
choses pressantes. Ma belle inconnue savait bien
qu'on n'est point trompeur à mon âge; elle me confessa que, si je voyais quelque jour* à la pouvoir
mettre en liberté, elle croirait m'être redevable de
20 quelque chose de plus cher que la vie. Je lui répétai
que j'étais prêt à tout entreprendre; mais, n'ayant
point assez d'expérience pour imaginer tout d'un coup
les moyens de la servir, je m'en tenais à cette assurance
générale, qui ne pouvait être d'un grand secours pour
25 elle et pour moi.

Son vieil Argus étant venu nous rejoindre, mes
espérances allaient échouer si elle n'eût eu assez
d'esprit pour suppléer à la stérilité du mien. Je fus
surpris, à l'arrivée de son conducteur, qu'elle m'appe-

lât son cousin* et que, sans paraître déconcertée le
moins du monde, elle me dît que, puisqu'elle était
assez heureuse pour me rencontrer à Amiens, elle
remettait au lendemain son entrée dans le couvent,
afin de se procurer le plaisir de souper avec moi. J'en- 5
trai fort bien dans le sens de cette ruse; je lui proposai
de se loger dans une hôtellerie, dont le maître, qui
s'était établi à Amiens après avoir été longtemps cocher
de mon père, était dévoué entièrement à mes ordres.
Je l'y conduisis moi-même, tandis que le vieux con- 10
ducteur paraissait un peu murmurer, et que mon ami
Tiberge, qui ne comprenait rien à cette scène, me suivait sans prononcer une parole. Il n'avait point entendu notre entretien; il était demeuré à se promener
dans la cour pendant que je parlais d'amour à ma belle 15
maîtresse. Comme je redoutais sa sagesse, je me défis
de lui par une commission dont je le priai de se charger.
Ainsi j'eus le plaisir, en arrivant à l'auberge d'entretenir seul la souveraine de mon cœur.

Je reconnus bientôt que j'étais moins enfant que je 20
ne le croyais. Mon cœur s'ouvrit à mille sentiments de
plaisir dont je n'avais jamais eu l'idée; une douce
chaleur se répandit dans toutes mes veines; j'étais
dans une espèce de transport, qui m'ôta pour quelque
temps la liberté de la voix et qui ne s'exprimait que par 25
mes yeux. Mademoiselle Manon Lescaut (c'est ainsi
qu'elle me dit qu'on la nommait) parut fort satis-
faite de cet effet de ses charmes. Je crus apercevoir qu'elle n'était pas moins émue que moi. Elle me

confessa qu'elle me trouvait aimable et qu'elle serait
ravie de m'avoir obligation de sa liberté. Elle voulut
savoir qui j'étais; et cette connaissance augmenta son
affection, parce qu'étant d'une naissance commune,*
5 elle se trouva flattée d'avoir fait la conquête d'un
amant tel que moi. Nous nous entretînmes des moyens
d'être l'un à l'autre. Après quantité de réflexions, nous
ne trouvâmcs point d'autre voie que celle de la fuite.
Il fallait tromper la vigilance du conducteur, qui était
10 un homme à ménager quoiqu'il ne fût qu'un domestique. Nous réglâmes que je ferais préparer pendant la
nuit une chaise de poste,* et que je reviendrais
de grand matin à l'auberge avant qu'il fût éveillé;
que nous nous deroberions secrètement, et que nous
15 irions droit à Paris, où nous nous ferions marier en
arrivant. J'avais environ cinquante écus, qui étaient
le fruit de mes petites épargnes; elle en avait à peu
près le double. Nous nous imaginâmes, comme des
enfants sans expérience, que cette somme ne finirait
20 jamais, et nous ne comptâmes pas moins sur le succès
de nos autres mesures.

Après avoir soupé avec plus de satisfaction que je
n'en avais jamais ressenti, je me retirai pour exécuter
mon projet. Mes arrangements furent d'autant plus
25 faciles, qu'ayant eu dessein de retourner le lendemain
chez mon père, mon petit équipage était déjà préparé.
Je n'eus donc nulle peine à faire transporter ma malle
et à faire tenir une chaise prête pour cinq heures du
matin, qui était le temps où les portes de la ville de-

vaient être ouvertes; mais je trouvai un obstacle dont
je ne me défiais point, et qui faillit de rompre entièrement mon dessein.

Tiberge, quoique âgé seulement de trois ans plus
que moi, était un garçon d'un sens mûr et d'une con- 5
duite fort réglée. Il m'aimait avec une tendresse
extraordinaire. La vue d'une aussi jolie fille que
Mademoiselle Manon, mon empressement à la conduire, et le soin que j'avais eu de me défaire de lui en
l'éloignant lui firent naître quelques soupçons de mon 10
amour. Il n'avait osé revenir à l'auberge, où il m'avait
laissé, de peur de m'offenser par son retour; mais il
était allé m'attendre à mon logis, où je le trouvai en
arrivant, quoiqu'il fût dix heures du soir. Sa présence
me chagrina; il s'aperçut facilement de la contrainte 15
qu'elle me causait.

— Je suis sûr, me dit-il sans déguisement, que vous
méditez quelque dessein que vous me voulez cacher:
je le vois à votre air.

Je lui répondis assez brusquement que je n'étais pas 20
obligé de lui rendre compte de tous mes desseins.

— Non, reprit-il, mais vous m'avez toujours traité
en ami, et cette qualité suppose un peu de confiance et
d'ouverture.

Il me pressa si fort et si longtemps de lui découvrir 25
mon secret que, n'ayant jamais eu de réserve avec lui,
je lui fis l'entière confidence de ma passion. Il la reçut
avec une apparence de mécontentement qui me fit
frémir; je me repentis surtout de l'indiscrétion avec

laquelle je lui avais découvert le dessein de ma fuite.
Il me dit qu'il était trop parfaitement mon ami pour ne
pas s'y opposer de tout son pouvoir; qu'il voulait me
représenter d'abord tout ce qu'il croyait capable de
5 m'en détourner; mais que, si je ne renonçais pas ensuite à cette misérable résolution, il avertirait des
personnes qui pourraient l'arrêter à coup sûr. Il me
tint là-dessus un discours sérieux qui dura plus d'un
quart d'heure, et qui finit encore par la menace de me
10 dénoncer, si je ne lui donnais ma parole de me conduire
avec plus de sagesse et de raison. J'étais au désespoir
de m'être trahi si mal à propos. Cependant, l'Amour
m'ayant ouvert extrêmement l'esprit depuis deux ou
trois heures, je fis attention que je ne lui avais
15 pas découvert que mon dessein devait s'exécuter le
lendemain, et je résolus de le tromper à la faveur d'une
équivoque.

— Tiberge, lui dis-je, j'ai cru jusqu'à présent que
vous étiez mon ami, et j'ai voulu vous éprouver par
20 cette confidence. Il est vrai que j'aime, je ne vous ai
pas trompé; mais pour ce qui regarde ma fuite, ce
n'est point une entreprise à former au hasard. Venez
me prendre demain à neuf heures; je vous ferai voir,
s'il se peut, ma maîtresse, et vous jugerez si elle mérite
25 que je fasse cette démarche pour elle.

Il me laissa seul, après mille protestations d'amitié.
J'employai la nuit à mettre ordre à mes affaires, et,
m'étant rendu à l'hôtellerie de Mademoiselle Manon
vers la pointe du jour, je la trouvai qui m'attendait.

Elle était à sa fenêtre, qui donnait sur la rue, de sorte que, m'ayant aperçu, elle vint m'ouvrir elle-même. Nous sortîmes sans bruit. Elle n'avait point d'autre équipage que son linge, dont je me chargeai moi-même. La chaise était en état de partir; nous nous éloignâmes 5 aussitôt de la ville.

Je rapporterai dans la suite quelle fut la conduite de Tiberge, lorsqu'il s'aperçut que je l'avais trompé. Son zèle n'en devint pas moins ardent. Vous verrez à quel excès il le porta, et combien je devrais verser de larmes 10 en songeant quelle en a toujours été la récompense.

Nous nous hâtâmes tellement d'avancer que nous arrivâmes à Saint-Denis* avant la nuit. J'avais couru à cheval à côté de la chaise, ce qui ne nous avait guère permis de nous entretenir qu'en changeant de chevaux; 15 mais lorsque nous nous vîmes si proche de Paris, c'est-à-dire presque en sûreté, nous prîmes le temps de nous rafraîchir, n'ayant rien mangé depuis notre départ d'Amiens. Quelque passionné que je fusse pour Manon, elle sut me persuader qu'elle ne l'était pas 20 moins pour moi. Nous étions si peu réservés dans nos caresses, que nous n'avions pas la patience d'attendre que nous fussions seuls. Nos postillons et nos hôtes nous regardaient avec admiration; et je remarquais qu'ils étaient surpris de voir deux enfants de notre 25 âge, qui paraissaient s'aimer jusqu'à la fureur. Nos projets de mariage furent oubliés à Saint-Denis; nous fraudâmes les droits de l'Eglise et nous nous trouvâmes époux sans y avoir fait réflexion.

Il est sûr que, du naturel tendre et constant dont je
suis, j'étais heureux pour toute ma vie, si Manon m'eût
été fidèle.   Plus je la connaissais, plus je découvrais en
elle de nouvelles qualités aimables.   Son esprit, son
5 cœur, sa douceur et sa beauté formaient une chaîne si
forte et si charmante, que j'aurais mis tout mon bonheur à n'en sortir jamais.   Terrible changement !
Ce qui fait mon désespoir a pu faire ma félicité.   Je
me trouve le plus malheureux de tous les hommes, par
10 cette même constance dont je devais attendre le plus
doux de tous les sorts et les plus parfaites récompenses
de l'amour.

Nous prîmes un appartement meublé à Paris.   Ce
fut dans la rue V . . . et, pour mon malheur, auprès de
15 la maison de M. de B . . ., célèbre fermier général.*
Trois semaines se passèrent, pendant lesquelles j'avais
été si rempli de ma passion, que j'avais peu songé à ma
famille et au chagrin que mon père avait dû ressentir
de mon absence.   Cependant, comme la débauche
20 n'avait nulle part à ma conduite et que Manon se
comportait aussi avec beaucoup de retenue, la tranquillité où nous vivions servit à me faire rappeler peu
à peu l'idée de mon devoir.   Je résolus de me réconcilier, s'il était possible, avec mon père.   Ma maîtresse
25 était si aimable, que je ne doutai point qu'elle ne pût
lui plaire si je trouvais moyen de lui faire connaître sa
sagesse et son mérite.   En un mot, je me flattai d'obtenir de lui la liberté de l'épouser, ayant été désabusé de
l'espérance de le pouvoir sans son consentement.

Je communiquai ce projet à Manon, et je lui fis entendre qu'outre les motifs de l'amour et du devoir, celui de la nécessité pouvait y entrer aussi pour quelque chose; car nos fonds étaient extrêmement altérés, et je commençais à revenir de l'opinion qu'ils étaient 5 inépuisables. Manon reçut froidement cette proposition. Cependant, les difficultés qu'elle y opposa n'étant prises que de sa tendresse même et de la crainte de me perdre, si mon père n'entrait point dans notre dessein après avoir connu le lieu de notre retraite, je 10 n'eus pas le moindre soupçon du coup cruel qu'on se préparait à me porter. A l'objection de la nécessité, elle répondit qu'il nous restait encore de quoi vivre quelques semaines, et qu'elle trouverait après cela des ressources dans l'affection de quelques parents, à qui 15 elle écrirait en province. Elle adoucit son refus par des caresses si tendres et si passionnées, que moi, qui ne vivais que dans elle, et qui n'avais pas la moindre défiance de son cœur, j'applaudis à toutes ses réponses et à toutes ses résolutions. 20

Je lui avais laissé la disposition de notre bourse et le soin de payer notre dépense ordinaire. Je m'aperçus, peu après, que notre table était mieux servie, et qu'elle s'était donné quelques ajustements d'un prix considérable. Comme je n'ignorais pas qu'il devait nous 25 rester à peine douze ou quinze pistoles, je lui marquai mon étonnement de cette augmentation apparente de notre opulence. Elle me pria, en riant, d'être sans embarras.

— Ne vous ai-je pas promis, me dit-elle, que je
trouverais des ressources ?

Je l'aimais avec trop de simplicité pour m'alarmer
facilement.

5   Un jour que j'étais sorti l'après-midi, et que je
l'avais avertie que je serais dehors plus longtemps qu'à
l'ordinaire, je fus étonné qu'à mon retour, on me fît
attendre deux ou trois minutes à la porte. Nous
n'étions servis que par une petite fille, qui était à peu
10 près de notre âge. Etant venue m'ouvrir, je lui
demandai pourquoi elle avait tardé si longtemps. Elle
me répondit, d'un air embarrassé, qu'elle ne m'avait
point entendu frapper. Je n'avais frappé qu'une fois;
je lui dis:

15   — Mais si vous ne m'avez pas entendu, pourquoi
êtes-vous donc venue m'ouvrir ?

Cette question la déconcerta si fort que, n'ayant
point assez de présence d'esprit pour y répondre, elle
se mit à pleurer, en m'assurant que ce n'était point sa
20 faute, et que Madame lui avait défendu d'ouvrir la
porte jusqu'à ce que M. de B . . . fût sorti par l'autre
escalier, qui répondait au cabinet. Je demeurai si
confus, que je n'eus point la force d'entrer dans l'appartement. Je pris le parti de descendre sous prétexte
25 d'une affaire, et j'ordonnai à cette enfant de dire à sa
maîtresse que je retournerais dans le moment, mais de
ne pas faire connaître qu'elle m'eût parlé de M. de B. . .

Ma consternation fut si grande, que je versais des
larmes en descendant l'escalier sans savoir encore de

quel sentiment elles partaient. J'entrai dans le premier
café et, m'y étant assis près d'une table, j'appuyai la
tête sur mes deux mains pour y développer ce qui se
passait dans mon coeur. Je n'osais rappeler ce que je
venais d'entendre; je voulais le considérer comme une 5
illusion, et je fus prêt deux ou trois fois de retourner au
logis, sans marquer que j'y eusse fait attention. Il me
paraissait si impossible que Manon m'eût trahi, que je
craignais de lui faire injure en la soupçonnant. Je
l'adorais, cela était sûr; je ne lui avais pas donné plus 10
de preuves d'amour que je n'en avais reçu d'elle.
Pourquoi l'aurais-je accusée d'être moins sincère et
moins constante que moi ? Quelle raison aurait-elle eu
de me tromper ? Il n'y avait que trois heures qu'elle
m'avait accablé de ses plus tendres caresses et qu'elle 15
avait reçu les miennes avec transport; je ne connaissais pas mieux mon cœur que le sien.

— Non, non, repris-je, il n'est pas possible que
Manon me trahisse. Elle n'ignore pas que je ne vis
que pour elle; elle sait trop bien que je l'adore. Ce 20
n'est pas là un sujet de me haïr.

Cependant la visite et la sortie furtive de M. de B . . .
me causaient de l'embarras. Je rappelais aussi les
petites acquisitions de Manon, qui me semblaient
surpasser nos richesses présentes. Cela paraissait 25
sentir les libéralités d'un nouvel amant. Et cette
confiance qu'elle m'avait marquée pour des ressources
qui m'étaient inconnues ? J'avais peine à donner à
tant d'énigmes un sens aussi favorable que mon cœur le

souhaitait. D'un autre côté, je ne l'avais presque pas perdue de vue depuis que nous étions à Paris. Occupations, promenades, divertissements, nous avions toujours été l'un à côté de l'autre; mon Dieu! un
5 instant de séparation nous aurait trop affligés. Il fallait nous dire sans cesse que nous nous aimions; nous serions morts d'inquiétude sans cela. Je ne pouvais donc m'imaginer presque un seul moment où Manon pût s'être occupée d'un autre que moi. A la
10 fin, je crus avoir trouvé le dénouement de ce mystère. M. de B . . ., dis-je en moi-même, est un homme qui fait de grosses affaires et qui a de grandes relations; les parents de Manon se seront servis de cet homme pour lui faire tenir quelque argent. Elle en a peut-être
15 déjà reçu de lui; il est venu aujourd'hui lui en apporter encore. Elle s'est fait sans doute un jeu de me le cacher, pour me surprendre agréablement. Peut-être m'en aurait-elle parlé, si j'étais rentré à l'ordinaire, au lieu de venir ici m'affliger; elle ne me le cachera pas du
20 moins, lorsque je lui en parlerai moi-même.

Je me remplis si fortement de cette opinion, qu'elle eut la force de diminuer beaucoup ma tristesse. Je retournai sur-le-champ au logis; j'embrassai Manon avec ma tendresse ordinaire. Elle me reçut fort bien.
25 J'étais tenté d'abord de lui découvrir mes conjectures, que je regardais plus que jamais comme certaines; je me retins, dans l'espérance qu'il lui arriverait peut-être de me prévenir, en m'apprenant tout ce qui s'était passé.

On nous servit à souper. Je me mis à table d'un air
fort gai; mais à la lumière de la chandelle, qui était
entre elle et moi, je crus apercevoir de la tristesse sur le
visage et dans les yeux de ma chère maîtresse. Cette
pensée m'en inspira aussi. Je remarquai que ses re- 5
gards s'attachaient sur moi d'une autre façon qu'ils
n'avaient accoutumé. Je ne pouvais démêler si c'était
de l'amour ou de la compassion, quoiqu'il me parût
que c'était un sentiment doux et languissant. Je la
regardai avec la même attention; et peut-être n'avait- 10
elle pas moins de peine à juger de la situation de mon
cœur par mes regards. Nous ne pensions ni à parler,
ni à manger. Enfin, je vis tomber des larmes de ses
beaux yeux: perfides larmes !

— Ah Dieux ! m'écriai-je, vous pleurez, ma chère 15
Manon; vous êtes affligée jusqu'à pleurer, et vous ne
me dites pas un seul mot de vos peines.

Elle ne me répondit que par quelques soupirs qui
augmentèrent mon inquiétude. Je me levai en
tremblant; je la conjurai, avec tous les empressements 20
de l'amour, de me découvrir le sujet de ses pleurs;
j'en versai moi-même en essuyant les siens; j'étais
plus mort que vif. Un barbare aurait été attendri des
témoignages de ma douleur et de ma crainte.

Dans le temps que j'étais ainsi tout occupé d'elle, 25
j'entendis le bruit de plusieurs personnes qui montaient
l'escalier. On frappa doucement à la porte. Manon
me donna un baiser et, s'échappant de mes bras, elle
entra rapidement dans le cabinet, qu'elle ferma aussi-

tôt sur elle. Je me figurai qu'étant un peu en désordre,
elle voulait se cacher aux yeux des étrangers qui avaient
frappé. J'allai leur ouvrir moi-même. A peine avais-je
ouvert que je me vis saisir par trois hommes, que je
5 reconnus pour les laquais de mon père. Ils ne me firent
point de violence; mais, deux d'entre eux m'ayant
pris par les bras, le troisième visita mes poches, dont
il tira un petit couteau qui était le seul fer que j'eusse
sur moi. Ils me demandèrent pardon de la nécessité
10 où ils étaient de me manquer de respect. Ils me dirent
naturellement qu'ils agissaient par l'ordre de mon
père, et que mon frère aîné m'attendait en bas dans un
carrosse. J'étais si troublé, que je me laissai conduire
sans résister et sans répondre. Mon frère était effec-
15 tivement à m'attendre. On me mit dans le carrosse,
auprès de lui; et le cocher, qui avait ses ordres, nous
conduisit à grand train jusqu'à Saint-Denis. Mon
frère m'embrassa tendrement, mais il ne me parla
point; de sorte que j'eus tout le loisir, dont j'avais
20 besoin, pour rêver à mon infortune.

J'y trouvai d'abord tant d'obscurité que je ne voyais
pas de jour à la moindre conjecture. J'étais trahi
cruellement. Mais par qui ? Tiberge fut le premier
qui me vint à l'esprit. Traître ! disais-je, c'est fait de
25 ta vie si mes soupçons se trouvent justes. Cependant
je fis réflexion qu'il ignorait le lieu de ma demeure, et
qu'on ne pouvait, par conséquent, l'avoir appris de
lui. Accuser Manon, c'est de quoi mon cœur n'osait
se rendre coupable. Cette tristesse extraordinaire

dont je l'avais vue comme accablée, ses larmes, le
tendre baiser qu'elle m'avait donné en se retirant, me
paraissaient bien une énigme; mais je me sentais porté
à l'expliquer comme un pressentiment de notre malheur commun et, dans le temps que je me désespérais 5
de l'accident qui m'arrachait à elle, j'avais la crédulité
de m'imaginer qu'elle était encore plus à plaindre que
moi. Le résultat de ma méditation fut de me persuader
que j'avais été aperçu dans les rues de Paris par
quelques personnes de connaissance, qui en avaient 10
donné avis à mon père. Cette pensée me consola; je
comptais d'en être quitte pour des reproches ou pour
quelques mauvais traitements, qu'il me faudrait
essuyer de l'autorité paternelle. Je résolus de les
souffrir avec patience et de promettre tout ce qu'on 15
exigerait de moi, pour me faciliter l'occasion de retourner plus promptement à Paris et d'aller rendre la
vie et la joie à ma chère Manon.

Nous arrivâmes, en peu de temps, à Saint-Denis.
Mon frère, surpris de mon silence, s'imagina que c'était 20
un effet de ma crainte. Il entreprit de me consoler, en
m'assurant que je n'avais rien à redouter de la sévérité
de mon père, pourvu que je fusse disposé à rentrer
doucement dans le devoir et à mériter l'affection qu'il
avait pour moi. Il me fit passer la nuit à Saint-Denis, 25
avec la précaution de faire coucher les trois laquais
dans ma chambre. Ce qui me causa une peine sensible,
fut de me voir dans la même hôtellerie où je m'étais
arrêté avec Manon, en venant d'Amiens à Paris.

L'hôte et les domestiques me reconnurent et de-
vinèrent en même temps la vérité de mon histoire.
J'entendis dire à l'hôte:

— Ha! c'est ce joli monsieur qui passait, il y a six
5 semaines,* avec une petite demoiselle qu'il aimait si
fort. Qu'elle était charmante! Les pauvres enfants,
comme ils se caressaient! Pardi, c'est dommage qu'on
les ait séparés.

Je feignais de ne rien entendre, et je me laissais voir
10 le moins qu'il m'était possible.

Mon frère avait à Saint-Denis une chaise à deux,
dans laquelle nous partîmes de grand matin, et nous
arrivâmes chez nous le lendemain au soir. Il vit mon
père avant moi, pour le prévenir en ma faveur en lui
15 apprenant avec quelle douceur je m'étais laissé conduire; de sorte que j'en fus reçu moins durement que je
ne m'y étais attendu. Il se contenta de me faire
quelques reproches généraux sur la faute que j'avais
commise en m'absentant sans sa permission. Pour ce
20 qui regardait ma maîtresse, il me dit que j'avais bien
mérité ce qui venait de m'arriver, en me livrant à une
inconnue; qu'il avait eu meilleure opinion de ma prudence, mais qu'il espérait que cette petite aventure
me rendrait plus sage. Je ne pris ce discours que dans
25 le sens qui s'accordait avec mes idées; je remerciai
mon père de la bonté qu'il avait de me pardonner, et
je lui promis de prendre une conduite plus soumise et
plus réglée. Je triomphais au fond du cœur; car de
la manière dont les choses s'arrangeaient, je ne doutais

point que je n'eusse la liberté de me dérober de la
maison, même avant la fin de la nuit.

On se mit à table pour souper. On me railla sur ma
conquête d'Amiens et sur ma fuite avec cette fidèle
maîtresse. Je reçus les coups de bonne grâce; j'étais 5
même charmé qu'il me fût permis de m'entretenir de
ce qui m'occupait continuellement l'esprit. Mais
quelques mots lâchés par mon père me firent prêter
l'oreille avec la dernière attention: il parla de perfidie
et de service intéressé, rendu par M. de B... Je 10
demeurai interdit en lui entendant prononcer ce nom,
et je le priai humblement de s'expliquer davantage.
Il se tourna vers mon frère, pour lui demander s'il ne
m'avait pas raconté toute l'histoire. Mon frère lui
répondit que je lui avais paru si tranquille sur la route, 15
qu'il n'avait pas cru que j'eusse besoin de ce remède
pour me guérir de ma folie. Je remarquai que mon
père balançait s'il achèverait de s'expliquer; je l'en
suppliai si instamment qu'il me satisfit ou, plutôt,
qu'il m'assassina cruellement par le plus horrible de 20
tous les récits.

Il me demanda d'abord si j'avais toujours eu la
simplicité de croire que je fusse aimé de ma maîtresse.
Je lui dis hardiment que j'en étais si sûr que rien ne
pouvait m'en donner la moindre défiance. 25

— Ha! ha! ha! s'écria-t-il en riant de toute sa
force, cela est excellent! Tu es une jolie dupe, et
j'aime à te voir dans ces sentiments-là. C'est grand
dommage, mon pauvre Chevalier, de te faire entrer

dans l'ordre de Malte, puisque tu as tant de disposition
à faire un mari patient et commode.

Il ajouta mille railleries de cette force, sur ce qu'il
appelait ma sottise et ma crédulité. Enfin, comme je
5 demeurais dans le silence, il continua de me dire que,
suivant le calcul qu'il pouvait faire du temps depuis
mon départ d'Amiens, Manon m'avait aimé environ
douze jours : « Car, ajouta-t-il, je sais que tu partis
d'Amiens le 28 de l'autre mois; nous sommes au 29
10 du présent; il y en a onze que M. de B . . . m'a écrit.
Je suppose qu'il lui en ait fallu huit pour lier une parfaite connaissance avec ta maîtresse; ainsi, qui ôte
onze et huit de trente-un jours qu'il y a depuis le 28
d'un mois jusqu'au 2 de l'autre, reste douze, un peu
15 plus ou moins. »

Là-dessus les éclats de rire recommencèrent. J'é-
coutais tout avec un saisissement de cœur auquel
j'appréhendais de ne pouvoir résister jusqu'à la fin de
cette triste comédie.

20   — Tu sauras donc, reprit mon père, puisque tu
l'ignores, que M. de B . . . a gagné le cœur de ta
princesse, car il se moque de moi, de prétendre me
persuader que c'est par un zèle désintéressé pour mon
service qu'il a voulu te l'enlever. C'est bien d'un
25 homme tel que lui, de qui d'ailleurs je ne suis pas
connu, qu'il faut attendre des sentiments si nobles.
Il a su d'elle que tu es mon fils, et, pour se délivrer de tes
importunités, il m'a écrit le lieu de ta demeure et le
désordre où tu vivais, en me faisant entendre qu'il

fallait main-forte pour s'assurer de toi. Il s'est offert
de me faciliter les moyens de te saisir au collet, et
c'est par sa direction et celle de ta maîtresse même
que ton frère a trouvé le moment de te prendre sans
vert.* Félicite-toi maintenant de la durée de ton
triomphe. Tu sais vaincre assez rapidement, Chevalier; mais tu ne sais pas conserver tes conquêtes.*

Je n'eus pas la force de soutenir plus longtemps un
discours dont chaque mot m'avait percé le cœur. Je
me levai de table, et je n'avais pas fait quatre pas pour
sortir de la salle, que je tombai sur le plancher sans
sentiment et sans connaissance; on me les rappela
par de prompts secours. J'ouvris les yeux pour verser
un torrent de pleurs, et la bouche pour proférer les
plaintes les plus tristes et les plus touchantes. Mon
père, qui m'a toujours aimé tendrement, s'employa
avec toute son affection pour me consoler. Je l'écou-
tais, mais sans l'entendre. Je me jetai à ses genoux, je
le conjurai, en joignant les mains, de me laisser retourner à Paris pour aller poignarder B . . .

— Non, disais-je, il n'a pas gagné le cœur de Manon,
il lui a fait violence; il l'a séduite par un charme ou par
un poison, il l'a peut-être forcée brutalement. Manon
m'aime; ne le sais-je pas bien ? Il l'aura menacée, le
poignard à la main, pour la contraindre de m'abandonner. Que n'aura-t-il pas fait pour me ravir une si
charmante maîtresse ! O Dieux ! Dieux ! serait-il
possible que Manon m'eût trahi et qu'elle eût cessé de
m'aimer !

Comme je parlais toujours de retourner promptement à Paris, et que je me levais même à tous moments
pour cela, mon père vit bien que, dans le transport où
j'étais, rien ne serait capable de m'arrêter. Il me
5 conduisit dans une chambre haute, où il laissa deux
domestiques avec moi pour me garder à vue. Je ne
me possédais point. J'aurais donné mille vies pour
être seulement un quart d'heure à Paris. Je compris
que, m'étant déclaré si ouvertement, on ne me per-
10 mettrait pas aisément de sortir de ma chambre. Je
mesurai des yeux la hauteur des fenêtres; ne voyant
nulle possibilité de m'échapper par cette voie, je m'a-
dressai doucement à mes deux domestiques. Je
m'engageai par mille serments à faire un jour leur
15 fortune, s'ils voulaient consentir à mon évasion. Je
les pressai, je les caressai, je les menaçai; mais cette
tentative fut encore inutile. Je perdis alors toute
espérance; je résolus de mourir, et je me jetai sur un
lit, avec le dessein de ne le quitter qu'avec la vie.

20 Je passai la nuit et le jour suivant dans cette situation. Je refusai la nourriture qu'on m'apporta le
lendemain. Mon père vint me voir l'après-midi; il eut
la bonté de flatter mes peines par les plus douces consolations; il m'ordonna si absolument de manger
25 quelque chose, que je le fis par respect pour ses ordres.
Quelques jours se passèrent, pendant lesquels je ne
pris rien qu'en sa présence et pour lui obéir. Il continuait toujours de m'apporter les raisons qui pouvaient
me ramener au bon sens et m'inspirer du mépris pour

l'infidèle Manon. Il est certain que je ne l'estimais plus: comment aurais-je estimé la plus volage et la plus perfide de toutes les créatures ? Mais son image, les traits charmants que je portais au fond du cœur, y subsistaient toujours; je le sentais bien.* 5

— Je puis mourir, disais-je; je le devrais même, après tant de honte et de douleur; mais je souffrirais mille morts sans pouvoir oublier l'ingrate Manon.

Mon père était surpris de me voir toujours si forte- ment touché; il me connaissait des principes d'hon- 10 neur, et, ne pouvant douter que sa trahison ne me la fît mépriser, il s'imagina que ma constance venait moins de cette passion en particulier, que d'un pen- chant général pour les femmes. Il s'attacha tellement à cette pensée que, ne consultant que sa tendre affec- 15 tion, il vint un jour m'en faire l'ouverture.

— Chevalier, me dit-il, j'ai eu dessein, jusqu'à présent, de te faire porter la croix de Malte; mais je vois que tes inclinations ne sont point tournées de ce côté-là. Tu aimes les jolies femmes; je suis d'avis de 20 t'en chercher une qui te plaise. Explique-moi naturel- lement ce que tu penses là-dessus.

Je lui répondis que je ne mettais plus de distinction entre les femmes, et qu'après le malheur qui venait de m'arriver, je les détestais toutes également. 25

— Je t'en chercherai une, reprit mon père en sou- riant, qui ressemblera à Manon, et qui sera plus fidèle.

— Ah! si vous avez quelque bonté pour moi, lui dis-je, c'est elle qu'il faut me rendre. Soyez sûr, mon

cher père, qu'elle ne m'a point trahi; elle n'est pas
capable d'une si noire et si cruelle lâcheté. C'est le
perfide B... qui nous trompe, vous, elle et moi. Si
vous saviez combien elle est tendre et sincère, si vous
5 la connaissiez, vous l'aimeriez vous-même.

— Vous êtes un enfant, repartit mon père. Comment pouvez-vous vous aveugler jusqu'à ce point,
après ce que je vous ai raconté d'elle ? C'est elle-
même qui vous a livré à votre frère. Vous devriez
10 oublier jusqu'à son nom et profiter, si vous êtes sage,
de l'indulgence que j'ai pour vous.

Je reconnaissais trop clairement qu'il avait raison.
C'était un mouvement involontaire qui me faisait
prendre ainsi le parti de mon infidèle.

15 — Hélas ! repris-je, après un moment de silence, il
n'est que trop vrai que je suis le malheureux objet de
la plus lâche de toutes les perfidies. Oui, continuai-je,
en versant des larmes de dépit, je vois bien que je ne
suis qu'un enfant. Ma crédulité ne leur coûtait guère
20 à tromper. Mais je sais bien ce que j'ai à faire pour
me venger.

Mon père voulut savoir quel était mon dessein.

— J'irai à Paris, lui dis-je, je mettrai le feu à la
maison de B..., et je le brûlerai tout vif avec la
25 perfide Manon.

Cet emportement fit rire mon père, et ne servit qu'à
me faire garder plus étroitement dans ma prison. J'y
passai six mois entiers, pendant le premier desquels il
y eut peu de changement dans mes dispositions. Tous

mes sentiments n'étaient qu'une alternative perpétuelle de haine et d'amour, d'espérance ou de désespoir,
selon l'idée sous laquelle Manon s'offrait à mon esprit.
Tantôt je ne considérais en elle que la plus aimable de
toutes les filles, et je languissais du désir de la revoir; 5
tantôt je n'y apercevais qu'une lâche et perfide maîtresse, et je faisais mille serments de ne la chercher que
pour la punir. On me donna des livres, qui servirent à
rendre un peu de tranquillité à mon âme. Je relus
tous mes auteurs; j'acquis de nouvelles connaissances; 10
je repris un goût infini pour l'étude. Vous verrez de
quelle utilité il me fut dans la suite. Les lumières, que
je devais à l'amour, me firent trouver de la clarté dans
quantité d'endroits d'Horace et de Virgile, qui m'a-
vaient paru obscurs auparavant. Je fis un Commen- 15
taire amoureux sur le quatrième livre de l'*Enéide;**
je le destine à voir le jour, et je me flatte que le public
en sera satisfait. « Hélas ! disais-je en le faisant,
c'était un cœur tel que le mien qu'il fallait à la fidèle
Didon. » 20

Tiberge vint me voir un jour dans ma prison. Je
fus surpris du transport avec lequel il m'embrassa.
Je n'avais point encore eu de preuves de son affection,
qui pussent me la faire regarder autrement que comme
une simple amitié de collège, telle qu'elle se forme entre 25
de jeunes gens qui sont à peu près du même âge. Je
le trouvai si changé et si formé, depuis cinq ou six
mois que j'avais passés sans le voir, que sa figure et le
ton de son discours m'inspirèrent du respect. Il me

parla en conseiller sage, plutôt qu'en ami d'école; il
plaignit l'égarement où j'étais tombé; il me félicita de
ma guérison, qu'il croyait avancée; enfin il m'exhorta
à profiter de cette erreur de jeunesse pour ouvrir les
5 yeux sur la vanité des plaisirs. Je le regardai avec
étonnement. Il s'en aperçut.

— Mon cher Chevalier, me dit-il, je ne vous dis rien
qui ne soit solidement vrai, et dont je ne me sois
convaincu par un sérieux examen. J'avais autant de
10 penchant que vous vers la volupté; mais le Ciel
m'avait donné, en même temps, du goût pour la vertu.
Je me suis servi de ma raison pour comparer les fruits
de l'une et de l'autre, et je n'ai pas tardé longtemps à
découvrir leurs différences. Le secours du Ciel s'est
15 joint à mes réflexions; j'ai conçu pour le monde un
mépris auquel il n'y a rien d'égal. Devineriez-vous
ce qui m'y retient, ajouta-t-il, et ce qui m'empêche de
courir à la solitude ? C'est uniquement la tendre
amitié que j'ai pour vous. Je connais l'excellence de
20 votre cœur et de votre esprit; il n'y a rien de bon dont
vous ne puissiez vous rendre capable. Le poison du
plaisir vous a fait écarter du chemin. Quelle perte
pour la vertu ! Votre fuite d'Amiens m'a causé tant
de douleur, que je n'ai pas goûté, depuis, un seul
25 moment de satisfaction: jugez-en par les démarches
qu'elle m'a fait faire.

Il me raconta qu'après s'être aperçu que je l'avais
trompé et que j'étais parti avec ma maîtresse, il était
monté à cheval pour me suivre; mais qu'ayant sur lui

quatre ou cinq heures d'avance, il lui avait été impossible de me joindre; qu'il était arrivé néanmoins à Saint-Denis une demi-heure après mon départ; qu'étant bien certain que je me serais arrêté à Paris, il y avait passé six semaines à me chercher inutilement; qu'il allait dans tous les lieux où il se flattait de pouvoir me trouver, et qu'un jour enfin il avait reconnu ma maîtresse à la Comédie; qu'elle y était dans une parure si éclatante, qu'il s'était imaginé qu'elle devait cette fortune à un nouvel amant; qu'il avait suivi son carrosse jusqu'à sa maison, et qu'il avait appris d'un domestique qu'elle était entretenue par les libéralités de M. de B . . .

— Je ne m'arrêtai point là, continua-t-il. J'y retournai le lendemain, pour apprendre d'elle-même ce que vous étiez devenu; elle me quitta brusquement, lorsqu'elle m'entendit parler de vous, et je fus obligé de revenir en province sans aucun autre éclaircissement. J'y appris votre aventure et la consternation extrême qu'elle vous a causée; mais je n'ai pas voulu vous voir, sans être assuré de vous trouver plus tranquille.

— Vous avez donc vu Manon, lui répondis-je en soupirant. Hélas! vous êtes plus heureux que moi, qui suis condamné à ne la revoir jamais.

Il me fit des reproches de ce soupir, qui marquait encore de la faiblesse pour elle. Il me flatta si adroitement sur la bonté de mon caractère et sur mes inclinations, qu'il me fit naître, dès cette première visite, une

forte envie de renoncer comme lui à tous les plaisirs du
siècle pour entrer dans l'état ecclésiastique.

Je goûtai tellement cette idée que, lorsque je me
trouvai seul, je ne m'occupai plus d'autre chose. Je me
5 rappelai les discours de M. L'Evêque d'Amiens, qui
m'avait donné le même conseil, et les présages heureux
qu'il avait formés en ma faveur, s'il m'arrivait d'embrasser ce parti. La piété se mêla aussi dans mes considérations. — Je mènerai une vie sage et chrétienne,
10 disais-je; je m'occuperai de l'étude et de la religion,
qui ne me permettront point de penser aux dangereux
plaisirs de l'amour. Je mépriserai ce que le commun
des hommes admire; et, comme je sens assez que mon
cœur ne désirera que ce qu'il estime, j'aurai aussi peu
15 d'inquiétudes que de désirs.

Je formai là-dessus, d'avance, un système de vie
paisible et solitaire. J'y faisais entrer une maison
écartée,* avec un petit bois et un ruisseau d'eau douce
au bout du jardin; une bibliothèque composée de
20 livres choisis, un petit nombre d'amis vertueux et de
bon sens; une table propre, mais frugale et modérée.
J'y joignais un commerce de lettres avec un ami qui
ferait son séjour à Paris, et qui m'informerait des
nouvelles publiques, moins pour satisfaire ma curiosité,
25 que pour me faire un divertissement des folles agitations des hommes. « Ne serai-je pas heureux ? ajoutais-je; toutes mes prétentions ne seront-elles point
remplies ? » Il est certain que ce projet flattait
extrêmement mes inclinations; mais, à la fin d'un si

sage arrangement, je sentais que mon cœur attendait
encore quelque chose, et que, pour n'avoir rien à
désirer dans la plus charmante solitude, il y fallait
être avec Manon.

Cependant, Tiberge continuant de me rendre de 5
fréquentes visites, dans le dessein qu'il m'avait inspiré, je pris l'occasion d'en faire l'ouverture à mon
père. Il me déclara que son intention était de laisser
ses enfants libres dans le choix de leur condition, et
que, de quelque manière que je voulusse disposer de 10
moi, il ne se réserverait que le droit de m'aider de ses
conseils. Il m'en donna de fort sages, qui tendaient
moins à me dégoûter de mon projet qu'à me le faire
embrasser avec connaissance. Le renouvellement de
l'année scolastique approchait; je convins avec 15
Tiberge de nous mettre ensemble au Séminaire de
Saint-Sulpice,* lui pour achever ses études de théologie
et moi pour commencer les miennes. Son mérite, qui
était connu de l'Evêque du diocèse, lui fit obtenir de
ce prélat un bénéfice considérable avant notre départ. 20

Mon père, me croyant tout à fait revenu de ma
passion, ne fit aucune difficulté de me laisser partir.
Nous arrivâmes à Paris. L'habit ecclésiastique prit
la place de la croix de Malte, et le nom d'abbé des
Grieux celle de chevalier. Je m'attachai à l'étude avec 25
tant d'application, que je fis des progrès extraordinaires en peu de mois. J'y employais une partie de la
nuit, et je ne perdais pas un moment du jour. Ma
réputation eut tant d'éclat, qu'on me félicitait déjà

sur les dignités que je ne pouvais manquer d'obtenir;
et, sans l'avoir sollicité, mon nom fut couché sur la
feuille des bénéfices.* La piété n'était pas plus né-
gligée; j'avais de la ferveur pour tous les exercices.
5 Tiberge était charmé de ce qu'il regardait comme son
ouvrage, et je l'ai vu plusieurs fois répandre des
larmes, en s'applaudissant de ce qu'il nommait ma
conversion.

Que les résolutions humaines soient sujettes à
10 changer, c'est ce qui ne m'a jamais causé d'étonnement; une passion les fait naître, une autre passion
peut les détruire. Mais quand je pense à la sainteté de
celles qui m'avaient conduit à Saint-Sulpice et à la
joie intérieure que le Ciel m'y faisait goûter en les
15 exécutant, je suis effrayé de la facilité avec laquelle
j'ai pu les rompre. S'il est vrai que les secours célestes
sont à tous moments d'une force égale à celle des
passions, qu'on m'explique donc par quel funeste
ascendant on se trouve emporté tout d'un coup loin
20 de son devoir, sans se trouver capable de la moindre
résistance, et sans ressentir le moindre remords. Je me
croyais absolument délivré des faiblesses de l'amour;
il me semblait que j'aurais préféré la lecture d'une
page de Saint-Augustin,* ou un quart d'heure de
25 méditation chrétienne, à tous les plaisirs des sens, sans
excepter ceux qui m'auraient été offerts par Manon.
Cependant un instant malheureux me fit retomber
dans le précipice; et ma chute fut d'autant plus
irréparable que, me trouvant tout d'un coup au

même degré de profondeur d'où j'étais sorti, les nouveaux désordres où je tombai me portèrent bien plus loin vers le fond de l'abîme.

J'avais passé près d'un an à Paris, sans m'informer des affaires de Manon. Il m'en avait d'abord coûté beaucoup pour me faire cette violence; mais les conseils toujours présents de Tiberge et mes propres réflexions m'avaient fait obtenir la victoire. Les derniers mois s'étaient écoulés si tranquillement, que je me croyais sur le point d'oublier éternellement cette charmante et perfide créature. Le temps arriva auquel je devais soutenir un exercice public dans l'Ecole de Théologie. Je fis prier plusieurs personnes de considération de m'honorer de leur présence; mon nom fut ainsi répandu dans tous les quartiers de Paris, il alla jusqu'aux oreilles de mon Infidèle. Elle ne le reconnut pas avec certitude sous le titre d'abbé; mais un reste de curiosité, ou peut-être quelque repentir de m'avoir trahi (je n'ai jamais pu démêler lequel de ces deux sentiments) lui fit prendre intérêt à un nom si semblable au mien: elle vint en Sorbonne* avec quelques autres dames. Elle fut présente à mon exercice; et sans doute qu'elle eut peu de peine à me remettre.

Je n'eus pas la moindre connaissance de cette visite. On sait qu'il y a, dans ces lieux, des cabinets particuliers pour les dames, où elles sont cachées derrière une jalousie. Je retournai à Saint-Sulpice, couvert de gloire et chargé de compliments.

Il était six heures du soir. On vint m'avertir, un moment après mon retour, qu'une dame demandait à me voir; j'allai au parloir sur-le-champ. Dieux! Quelle apparition surprenante! J'y trouvai Manon.
5 C'était elle, mais plus aimable et plus brillante que je ne l'avais jamais vue. Elle était dans sa dix-huitième année; ses charmes surpassaient tout ce qu'on peut décrire. C'était un air si fin, si doux, si engageant! l'air de l'Amour même. Toute sa figure me parut un 10 enchantement.

Je demeurai interdit à sa vue, et ne pouvant conjecturer quel était le dessein de cette visite, j'attendais, les yeux baissés et avec tremblement, qu'elle s'expliquât. Son embarras fut pendant quelque temps égal 15 au mien; mais, voyant que mon silence continuait, elle mit la main devant ses yeux, pour cacher quelques larmes. Elle me dit, d'un ton timide, qu'elle confessait que son infidélité méritait ma haine; mais que, s'il était vrai que j'eusse jamais eu quelque tendresse pour 20 elle, il y avait eu, aussi, bien de la dureté à laisser passer deux ans sans prendre soin de m'informer de son sort, et qu'il y en avait beaucoup encore à la voir dans l'état où elle était en ma présence, sans lui dire une parole. Le désordre de mon âme, en l'écoutant, 25 ne saurait être exprimé.

Elle s'assit. Je demeurai debout, le corps à demi tourné, n'osant l'envisager directement. Je commençai plusieurs fois une réponse, que je n'eus pas la force d'achever. Enfin, je fis un effort pour m'écrier douloureusement: — Perfide Manon! Ah! perfide! perfide!

Elle me répéta, en pleurant à chaudes larmes, qu'elle ne prétendait point justifier sa perfidie.

— Que prétendez-vous donc? m'écriai-je encore. 5

— Je prétends mourir, répondit-elle, si vous ne me rendez votre cœur, sans lequel il est impossible que je vive.

— Demande donc ma vie, infidèle! repris-je en versant moi-même des pleurs, que je m'efforçai en 10 vain de retenir. Demande ma vie, qui est l'unique chose qui me reste à te sacrifier; car mon cœur n'a jamais cessé d'être à toi.

A peine eus-je achevé ces derniers mots, qu'elle se leva avec transport pour venir m'embrasser. Elle 15 m'accabla de mille caresses passionnées; elle m'appela par tous les noms que l'Amour invente pour exprimer ses plus vives tendresses. Je n'y répondais encore qu'avec langueur. Quel passage, en effet, de la situation tranquille où j'avais été, aux mouvements 20 tumultueux que je sentais renaître! J'en étais épouvanté. Je frémissais, comme il arrive lorsqu'on se trouve la nuit dans une campagne écartée: on se croit transporté dans un nouvel ordre de choses; on y est saisi d'une horreur secrète, dont on ne se 25 remet qu'après avoir considéré longtemps tous les environs.

Nous nous assîmes l'un près de l'autre. Je pris ses mains dans les miennes.

— Ah ! Manon, lui dis-je en la regardant d'un œil
triste, je ne m'étais pas attendu à la noire trahison
dont vous avez payé mon amour. Il vous était bien
facile de tromper un cœur dont vous étiez la souve-
5 raine absolue, et qui mettait toute sa félicité à vous
plaire et à vous obéir. Dites-moi maintenant si vous
en avez trouvé d'aussi tendres et d'aussi soumis. Non,
non, la Nature n'en fait guère de la même trempe que
le mien. Dites-moi, du moins, si vous l'avez quelque-
10 fois regretté. Quel fond dois-je faire sur ce retour de
bonté qui vous ramène aujourd'hui pour le consoler ?
Je ne vois que trop que vous êtes plus charmante que
jamais ; mais, au nom de toutes les peines que j'ai
souffertes pour vous, belle Manon, dites-moi si vous
15 serez plus fidèle.

Elle me répondit des choses si touchantes* sur son
repentir, et elle s'engagea à la fidélité par tant de
protestations et de serments, qu'elle m'attendrit à un
degré inexprimable.

20 — Chère Manon ! lui dis-je, avec un mélange profane
d'expressions amoureuses et théologiques, tu es trop
adorable pour une créature,* je me sens le cœur emporté par une délectation victorieuse. Tout ce qu'on
dit de la liberté à Saint-Sulpice est une chimère. Je
25 vais perdre ma fortune et ma réputation pour toi, je
le prévois bien. Je lis ma destinée dans tes beaux
yeux ; mais de quelles pertes ne serai-je pas consolé
par ton amour ! Les faveurs de la Fortune ne me
touchent point ; la gloire me paraît une fumée ; tous

mes projets de vie ecclésiastique étaient de folles
imaginations; enfin tous les biens, différents de ceux
que j'espère avec toi, sont des biens méprisables,
puisqu'ils ne sauraient tenir un moment dans mon
cœur contre un seul de tes regards.*   5

En lui promettant néanmoins un oubli général de ses
fautes, je voulus être informé de quelle manière elle
s'était laissée séduire par B... Elle m'apprit que,
l'ayant vue à sa fenêtre, il était devenu passionné pour
elle; qu'il avait fait sa déclaration en Fermier général, 10
c'est-à-dire en lui marquant dans une lettre que le
payement serait proportionné aux faveurs; qu'elle
avait capitulé d'abord, mais sans autre dessein que de
tirer de lui quelque somme considérable qui pût servir
à nous faire vivre commodément; qu'il l'avait éblouie 15
par de si magnifiques promesses, qu'elle s'était laissée
ébranler par degrés; que je devais juger pourtant de
ses remords par la douleur dont elle m'avait laissé voir
des témoignages, la veille de notre séparation; que,
malgré l'opulence dans laquelle il l'avait entretenue, 20
elle n'avait jamais goûté de bonheur avec lui, non
seulement parce qu'elle n'y trouvait point, me dit-elle,
la délicatesse de mes sentiments et l'agrément de mes
manières, mais parce qu'au milieu même des plaisirs
qu'il lui procurait sans cesse, elle portait au fond du 25
cœur le souvenir de mon amour et le remords de son
infidélité. Elle me parla de Tiberge, et de la confusion
extrême que sa visite lui avait causée.

—Un coup d'épée dans le cœur, ajouta-t-elle,

m'aurait moins ému le sang. Je lui tournai le dos,
sans pouvoir soutenir un moment sa présence.

Elle continua de me raconter par quels moyens elle
avait été instruite de mon séjour à Paris, du change-
5 ment de ma condition, et de mes exercices de Sorbonne.
Elle m'assura qu'elle avait été si agitée, pendant la
dispute, qu'elle avait eu beaucoup de peine, non
seulement à retenir ses larmes, mais ses gémissements
mêmes et ses cris, qui avaient été plus d'une fois sur le
10 point d'éclater. Enfin, elle me dit qu'elle était sortie
de ce lieu la dernière pour cacher son désordre, et que,
ne suivant que le mouvement de son cœur et l'impétuosité de ses désirs, elle était venue droit au Séminaire,
avec la résolution d'y mourir si elle ne me trouvait pas
15 disposé à lui pardonner.

Où trouver un barbare* qu'un repentir si vif et si
tendre n'eût pas touché ? Pour moi, je sentis, dans ce
moment, que j'aurais sacrifié pour Manon tous les
évêchés du monde chrétien. Je lui demandai quel
20 nouvel ordre elle jugeait à propos de mettre dans nos
affaires; elle me dit qu'il fallait sur-le-champ sortir
du Séminaire et remettre à nous arranger dans un lieu
plus sûr. Je consentis à toutes ses volontés* sans
réplique. Elle rentra dans son carrosse, pour aller
25 m'attendre au coin de la rue. Je m'échappai un
moment après, sans être aperçu du portier. Je montai
avec elle. Nous passâmes à la friperie; je repris les
galons et l'épée. Manon fournit aux frais, car j'étais
sans un sou; et, dans la crainte que je ne trouvasse de

l'obstacle à ma sortie de Saint-Sulpice, elle n'avait pas
voulu que je retournasse un moment à ma chambre
pour y prendre mon argent. Mon trésor, d'ailleurs,
était médiocre, et elle assez riche des libéralités de
B . . . pour mépriser ce qu'elle me faisait abandonner. 5
Nous conférâmes, chez le fripier même, sur le parti que
nous allions prendre. Pour me faire valoir davantage
le sacrifice qu'elle me faisait de B . . ., elle résolut de
ne pas garder avec lui le moindre ménagement.

— Je veux lui laisser ses meubles, me dit-elle: ils 10
sont à lui; mais j'emporterai, comme de justice, les
bijoux et près de soixante mille francs que j'ai tirés de
lui depuis deux ans. Je ne lui ai donné nul pouvoir
sur moi, ajouta-t-elle; ainsi nous pouvons demeurer
sans crainte à Paris, en prenant une maison commode 15
où nous vivrons heureusement.

Je lui représentai que, s'il n'y avait point de péril
pour elle, il y en avait beaucoup pour moi, qui ne
manquerais point tôt ou tard d'être reconnu, et qui
serais continuellement exposé au malheur que j'avais 20
déjà essuyé. Elle me fit entendre qu'elle aurait du
regret à quitter Paris. Je craignais tant de la chagriner, qu'il n'y avait point de hasards que je ne mé-
prisasse pour lui plaire. Cependant nous trouvâmes un
tempérament raisonnable,* qui fut de louer une maison 25
dans quelque village voisin de Paris, d'où il nous serait
aisé d'aller à la ville lorsque le plaisir ou le besoin nous
y appellerait. Nous choisîmes Chaillot,* qui n'en est
pas éloigné. Manon retourna sur-le-champ chez elle;

j'allai l'attendre à la petite porte du jardin des Tuileries. Elle revint une heure après, dans un carrosse de
louage, avec une fille qui la servait, et quelques malles
où ses habits et tout ce qu'elle avait de précieux était
5 renfermé.

Nous ne tardâmes point à gagner Chaillot. Nous
logeâmes la première nuit à l'auberge, pour nous donner
le temps de chercher une maison, ou du moins un
appartement commode. Nous en trouvâmes, dès le
10 lendemain, un de notre goût.

Mon bonheur me parut d'abord établi d'une manière inébranlable. Manon était la douceur et la
complaisance même; elle avait pour moi des attentions
si délicates, que je me crus trop parfaitement dédom-
15 magé de toutes mes peines. Comme nous avions
acquis tous deux un peu d'expérience, nous raison-
nâmes sur la solidité de notre fortune. Soixante mille
francs, qui faisaient le fond de nos richesses, n'étaient
pas une somme qui pût s'étendre autant que le cours
20 d'une longue vie. Nous n'étions pas disposés d'ailleurs
à resserrer trop notre dépense. La première vertu de
Manon, non plus que la mienne, n'était pas l'économie.
Voici le plan que je me proposai :

— Soixante mille francs, lui dis-je, peuvent nous
25 soutenir pendant dix ans. Deux mille écus nous
suffiront chaque année, si nous continuons de vivre à
Chaillot. Nous y mènerons une vie honnête, mais
simple. Notre unique dépense sera pour l'entretien
d'un carrosse, et pour les spectacles; nous nous

réglerons. Vous aimez l'Opéra: nous irons deux fois
la semaine. Pour le jeu, nous nous bornerons tellement, que nos pertes ne passeront jamais deux pistoles.
Il est impossible que, dans l'espace de dix ans, il
n'arrive point de changement dans ma famille; mon 5
père est âgé, il peut mourir. Je me trouverai du bien,
et nous serons alors au-dessus de toutes nos autres
craintes.

Cet arrangement n'eût pas été la plus folle action de
ma vie, si nous eussions été assez sages pour nous y 10
assujettir constamment. Mais nos résolutions ne
durèrent guère plus d'un mois. Manon était passionnée pour le plaisir;* je l'étais pour elle. Il nous
naissait, à tous moments, de nouvelles occasions de
dépense; et, loin de regretter les sommes qu'elle 15
employait quelquefois avec profusion, je fus le premier
à lui procurer tout ce que je croyais propre à lui plaire.
Notre demeure de Chaillot commença même à lui
devenir à charge. L'hiver approchait; tout le monde
retournait à la ville, et la campagne devenait déserte. 20
Elle me proposa de reprendre une maison à Paris;
je n'y consentis point. Mais pour la satisfaire en
quelque chose, je lui dis que nous pouvions y louer un
appartement meublé, et que nous y passerions la nuit,
lorsqu'il nous arriverait de quitter trop tard l'assemblée 25
où nous allions plusieurs fois la semaine; car l'incommodité de revenir si tard à Chaillot était le prétexte
qu'elle apportait pour le vouloir quitter. Nous nous
donnâmes ainsi deux logements, l'un à la ville, et

l'autre à la campagne. Ce changement mit bientôt le
dernier désordre dans nos affaires, en faisant naître
deux aventures qui causèrent notre ruine.

Manon avait un frère, qui était garde du corps. Il
se trouva malheureusement logé, à Paris, dans la
même rue que nous. Il reconnut sa sœur, en la voyant
le matin à sa fenêtre; il accourut aussitôt chez nous.
C'était un homme brutal, et sans principes d'honneur.
Il entra dans notre chambre en jurant horriblement;
et comme il savait une partie des aventures de sa
sœur, il l'accabla d'injures et de reproches. J'étais
sorti un moment auparavant: ce qui fut sans doute un
bonheur pour lui ou pour moi, qui n'étais rien moins
que disposé à souffrir une insulte. Je ne retournai au
logis qu'après son départ. La tristesse de Manon me
fit juger qu'il s'était passé quelque chose d'extraordinaire; elle me raconta la scène fâcheuse qu'ellə
venait d'essuyer, et les menaces brutales de son frère.
J'en eus tant de ressentiment, que j'eusse couru sur-le-
champ à la vengeance si elle ne m'eût arrêté par ses
larmes. Pendant que je m'entretenais avec elle de
cette aventure, le garde du corps rentra dans la chambre où nous étions, sans s'être fait annoncer. Je
ne l'aurais pas reçu aussi civilement que je fis, si je
l'eusse connu. Mais, nous ayant salués d'un air riant,
il eut le temps de dire à Manon qu'il venait lui faire
des excuses de son emportement; qu'il l'avait crue
dans le désordre, et que cette opinion avait allumé sa
colère; mais que, s'étant informé qui j'étais, d'un de

nos domestiques, il avait appris de moi des choses si
avantageuses, qu'elles lui faisaient désirer de bien
vivre avec nous. Quoique cette information, qui lui
venait d'un de mes laquais, eût quelque chose de bizarre et de choquant, je reçus son compliment avec 5
honnêteté. Je crus faire plaisir à Manon; elle paraissait charmée de le voir porté à se réconcilier. Nous
le retînmes à dîner. Il se rendit en peu de moments si
familier que, nous ayant entendus parler de notre
retour à Chaillot, il voulut absolument nous tenir 10
compagnie; il fallut lui donner une place dans notre
carrosse. Ce fut une prise de possession; car il s'ac-
coutuma bientôt à nous voir avec tant de plaisir, qu'il
fit sa maison de la nôtre et qu'il se rendit le maître,
en quelque sorte, de tout ce qui nous appartenait. 15
Il m'appelait son frère, et, sous prétexte de la liberté
fraternelle, il se mit sur le pied d'amener tous ses
amis dans notre maison de Chaillot et de les y traiter à
nos dépens. Il se fit habiller magnifiquement à nos
frais; il nous engagea même à payer toutes ses dettes. 20
Je fermais les yeux sur cette tyrannie, pour ne pas
déplaire à Manon, jusqu'à feindre de ne pas m'apercevoir qu'il tirait d'elle, de temps en temps, des sommes
considérables. Il est vrai qu'étant grand joueur, il
avait la fidélité de lui en remettre une partie lorsque la 25
Fortune le favorisait; mais la nôtre était trop médiocre
pour fournir longtemps à des dépenses si peu modérées.
J'étais sur le point de m'expliquer fortement avec lui,
pour nous délivrer de ses importunités, lorsqu'un

funeste accident m'épargna cette peine, en nous en
causant une autre qui nous abîma sans ressource.

Nous étions demeurés un jour à Paris, pour y coucher, comme il nous arrivait fort souvent. La servante, qui restait seule à Chaillot dans ces occasions,
vint m'avertir le matin que le feu avait pris pendant
la nuit dans ma maison, et qu'on avait eu beaucoup de
difficulté à l'éteindre. Je lui demandai si nos meubles
avaient souffert quelque dommage; elle me répondit
qu'il y avait eu une si grande confusion, causée par la
multitude d'étrangers qui étaient venus au secours,
qu'elle ne pouvait être assurée de rien. Je tremblai
pour notre argent, qui était renfermé dans une petite
caisse. Je me rendis promptement à Chaillot. Diligence inutile; la caisse avait déjà disparu. J'éprouvai
alors qu'on peut aimer l'argent sans être avare. Cette
perte me pénétra d'une si vive douleur, que j'en pensai
perdre la raison. Je compris tout d'un coup à quels
nouveaux malheurs j'allais me trouver exposé; l'indigence était le moindre. Je connaissais Manon;
je n'avais déjà que trop éprouvé que, quelque fidèle et
quelque attachée qu'elle me fût dans la bonne fortune,
il ne fallait pas compter sur elle dans la misère. Elle
aimait trop l'abondance et les plaisirs pour me les
sacrifier:

— Je la perdrai, m'écriai-je. Malheureux Chevalier, tu vas donc perdre encore tout ce que tu aimes!

Cette pensée me jeta dans un trouble si affreux, que
je balançai, pendant quelques moments, si je ne ferais

pas mieux de finir tous mes maux par la mort. Cependant, je conservai assez de présence d'esprit, pour
vouloir examiner auparavant s'il ne me restait nulle
ressource. Le Ciel me fit naître une idée, qui arrêta
mon désespoir; je crus qu'il ne me serait pas impossible 5
de cacher notre perte à Manon, et que, par industrie
ou par quelque faveur du hasard, je pourrais fournir
assez honnêtement à son entretien pour l'empêcher
de sentir la nécessité.

— J'ai compté, disais-je pour me consoler, que vingt 10
mille écus nous suffiraient pendant dix ans. Supposons
que les dix ans soient écoulés, et que nul des changements que j'espérais ne soit arrivé dans ma famille.
Quel parti prendrais-je ? Je ne le sais pas trop bien;
mais ce que je ferais alors, qui m'empêche de le faire 15
aujourd'hui ? Combien de personnes vivent à Paris
qui n'ont ni mon esprit, ni mes qualités naturelles, et
qui doivent néanmoins leur entretien à leurs talents,
tels qu'ils les ont ! La Providence, ajoutais-je, en
réfléchissant sur les différents états de la vie, n'a-t-elle 20
pas arrangé les choses fort sagement ? La plupart des
grands et des riches sont des sots: cela est clair à qui
connaît un peu le monde. Or, il y a là-dedans une
justice admirable: s'ils joignaient l'esprit aux richesses,
ils seraient trop heureux, et le reste des hommes trop 25
misérable. Les qualités du corps et de l'âme sont
accordées à ceux-ci, comme des moyens pour se tirer
de la misère et de la pauvreté. Les uns prennent part
aux richesses des grands, en servant à leurs plaisirs:

ils en font des dupes; d'autres servent à leur instruction, ils tâchent d'en faire d'honnêtes gens. Il est
rare, à la vérité, qu'ils y réussissent; mais ce n'est pas
là le but de la divine Sagesse: ils tirent toujours un
5 fruit de leurs soins, qui est de vivre aux dépens de
ceux qu'ils instruisent. Et, de quelque façon qu'on
le prenne, c'est un fond excellent de revenu pour les
petits, que la sottise des riches et des grands.

Ces pensées me remirent un peu le cœur et la tête.
10 Je résolus d'abord d'aller consulter M. Lescaut, frère
de Manon. Il connaissait parfaitement Paris, et je
n'avais eu que trop d'occasions de reconnaître que ce
n'était ni de son bien, ni de la paye du Roi qu'il tirait
son plus clair revenu. Il me restait à peine vingt
15 pistoles,* qui s'étaient trouvées heureusement dans ma
poche. Je lui montrai ma bourse, en lui expliquant
mon malheur et mes craintes; et je lui demandai
s'il y avait pour moi un parti à choisir entre celui de
mourir de faim ou de me casser la tête de désespoir.
20 Il me répondit que se casser la tête était la ressource
des sots; pour mourir de faim, qu'il y avait quantité
de gens d'esprit qui s'y voyaient réduits, quand ils ne
voulaient pas faire usage de leurs talents; que c'était à
moi d'examiner de quoi j'étais capable; qu'il m'as-
25 surait de son secours et de ses conseils dans toutes mes
entreprises.

— Cela est bien vague, Monsieur Lescaut, lui dis-je.
Mes besoins demanderaient un remède plus présent;
car que voulez-vous que je dise à Manon?

— A propos de Manon, reprit-il, qu'est-ce qui vous
embarrasse ? N'avez-vous pas toujours, avec elle, de
quoi finir vos inquiétudes quand vous le voudrez ?
Une fille comme elle* devrait nous entretenir, vous, elle
et moi.   5

Il me coupa la réponse que cette impertinence méritait, pour continuer de me dire qu'il me garantissait
avant le soir mille écus à partager entre nous, si je
voulais suivre son conseil; qu'il connaissait un seigneur
si libéral sur le chapitre des plaisirs, qu'il était sûr que 10
mille écus ne lui coûteraient rien pour obtenir les
faveurs d'une fille telle que Manon. Je l'arrêtai.

— J'avais meilleure opinion de vous, lui répondis-je;
je m'étais figuré que le motif que vous aviez eu, pour
m'accorder votre amitié, était un sentiment tout   15
opposé à celui où vous êtes maintenant.

Il me confessa impudemment qu'il avait toujours
pensé de même et que, sa sœur ayant une fois violé les
lois de son sexe, quoiqu'en faveur de l'homme qu'il
aimait le plus, il ne s'était réconcilié avec elle que   20
dans l'espérance de tirer parti de sa mauvaise conduite.
Il me fut aisé de juger que jusqu'alors nous avions été
ses dupes. Quelque émotion néanmoins que ce discours m'eût causée, le besoin que j'avais de lui m'obli-
gea de répondre, en riant, que son conseil était une   25
dernière ressource qu'il fallait remettre à l'extrémité.
Je le priai de m'ouvrir quelque autre voie. Il me
proposa de profiter de ma jeunesse et de la figure
avantageuse que j'avais reçue de la Nature, pour me

mettre en liaison avec quelque dame, vieille et libérale;
je ne goûtai pas non plus ce parti, qui m'aurait rendu
infidèle à Manon. Je lui parlai du jeu,* comme du
moyen le plus facile et le plus convenable à ma situa-
5 tion. Il me dit que le jeu, à la vérité, était une ressource, mais que cela demandait d'être expliqué;
qu'entreprendre de jouer simplement, avec les espérances communes, c'était le vrai moyen d'achever ma
perte; que de prétendre exercer seul, et sans être
10 soutenu, les petits moyens qu'un habile homme emploie pour corriger la Fortune, était un métier trop
dangereux; qu'il y avait une troisième voie, qui était
celle de l'association; mais que ma jeunesse lui faisait
craindre que messieurs les confédérés ne me jugeassent
15 point encore les qualités propres à la ligue. Il me promit néanmoins ses bons offices auprès d'eux; et, ce que
je n'aurais pas attendu de lui, il m'offrit quelque
argent, lorsque je me trouverais pressé du besoin.
L'unique grâce que je lui demandai, dans les circon-
20 stances, fut de ne rien apprendre à Manon de la perte
que m'avais faite et du sujet de notre conversation.

Je sortis de chez lui, moins satisfait encore que je
n'y étais entré; je me repentis même de lui avoir con-
fié mon secret. Il n'avait rien fait, pour moi, que je
25 n'eusse pu obtenir de même sans cette ouverture; et
je craignais mortellement qu'il ne manquât à la promesse qu'il m'avait faite de ne rien découvrir à Manon.
J'avais lieu d'appréhender aussi, par la déclaration de
ses sentiments, qu'il ne formât le dessein de tirer parti

d'elle, suivant ses propres termes, en l'enlevant de mes
mains, ou du moins en lui conseillant de me quitter
pour s'attacher à quelque amant plus riche et plus
heureux. Je fis là-dessus mille réflexions, qui n'abou-
tirent qu'à me tourmenter et à renouveler le désespoir 5
où j'avais été le matin. Il me vint plusieurs fois à
l'esprit d'écrire à mon père, ct de feindre une nouvelle
conversion, pour obtenir de lui quelque secours d'argent. Mais je me rappelai aussitôt que, malgré toute
sa bonté, il m'avait resserré six mois dans une étroite 10
prison, pour ma première faute; j'étais bien sûr
qu'après un éclat tel que l'avait dû causer ma fuite de
Saint-Sulpice, il me traiterait beaucoup plus rigoureusement. Enfin, cette confusion de pensées en produisit
une qui remit le calme tout d'un coup dans mon esprit, 15
et que je m'étonnai de n'avoir pas eue plus tôt: ce
fut de recourir à mon ami Tiberge, dans lequel j'étais
bien certain de retrouver toujours le même fond de
zèle et d'amitié.

Rien n'est plus admirable et ne fait plus d'honneur à 20
la vertu, que la confiance avec laquelle on s'adresse
aux personnes dont on connaît parfaitement la pro-
bité. On sent qu'il n'y a point de risque à courir.
Si elles ne sont pas toujours en état d'offrir du secours,
on est sûr qu'on en obtiendra du moins de la bonté et 25
de la compassion. Le cœur qui se ferme avec tant de
soin au reste des hommes, s'ouvre naturellement en
leur présence, comme une fleur s'épanouit à la lumière
du soleil dont elle n'attend qu'une douce influence.

Je regardai comme un effet de la protection du Ciel, de m'être souvenu si à propos de Tiberge, et je résolus de chercher les moyens de le voir avant la fin du jour. Je retournai sur-le-champ au logis, pour lui écrire un 5 mot et lui marquer un lieu propre à notre entretien. Je lui recommandais le silence et la discrétion, comme un des plus importants services qu'il pût me rendre dans la situation de mes affaires. La joie, que l'espérance de le voir m'inspirait, effaça les traces du 10 chagrin que Manon n'aurait pas manqué d'apercevoir sur mon visage. Je lui parlai de notre malheur de Chaillot, comme d'une bagatelle qui ne devait pas l'alarmer; et, Paris étant le lieu du monde où elle se voyait avec le plus de plaisir, elle ne fut pas fâchée de 15 m'entendre dire qu'il était à propos d'y demeurer, jusqu'à ce qu'on eût réparé à Chaillot quelques légers effets de l'incendie. Une heure après, je reçus la réponse de Tiberge, qui me promettait de se rendre au lieu de l'assignation; j'y courus avec impatience. Je 20 sentais néanmoins quelque honte d'aller paraître aux yeux d'un ami, dont la seule présence devait être un reproche de mes désordres; mais l'opinion que j'avais de la bonté de son cœur et l'intérêt de Manon soutinrent ma hardiesse.

25 Je l'avais prié de se trouver au jardin du Palais-Royal.* Il y était avant moi. Il vint m'embrasser, aussitôt qu'il m'eut aperçu; il me tint serré longtemps entre ses bras, et je sentis mon visage mouillé de ses larmes. Je lui dis que je ne me présentais à lui qu'avec

confusion, et que je portais dans le cœur un vif sentiment de mon ingratitude; que la première chose dont
je le conjurais était de m'apprendre s'il m'était encore
permis de le regarder comme mon ami, après avoir
mérité si justement de perdre son estime et son affec- 5
tion. Il me répondit, du ton le plus tendre, que rien
n'était capable de le faire renoncer à cette qualité;
que mes malheurs mêmes, et si je lui permettais de le
dire, mes fautes et mes désordres, avaient redoublé sa
tendresse pour moi; mais que c'était une tendresse 10
mêlée de la plus vive douleur, telle qu'on la sent pour
une personne chère, qu'on voit toucher à sa perte sans
pouvoir la secourir.

Nous nous assîmes sur un banc.

— Hélas ! lui dis-je, avec un soupir parti du fond du 15
cœur, votre compassion doit être excessive, mon cher
Tiberge, si vous m'assurez qu'elle est égale à mes
peines. J'ai honte de vous les laisser voir; car je
confesse que la cause n'en est pas glorieuse; mais
l'effet en est si triste, qu'il n'est pas besoin de m'aimer 20
autant que vous faites pour en être attendri.

Il me demanda, comme une marque d'amitié, de lui
raconter sans déguisement ce qui m'était arrivé depuis
mon départ de Saint-Sulpice. Je le satisfis; et, loin
d'altérer quelque chose à la vérité ou de diminuer mes 25
fautes pour les faire trouver plus excusables, je lui
parlai de ma passion avec toute la force qu'elle m'inspirait. Je la lui représentai comme un de ces coups
particuliers du destin, qui s'attache à la ruine d'un

misérable, et dont il est aussi impossible à la vertu de
se défendre, qu'il l'a été à la sagesse de les prévoir.
Je lui fis une vive peinture de mes agitations, de mes
craintes, du désespoir où j'étais deux heures avant
5 que de le voir, et de celui dans lequel j'allais retomber,
si j'étais abandonné par mes amis aussi impitoyable-
ment que par la Fortune; enfin j'attendris tellement
le bon Tiberge, que je le vis aussi affligé par la compassion, que je l'étais par le sentiment de mes peines.
10 Il ne se lassait point de m'embrasser et de m'exhorter
à prendre du courage et de la consolation; mais,
comme il supposait toujours qu'il fallait me séparer de
Manon, je lui fis entendre nettement que c'était cette
séparation même que je regardais comme la plus
15 grande de mes infortunes, et que j'étais disposé à
souffrir non seulement le dernier excès de la misère,
mais la mort la plus cruelle, avant que de recevoir un
remède plus insupportable que tous mes maux ensemble.

20   — Expliquez-vous donc, me dit-il: quelle espèce de
secours suis-je capable de vous donner, si vous vous
révoltez contre toutes mes propositions ?

Je n'osais lui déclarer que c'était de sa bourse que
j'avais besoin. Il le comprit pourtant à la fin; et,
25 m'ayant confessé qu'il croyait m'entendre, il demeura
quelque temps suspendu, avec l'air d'une personne qui
balance.

— Ne croyez pas, reprit-il bientôt, que ma rêverie
vienne d'un refroidissement de zèle et d'amitié. Mais

à quelle alternative me réduisez-vous, s'il faut que je vous refuse le seul secours que vous voulez accepter, ou que je blesse mon devoir en vous l'accordant ? Car n'est-ce pas prendre part à votre désordre, que de vous y faire persévérer ? Cependant, continua-t-il après avoir réfléchi un moment, je m'imagine que c'est peut-être l'état violent où l'indigence vous jette, qui ne vous laisse pas assez de liberté pour choisir le meilleur parti; il faut un esprit tranquille pour goûter la sagesse et la vérité. Je trouverai le moyen de vous faire avoir quelque argent. Permettez-moi, mon cher Chevalier, ajouta-t-il en m'embrassant, d'y mettre seulement une condition : c'est que vous m'apprendrez le lieu de votre demeure, et que vous souffrirez que je fasse du moins mes efforts pour vous ramener à la vertu, que je sais que vous aimez, et dont il n'y a que la violence de vos passions qui vous écarte.

Je lui accordai sincèrement tout ce qu'il souhaitait, et je le priai de plaindre la malignité de mon sort, qui me faisait profiter si mal des conseils d'un ami si vertueux.* Il me mena aussitôt chez un banquier de sa connaissance, qui m'avança cent pistoles sur son billet; car il n'était rien moins qu'en argent comptant. J'ai déjà dit qu'il n'était pas riche. Son bénéfice valait mille écus; mais, comme c'était la première année qu'il le possédait, il n'avait encore rien touché du revenu: c'était sur les fruits futurs qu'il me faisait cette avance.

Je sentis tout le prix de sa générosité; j'en fus

touché, jusqu'au point de déplorer l'aveuglement
d'un amour fatal qui me faisait violer tous les devoirs.
La vertu eut assez de force pendant quelques moments
pour s'élever dans mon cœur contre ma passion, et
5 j'aperçus du moins, dans cet instant de lumière, la
honte et l'indignité de mes chaînes. Mais ce combat
fut léger et dura peu: la vue de Manon m'aurait fait
précipiter du Ciel; et je m'étonnai, en me retrouvant
près d'elle, que j'eusse pu traiter un moment de hon-
10 teuse une tendresse si juste pour un objet si charmant.

Manon était une créature d'un caractère extraordinaire. Jamais fille n'eut moins d'attachement qu'elle
pour l'argent; mais elle ne pouvait être tranquille
un moment, avec la crainte d'en manquer. C'était
15 du plaisir et des passe-temps qu'il lui fallait. Elle
n'eût jamais voulu toucher un sou, si l'on pouvait
se divertir sans qu'il en coûte. Elle ne s'informait pas
même quel était le fond de nos richesses, pourvu qu'elle
pût passer agréablement la journée; de sorte que,
20 n'étant ni excessivement livrée au jeu, ni capable
d'être éblouie par le faste des grandes dépenses, rien
n'étais plus facile que de la satisfaire, en lui faisant
naître tous les jours des amusements de son goût.
Mais c'était une chose si nécessaire pour elle, d'être
25 ainsi occupée par le plaisir, qu'il n'y avait pas le
moindre fond à faire, sans cela, sur son humeur et sur
ses inclinations. Quoiqu'elle m'aimât tendrement, et
que je fusse le seul, comme elle en convenait volontiers,
qui pût lui faire goûter parfaitement les douceurs de

l'amour, j'étais presque certain que sa tendresse ne
tiendrait point contre de certaines craintes. Elle
m'aurait préféré à toute la terre avec une fortune médiocre; mais je ne doutais nullement qu'elle ne
m'abandonnât pour quelque nouveau B... lorsqu'il ₅
ne me resterait que de la constance et de la fidélité à
lui offrir. Je résolus donc de régler si bien ma dépense
particulière que je fusse toujours en état de fournir
aux siennes, et de me priver plutôt de mille choses
nécessaires que de la borner même pour le superflu. ₁₀
Le carrosse m'effrayait plus que tout le reste; car il
n'y avait point d'apparence de pouvoir entretenir des
chevaux et un cocher. Je découvris ma peine à M.
Lescaut. Je ne lui avais point caché que j'eusse reçu
cent pistoles d'un ami; il me répéta que, si je voulais ₁₅
tenter le hasard du jeu, il ne désespérait point qu'en
sacrifiant de bonne grâce une centaine de francs pour
traiter ses associés, je ne pusse être admis, à sa recommandation, dans la Ligue de l'Industrie.* Quelque
répugnance que j'eusse à tromper, je me laissai en- ₂₀
traîner par une cruelle nécessité.

M. Lescaut me présenta, le soir même, comme un
de ses parents; il ajouta que j'étais d'autant mieux
disposé à réussir, que j'avais besoin des plus grandes
faveurs de la Fortune. Cependant, pour faire con- ₂₅
naître que ma misère n'était pas celle d'un homme de
néant, il leur dit que j'étais dans le dessein de leur
donner à souper. L'offre fut acceptée. Je les traitai
magnifiquement. On s'entretint longtemps de la

gentillesse de ma figure et de mes heureuses dispositions; on prétendit qu'il y avait beaucoup à espérer
de moi, parce qu'ayant quelque chose dans la physionomie qui sentait l'honnête homme, personne ne se
5 défierait de mes artifices; enfin, on rendit grâces à
M. Lescaut d'avoir procuré à l'Ordre un novice de mon
mérite, et l'on chargea un des chevaliers de me donner,
pendant quelques jours, les instructions nécessaires.
Le principal théâtre de mes exploits devait être l'hôtel
10 de Transylvanie,* où il y avait une table de pharaon
dans une salle, et divers autre jeux de cartes et de dés
dans la galerie. Cette Académie se tenait au profit de
M. le prince de R . . ., qui demeurait alors à Clagny,*
et la plupart de ses officiers étaient de notre société.
15 Le dirai-je à ma honte ? Je profitai en peu de temps
des leçons de mon maître; j'acquis surtout beaucoup
d'habileté à faire une volte-face,* à filer la carte, et,
m'aidant fort bien d'une longue paire de manchettes,
j'escamotais assez légèrement pour tromper les yeux
20 des plus habiles et ruiner sans affectation quantité
d'honnêtes joueurs. Cette adresse extraordinaire
hâta si fort les progrès de ma fortune, que je me trouvai
en peu de semaines des sommes considérables, outre
celles que je partageais de bonne foi avec mes associés.
25 Je ne craignis plus alors de découvrir à Manon notre
perte de Chaillot; et, pour la consoler, en lui apprenant
cette fâcheuse nouvelle, je louai une maison garnie, où
nous nous établîmes avec un air d'opulence et de
sécurité.

Tiberge n'avait pas manqué, pendant ce temps-là, de me rendre de fréquentes visites. Sa morale ne finissait point; il recommençait sans cesse à me représenter le tort que je faisais à ma conscience, à mon honneur et à ma fortune. Je recevais ses avis avec 5 amitié; et, quoique je n'eusse pas la moindre disposition à les suivre, je lui savais bon gré de son zèle, parce que j'en connaissais la source. Quelquefois je le raillais agréablement, dans la présence même de Manon, et je l'exhortais à n'être pas plus scrupuleux qu'un 10 grand nombre d'évêques et d'autres prêtres, qui savent accorder fort bien une maîtresse avec un bénéfice.

— Voyez, lui disais-je, en lui montrant les yeux de la mienne, et dites-moi s'il y a des fautes qui ne soient pas justifiées par une si belle cause. 15

Il prenait patience. Il la poussa même assez loin; mais lorsqu'il vit que mes richesses augmentaient, et que non seulement je lui avais restitué ses cent pistoles, mais qu'ayant loué une nouvelle maison et doublé ma dépense, j'allais me replonger plus que 20 jamais dans les plaisirs, il changea entièrement de ton et de manières. Il se plaignit de mon endurcissement, il me menaça des châtiments du Ciel, et il me prédit une partie des malheurs qui ne tardèrent guère à m'arriver. 25

— Il est impossible, me dit-il, que les richesses qui servent à l'entretien de vos désordres vous soient venues par des voies légitimes. Vous les avez acquises injustement; elles vous seront ravies de même. La

plus terrible punition de Dieu serait de vous en laisser
jouir tranquillement.   Tous mes conseils, ajouta-t-il,
vous ont été inutiles; je ne prévois que trop qu'ils
vous seraient bientôt importuns.   Adieu, ingrat et
5 faible ami.   Puissent vos criminels plaisirs s'évanouir
comme une ombre !   Puissent votre fortune et votre
argent périr sans ressource ! et vous, rester seul et nu,
pour sentir la vanité des biens qui vous ont follement
enivré !   C'est alors que vous me trouverez disposé à
10 vous aimer et à vous servir; mais je romps aujourd'hui
tout commerce avec vous, et je déteste la vie que vous
menez.

   Ce fut dans ma chambre, aux yeux de Manon, qu'il
me fit cette harangue apostolique.   Il se leva pour se
15 retirer.   Je voulus le retenir; mais je fus arrêté par
Manon, qui me dit que c'était un fou qu'il fallait
laisser sortir.

   Son discours ne laissa pas de faire quelque impression
sur moi.   Je remarque ainsi les diverses occasions où
20 mon cœur sentit un retour vers le bien, parce que c'est
à ce souvenir que j'ai dû ensuite une partie de ma force
dans les plus malheureuses circonstances de ma vie.
Les caresses de Manon dissipèrent, en un moment, le
chagrin que cette scène m'avait causé.   Nous con-
25 tinuâmes de mener une vie toute composée de plaisir et
d'amour.   L'augmentation de nos richesses redoubla
notre affection; Vénus et la Fortune n'avaient point
d'esclaves plus heureux et plus tendres.   Dieux !
pourquoi nommer le monde un lieu de misères,

puisqu'on y peut goûter de si charmantes délices !
Mais, hélas ! leur faible est de passer trop vite. Quelle
autre félicité voudrait-on se proposer, si elles étaient
de nature à durer toujours ? Les nôtres eurent le sort
commun, c'est-à-dire de durer peu et d'être suivies par 5
des regrets amers. J'avais fait au jeu des gains si
considérables, que je pensais à placer une partie de mon
argent. Mes domestiques n'ignoraient pas mes succès,
surtout mon valet de chambre et la suivante de Manon,
devant lesquels nous nous entretenions souvent sans 10
défiance. Cette fille était jolie, mon valet en était
amoureux ; ils avaient affaire à des maîtres jeunes et
faciles, qu'ils s'imaginèrent pouvoir tromper aisément.
Ils en conçurent le dessein, et ils l'exécutèrent si malheureusement pour nous, qu'ils nous mirent dans un 15
état dont il ne nous a jamais été possible de nous
relever.

M. Lescaut nous ayant un jour donné à souper, il
était environ minuit lorsque nous retournâmes au
logis. J'appelai mon valet, et Manon sa femme de 20
chambre ; ni l'un ni l'autre ne parurent. On nous dit
qu'ils n'avaient point été vus dans la maison depuis
huit heures, et qu'ils étaient sortis après avoir fait
transporter quelques caisses, suivant les ordres qu'ils
disaient avoir reçus de moi. Je pressentis une partie 25
de la vérité ; mais je ne formai point de soupçons, qui
ne fussent surpassés par ce que j'aperçus en entrant
dans ma chambre. La serrure de mon cabinet avait
été forcée, et mon argent enlevé avec tous mes habits.

Dans le temps que je réfléchissais seul sur cet accident,
Manon vint, tout effrayée, m'apprendre qu'on avait
fait le même ravage dans son appartement. Le coup
me parut si cruel, qu'il n'y eut qu'un effort extraordi-
5 naire de raison qui m'empêcha de me livrer aux cris
et aux pleurs. La crainte de communiquer mon
désespoir à Manon me fit affecter de prendre un visage
tranquille. Je lui dis en badinant, que je me vengerais
sur quelque dupe à l'hôtel de Transylvanie. Cepen-
10 dant elle me sembla si sensible à notre malheur, que sa
tristesse eut bien plus de force pour m'affliger que ma
joie feinte n'en avait eu pour l'empêcher d'être trop
abattue.

— Nous sommes perdus ! me dit-elle, les larmes aux
15 yeux.

Je m'efforçai en vain de la consoler par mes caresses;
mes propres pleurs trahissaient mon désespoir et ma
consternation. En effet, nous étions ruinés si absolument, qu'il ne nous restait pas une chemise. Je pris le
20 parti d'envoyer chercher sur-le-champ M. Lescaut.
Il me conseilla d'aller, à l'heure même, chez M. le
Lieutenant de Police et M. le Grand Prévôt* de Paris.
J'y allai, mais ce fut pour mon plus grand malheur;
car, outre que cette démarche et celles que je fis faire à
25 ces deux officiers de justice ne produisirent rien, je
donnai le temps à Lescaut d'entretenir sa sœur et de
lui inspirer pendant mon absence une horrible résolution. Il lui parla de M. de G... M..., vieux
voluptueux qui payait prodiguement les plaisirs, et il

lui fit envisager tant d'avantages à se mettre à sa solde que, troublée comme elle était par notre disgrâce, elle entra dans tout ce qu'il entreprit de lui persuader. Cet honorable marché fut conclu avant mon retour, et l'exécution remise au lendemain, après que Lescaut 5 aurait prévenu M. de G ... M ... Je le trouvai qui m'attendait au logis; mais Manon s'était couchée dans son appartement, et elle avait donné ordre à son laquais de me dire qu'ayant besoin d'un peu de repos, elle me priait de la laisser seule pendant cette nuit. 10 Lescaut me quitta, après m'avoir offert quelques pistoles que j'acceptai.

Il était près de quatre heures, lorsque je me mis au lit; et m'y étant encore occupé longtemps des moyens de rétablir ma fortune, je m'endormis si tard que je ne 15 pus me réveiller que vers onze heures ou midi. Je me levai promptement pour aller m'informer de la santé de Manon; on me dit qu'elle était sortie, une heure auparavant, avec son frère, qui l'était venu prendre dans un carrosse de louage. Quoiqu'une telle partie, 20 faite avec Lescaut, me parût mystérieuse, je me fis violence pour suspendre mes soupçons. Je laissai couler quelques heures, que je passai à lire. Enfin, n'étant plus le maître de mon inquiétude, je me promenai à grands pas dans nos appartements. J'aperçus 25 dans celui de Manon une lettre cachetée qui était sur sa table. L'adresse était à moi, et l'écriture de sa main. Je l'ouvris avec un frisson mortel. Elle était dans ces termes:*

« *Je te jure, mon cher Chevalier, que tu es l'idole de mon
cœur, et qu'il n'y a que toi au monde que je puisse aimer
de la façon dont je t'aime.   Mais ne vois-tu pas, ma
pauvre chère âme, que, dans l'état où nous sommes réduits,*
5 *c'est une sotte vertu que la fidélité ?   Crois-tu qu'on puisse
être bien tendre lorsqu'on manque de pain ?   La faim
me causerait quelque méprise fatale; je rendrais quelque
jour le dernier soupir, en croyant en pousser un d'amour.
Je t'adore, compte là-dessus; mais laisse-moi pour quelque*
10 *temps le ménagement de notre fortune.   Malheur à
qui va tomber dans mes filets ! Je travaille pour rendre
mon Chevalier riche et heureux.   Mon frère t'apprendra
des nouvelles de ta Manon, et qu'elle a pleuré de la
nécessité de te quitter.* »

15 Je demeurai, après cette lecture, dans un état qui
me serait difficile à décrire; car j'ignore encore aujourd'hui par quelle espèce de sentiments je fus alors
agité.   Ce fut une de ces situations uniques auxquelles
on m'a rien éprouvé qui soit semblable.   On ne saurait
20 les expliquer aux autres, parce qu'ils n'en ont pas
l'idée; et l'on a peine à se les bien démêler à soi-
même, parce qu'étant seules de leur espèce, cela ne se
lie à rien dans la mémoire et ne peut même être rap-
proché d'aucun sentiment connu.   Cependant, de
25 quelque nature que fussent les miens, il est certain qu'il
devait y entrer de la douleur, du dépit, de la jalousie
et de la honte.   Heureux, s'il n'y fût pas entré encore
plus d'amour !

— Elle m'aime, je le veux croire; mais ne faudrait-il

pas, m'écriai-je, qu'elle fût un monstre pour me haïr ?
Quels droits eut-on jamais sur un cœur que je n'aie pas
sur le sien ? Que me reste-t-il à faire pour elle, après
tout ce que je lui ai sacrifié ? Cependant elle m'a-
bandonne ! et l'ingrate se croit à couvert de mes 5
reproches, en me disant qu'elle ne cesse pas de m'aimer.
Elle appréhende la faim. Dieu d'Amour ! quelle
grossièreté de sentiments ! et que c'est répondre mal à
ma délicatesse ! Je ne l'ai pas appréhendée, moi qui
m'y expose si volontiers pour elle en renonçant à ma 10
fortune et aux douceurs de la maison de mon père ; moi,
qui me suis retranché jusqu'au nécessaire pour satisfaire ses petites humeurs et ses caprices. Elle m'adore,
dit-elle. Si tu m'adorais, ingrate, je sais bien de qui tu
aurais pris des conseils ; tu ne m'aurais pas quitté, du 15
moins, sans me dire adieu. C'est à moi qu'il faut
demander quelles peines cruelles on sent à se séparer
de ce qu'on adore. Il faudrait avoir perdu l'esprit,
pour s'y exposer volontairement.

Mes plaintes furent interrompues par une visite à 20
laquelle je ne m'attendais pas. Ce fut celle de Lescaut.

— Bourreau ! lui dis-je en mettant l'épée à la main,
où est Manon ? qu'en as-tu fait ?

Ce mouvement l'effraya. Il me répondit que, si
c'était ainsi que je le recevais lorsqu'il venait me rendre 25
compte du service le plus considérable qu'il eût pu me
rendre, il allait se retirer et ne remettrait jamais le
pied chez moi. Je courus à la porte de la chambre, que
je fermai soigneusement.

— Ne t'imagine pas, lui dis-je en me tournant vers
lui, que tu puisses me prendre encore une fois pour
dupe et me tromper par des fables. Il faut défendre
ta vie, ou me faire retrouver Manon.

5   — Là ! que vous êtes vif ! repartit-il; c'est l'unique
sujet qui m'amène. Je viens vous annoncer un bonheur auquel vous ne pensez pas, et pour lequel vous
reconnaîtrez peut-être que vous m'avez quelque
obligation.

10   Je voulus être éclairci sur-le-champ. Il me raconta
que Manon, ne pouvant soutenir la crainte de la
misère et surtout l'idée d'être obligée tout d'un coup à
la réforme de notre équipage,* l'avait prié de lui
procurer la connaissance de M. de G... M..., qui
15 passait pour un homme généreux. Il n'eut garde de
me dire que le conseil était venu de lui, ni qu'il eût
préparé les voies, avant que de l'y conduire.

— Je l'y ai menée ce matin, continua-t-il; et cet
honnête homme a été si charmé de son mérite, qu'il l'a
20 invitée d'abord à lui tenir compagnie à sa maison de
campagne, où il est allé passer quelques jours. Moi,
ajouta Lescaut, qui ai pénétré tout d'un coup de quel
avantage cela pouvait être pour vous, je lui ai fait
entendre adroitement que Manon avait essuyé des
25 pertes considérables; et j'ai tellement piqué sa générosité, qu'il a commencé par lui faire un présent de
deux cents pistoles. Je lui ai dit que cela était honnête
pour le présent, mais que l'avenir amènerait à ma sœur
de grands besoins; qu'elle s'était chargée d'ailleurs du

soin d'un jeune frère, qui nous était resté sur les bras
après la mort de nos père et mère, et que, s'il la croyait
digne de son estime, il ne la laisserait pas souffrir dans
ce pauvre enfant, qu'elle regardait comme la moitié
d'elle-même. Ce récit n'a pas manqué de l'attendrir. 5
Il s'est engagé à louer une maison commode, pour vous
et pour Manon; car c'est vous-même qui êtes ce pauvre
petit frère orphelin. Il a promis de vous meubler
proprement et de vous fournir, tous les mois, quatre
cents bonnes livres, qui en feront, si je compte bien, 10
quatre mille huit cents à la fin de chaque année. Il a
laissé ordre à son intendant, avant que de partir pour
sa campagne, de chercher une maison, et de la tenir
prête pour son retour. Vous reverrez alors Manon, qui
m'a chargé de vous embrasser mille fois pour elle et de 15
vous assurer qu'elle vous aime plus que jamais.

Je m'assis en rêvant à cette bizarre disposition de
mon sort. Je me trouvai dans un partage de sentiments, et par conséquent dans une incertitude si
difficile à terminer, que je demeurai longtemps sans 20
répondre à quantité de questions que Lescaut me
faisait l'une sur l'autre. Ce fut, dans ce moment, que
l'honneur et la vertu me firent sentir encore les pointes
du remords, et que je jetai les yeux en soupirant vers
Amiens, vers la maison de mon père, vers Saint- 25
Sulpice et vers tous les lieux où j'avais vécu dans
l'innocence. Par quel immense espace n'étais-je pas
séparé de cet heureux état ! Je ne le voyais plus que de
loin, comme une ombre qui s'attirait encore mes re-

grets et mes désirs, mais trop faible pour exciter mes
efforts.

Par quelle fatalité, disais-je, suis-je devenu si
criminel ! L'amour est une passion innocente; com-
5 ment s'est-il changé pour moi en une source de misères
et de désordres ? Qui m'empêchait de vivre tranquille
et vertueux avec Manon ? Pourquoi ne l'épousais-je
point, avant que d'obtenir rien de son amour ? Mon
père, qui m'aimait si tendrement, n'y aurait-il pas
10 consenti si je l'en eusse pressé avec des instances
légitimes ? Ah ! mon père l'aurait chérie lui-même,
comme une fille charmante, trop digne d'être la femme
de son fils; je serais heureux avec l'amour de Manon,
avec l'affection de mon père, avec l'estime des honnêtes
15 gens, avec les biens de la Fortune et la tranquillité
de la vertu. Revers funeste ! Quel est l'infâme personnage qu'on vient ici me proposer ? Quoi ! j'irai
partager . . . Mais y a-t-il à balancer, si c'est Manon
qui l'a réglé, et si je la perds sans cette complaisance ?
20 — Monsieur Lescaut, m'écriai-je en fermant les
yeux, comme pour écarter de si chagrinantes réflexions,
si vous avez eu dessein de me servir, je vous rends
grâces. Vous auriez pu prendre une voie plus honnête;
mais c'est une chose finie, n'est-ce pas ? Ne pensons
25 donc plus qu'à profiter de vos soins et à remplir votre
projet.*

Lescaut, à qui ma colère, suivie d'un fort long
silence, avait causé de l'embarras, fut ravi de me voir
prendre un parti tout différent de celui qu'il avait

appréhendé sans doute. Il n'était rien moins que
brave, et j'en eus de meilleures preuves dans la suite.

— Oui, oui, se hâta-t-il de me répondre, c'est un
fort bon service que je vous ai rendu, et vous verrez
que nous en tirerons plus d'avantage que vous ne vous 5
y attendez.

Nous concertâmes de quelle manière nous pourrions
prévenir les défiances que M. de G ... M ... pouvait
concevoir de notre fraternité, en me voyant plus grand
et un peu plus âgé peut-être qu'il ne se l'imaginait. 10
Nous ne trouvâmes point d'autre moyen, que de
prendre devant lui un air simple et provincial, et de
lui faire croire que j'étais dans le dessein d'entrer
dans l'état ecclésiastique, et que j'allais pour cela
tous les jours au Collège. Nous résolûmes aussi que 15
je me mettrais fort mal, la première fois que je serais
admis à l'honneur de le saluer. Il revint à la ville,
trois ou quatre jours après; il conduisit lui-même
Manon dans la maison que son intendant avait eu
soin de préparer. Elle fit avertir aussitôt Lescaut de 20
son retour; et, celui-ci m'en ayant donné avis, nous
nous rendîmes tous deux chez elle. Le vieil amant en
était déjà sorti.

Malgré la résignation avec laquelle je m'étais
soumis à ses volontés, je ne pus réprimer le murmure 25
de mon cœur en la revoyant. Je lui parus triste et
languissant. La joie de la retrouver ne l'emportait
pas tout à fait sur le chagrin de son infidélité; elle, au
contraire, paraissait transportée du plaisir de me

revoir. Elle me fit des reproches de ma froideur; je
ne pus m'empêcher de laisser échapper les noms de
perfide et d'infidèle, que j'accompagnai d'autant de
soupirs. Elle me railla d'abord de ma simplicité;
5 mais lorsqu'elle vit mes regards s'attacher toujours
tristement sur elle, et la peine que j'avais à digérer un
changement si contraire à mon humeur et à mes
désirs, elle passa seule dans son cabinet. Je la suivis
un moment après. Je l'y trouvai tout en pleurs; je
10 lui demandai ce qui les causait.

— Il t'est bien aisé* de le voir, me dit-elle; comment
veux-tu que je vive, si ma vue n'est plus propre qu'à
te causer un air sombre et chagrin ? Tu ne m'as pas
fait une seule caresse, depuis une heure que tu es ici,
15 et tu as reçu les miennes avec la majesté du Grand
Turc au Sérail.

— Ecoutez, Manon, lui répondis-je en l'embrassant,
je ne puis vous cacher que j'ai le cœur mortellement
affligé. Je ne parle point à présent des alarmes où
20 votre fuite imprévue m'a jeté, ni de la cruauté que
vous avez eue de m'abandonner sans un mot de consolation, après avoir passé la nuit dans un autre lit que
moi. Le charme de votre présence m'en ferait bien
oublier davantage. Mais croyez-vous que je puisse
25 penser sans soupirs, et même sans larmes, continuai-je
en en versant quelques-unes, à la triste et malheureuse vie que vous voulez que je mène dans cette
maison ? Laissons ma naissance et mon honneur à
part: ce ne sont plus des raisons si faibles qui doivent

entrer en concurrence avec un amour tel que le mien.
Mais cet amour même, ne vous imaginez-vous pas
qu'il gémit de se voir si mal récompensé, ou plutôt
traité si cruellement par une ingrate et dure maîtresse ?... 5

Elle m'interrompit :

— ... Tenez, dit-elle, mon Chevalier, il est inutile
de me tourmenter par des reproches qui me percent le
cœur lorsqu'ils viennent de vous. Je vois ce qui vous
blesse. J'avais espéré que vous consentiriez au projet 10
que j'avais fait pour rétablir un peu notre fortune, et
c'était pour ménager votre délicatesse que j'avais
commencé à l'exécuter sans votre participation; mais
j'y renonce, puisque vous ne l'approuvez pas.

Elle ajouta qu'elle ne me demandait qu'un peu de 15
complaisance, pour le reste du jour; qu'elle avait déjà
reçu deux cents pistoles de son vieil amant, et qu'il lui
avait promis de lui apporter le soir un beau collier de
perles avec d'autres bijoux, et par-dessus cela la moitié
de la pension annuelle qu'il lui avait promise. 20

— Laissez-moi seulement le temps, me dit-elle,
de recevoir ses présents; je vous jure qu'il ne pourra se
vanter des avantages que je lui ai donnés sur moi, car
je l'ai remis jusqu'à présent à la ville. Il est vrai qu'il
m'a baisé plus d'un million de fois les mains; il est 25
juste qu'il paye ce plaisir, et ce ne sera point trop que
cinq ou six mille francs, en proportionnant le prix à
ses richesses et à son âge.

Sa résolution me fut beaucoup plus agréable que

l'espérance des cinq mille livres. J'eus lieu de reconnaître que mon cœur n'avait point encore perdu tout
sentiment d'honneur, puisqu'il était si satisfait d'é-
chapper à l'infamie. Mais j'étais né pour les courtes
5 joies et les longues douleurs. La Fortune ne me délivra
d'un précipice, que pour me faire tomber dans un
autre. Lorsque j'eus marqué à Manon, par mille
caresses, combien je me croyais heureux de son
changement, je lui dis qu'il fallait en instruire M.
10 Lescaut, afin que nos mesures se prissent de concert.
Il en murmura d'abord; mais les quatre ou cinq mille
livres d'argent comptant le firent entrer gaîment dans
nos vues. Il fut donc réglé que nous nous trouverions
tous à souper avec M. de G... M..., et cela pour
15 deux raisons: l'une, pour nous donner le plaisir d'une
scène agréable en me faisant passer pour un écolier,
frère de Manon; l'autre, pour empêcher ce vieux libertin de s'émanciper trop avec ma maîtresse, par le
droit qu'il croirait s'être acquis en payant si libérale-
20 ment d'avance. Nous devions nous retirer, Lescaut et
moi, lorsqu'il monterait à la chambre où il comptait de
passer la nuit; et Manon, au lieu de le suivre, nous
promit de sortir, et de la venir passer avec moi.
Lescaut se chargea du soin d'avoir exactement un
25 carrosse à la porte.

L'heure du souper étant venue, M. de G... M...
ne se fit pas attendre longtemps. Lescaut était avec
sa sœur dans la salle. Le premier compliment du
vieillard fut d'offrir à sa belle un collier, des bracelets

et des pendants de perles, qui valaient au moins mille
écus.* Il lui compta ensuite, en beaux louis d'or, la
somme de deux mille quatre cents livres, qui faisaient
la moitié de la pension. Il assaisonna son présent de
quantité de douceurs dans le goût de la vieille Cour. 5
Manon ne put lui refuser quelques baisers; c'était
autant de droits qu'elle acquérait sur l'argent qu'il
lui mettait entre les mains. J'étais à la porte, où je
prêtais l'oreille, en attendant que Lescaut m'avertît
d'entrer. Il vint me prendre par la main, lorsque 10
Manon eut serré l'argent et les bijoux, et, me conduisant vers M. de G... M..., il m'ordonna de lui
faire la révérence. J'en fis deux ou trois des plus
profondes.

— Excusez, Monsieur, lui dit Lescaut, c'est un 15
enfant fort neuf. Il est bien éloigné, comme vous
voyez, d'avoir les airs de Paris; mais nous espérons
qu'un peu d'usage le façonnera. Vous aurez l'honneur de voir ici souvent Monsieur, ajouta-t-il, en se
tournant vers moi; faites bien votre profit d'un si bon 20
modèle.

Le vieil amant parut prendre plaisir à me voir. Il
me donna deux ou trois petits coups sur la joue, en
me disant que j'étais un joli garçon, mais qu'il fallait
être sur mes gardes à Paris, où les jeunes gens se 25
laissent aller facilement à la débauche. Lescaut
l'assura que j'étais naturellement si sage, que je ne
parlais que de me faire prêtre, et que tout mon plaisir
était à faire de petites chapelles.

— Je lui trouve l'air de Manon, reprit le vieillard
en me haussant le menton avec la main.

Je répondis d'un air niais:

— Monsieur, c'est que nos deux chairs se touchent
de bien proche; aussi, j'aime ma sœur Manon comme
un autre moi-même.

—L'entendez-vous ? dit-il à Lescaut. Il a de l'esprit.
C'est dommage que cet enfant-là n'ait pas un peu plus
de monde.

— Ho ! Monsieur, repris-je, j'en ai vu beaucoup
chez nous dans les églises, et je crois bien que j'en
trouverai, à Paris, de plus sots que moi.

— Voyez, ajouta-t-il, cela est admirable pour un
enfant de province.

Toute notre conversation fut à peu près du même
goût, pendant le souper. Manon, qui était badine,
fut sur le point, plusieurs fois, de gâter tout par ses
éclats de rire. Je trouvai l'occasion, en soupant, de
lui raconter sa propre histoire et le mauvais sort qui le
menaçait. Lescaut et Manon tremblaient pendant
mon récit, surtout lorsque je faisais son portrait au
naturel; mais l'amour-propre l'empêcha de s'y reconnaître, et je l'achevai si adroitement qu'il fut le
premier à le trouver fort risible. Vous verrez que ce
n'est pas sans raison que je me suis étendu sur cette
ridicule scène.   Enfin l'heure du sommeil étant
arrivée, il parla d'amour et d'impatience. Nous nous
retirâmes, Lescaut et moi; on le conduisit à sa chambre; et Manon, étant sortie sous prétexte d'un besoin,

nous vint joindre à la porte. Le carrosse, qui nous
attendait trois ou quatre maisons plus bas, s'avança
pour nous recevoir. Nous nous éloignâmes en un
instant du quartier.

Quoiqu'à mes propres yeux, cette action fût une
véritable friponnerie, ce n'était pas la plus injuste que
je crusse avoir à me reprocher; j'avais plus de scrupule
sur l'argent que j'avais acquis au jeu. Cependant
nous profitâmes aussi peu de l'un que de l'autre, et le
Ciel permit que la plus légère de ces deux injustices
fût la plus rigoureusement punie. M. de G . . . M . . .
ne tarda pas longtemps à s'apercevoir qu'il était dupé.
Je ne sais s'il fit, dès le soir même, quelques démarches
pour nous découvrir; mais il eut assez de crédit pour
n'en pas faire longtemps d'inutiles, et nous assez d'imprudence pour compter trop sur la grandeur de Paris
et sur l'éloignement qu'il y avait de notre quartier au
sien. Non seulement il fut informé de notre demeure
et de nos affaires présentes; mais il apprit aussi qui
j'étais, la vie que j'avais menée à Paris, l'ancienne
liaison de Manon avec B . . ., la tromperie qu'elle
lui avait faite, en un mot, toutes les parties scanda-
leuses de notre histoire. Il prit là-dessus la résolution
de nous faire arrêter, et de nous traiter moins comme
des criminels que comme de fieffés libertins.*

Nous étions encore au lit, lorsqu'un exempt de
police entra dans notre chambre avec une demi-
douzaine de gardes. Ils se saisirent d'abord de notre
argent, ou plutôt de celui de M. de G . . . M . . .;

et, nous ayant fait lever brusquement, ils nous con-
duisirent à la porte, où nous trouvâmes deux carrosses,
dans l'un desquels la pauvre Manon fut enlevée sans
explication, et moi traîné dans l'autre à Saint-Lazare.*
5 Il faut avoir éprouvé de tels revers, pour juger du
désespoir qu'ils peuvent causer. Nos gardes eurent la
dureté de ne me pas permettre d'embrasser Manon,
ni de lui dire une parole. J'ignorai longtemps ce qu'elle
était devenue. Ce fut sans doute un bonheur pour
10 moi de ne l'avoir pas su d'abord; car une catastrophe
si terrible m'aurait fait perdre le sens, et peut-être la
vie.

Ma malheureuse maîtresse fut donc enlevée, à mes
yeux, et menée dans une retraite que j'ai horreur de
15 nommer.* Quel sort pour une créature toute charmante, qui eût occupé le premier trône du monde, si
tous les hommes eussent eu mes yeux et mon cœur !
On ne l'y traita pas barbarement; mais elle fut res-
serrée dans une étroite prison, seule, et condamnée à
20 remplir tous les jours une certaine tâche de travail,
comme une condition nécessaire pour obtenir quelque
dégoûtante nourriture. Je n'appris ce triste détail
que longtemps après, lorsque j'eus essuyé moi-même
plusieurs mois d'une rude et ennuyeuse pénitence.
25 Mes gardes ne m'ayant point averti non plus du lieu
où ils avaient ordre de me conduire, je ne connus mon
destin qu'à la porte de Saint-Lazare. J'aurais préféré
la mort, dans ce moment, à l'état où je me crus prêt
de tomber. J'avais de terribles idées de cette maison.

Ma frayeur augmenta lorsqu'en entrant, les gardes
visitèrent une seconde fois mes poches, pour s'assurer
qu'il ne me restait ni armes, ni moyen de défense.
Le Supérieur parut à l'instant; il était prévenu sur
mon arrivée, il me salua avec beaucoup de douceur.   5

— Mon Père, lui dis-je, point d'indignités. Je perdrai mille vies avant que d'en souffrir une.

— Non, non, Monsieur, me répondit-il; vous
prendrez une conduite sage, et nous serons contents
l'un de l'autre.   10

Il me pria de monter dans une chambre haute;
je le suivis sans résistance. Les archers nous accom-
pagnèrent jusqu'à la porte, et le Supérieur, y étant
entré avec moi, leur fit signe de se retirer.

— Je suis donc votre prisonnier! lui dis-je. Eh 15
bien, mon Père, que prétendez-vous faire de moi ?

Il me dit qu'il était charmé de me voir prendre un
ton raisonnable; que son devoir serait de travailler à
m'inspirer le goût de la vertu et de la religion, et le
mien, de profiter de ses exhortations et de ses conseils; 20
que pour peu que je voulusse répondre aux attentions
qu'il aurait pour moi, je ne trouverais que du plaisir
dans ma solitude.

— Ah ! du plaisir ! repris-je; vous ne savez pas,
mon Père, l'unique chose qui est capable de m'en faire 25
goûter !

— Je le sais, reprit-il; mais j'espère que votre inclination changera.

Sa réponse me fit comprendre qu'il était instruit

de mes aventures, et peut-être de mon nom. Je le
priai de m'éclaircir; il me dit naturellement qu'on
l'avait informé de tout.

Cette connaissance fut le plus rude de tous mes
5 châtiments. Je me mis à verser un ruisseau de larmes,
avec toutes les marques d'un affreux désespoir. Je ne
pouvais me consoler d'une humiliation qui allait me
rendre la fable de toutes les personnes de ma connaissance, et la honte de ma famille. Je passai ainsi huit
10 jours dans le plus profond abattement, sans être capable de rien entendre, ni de m'occuper d'autre chose
que de mon opprobre. Le souvenir même de Manon
n'ajoutait rien à ma douleur; il n'y entrait, du moins,
que comme un sentiment qui avait précédé cette
15 nouvelle peine, et la passion dominante de mon âme
était la honte et la confusion.

Il y a peu de personnes qui connaissent la force de
ces mouvements particuliers du cœur. Le commun
des hommes n'est sensible qu'à cinq ou six passions
20 dans le cercle desquelles leur vie se passe, et où toutes
leurs agitations se réduisent. Otez-leur l'amour et la
haine, le plaisir et la douleur, l'espérance et la crainte,
ils ne sentent plus rien. Mais les personnes d'un caractère plus noble peuvent être remuées de mille
25 façons différentes. Il semble qu'elles aient plus de
cinq sens, et qu'elles puissent recevoir des idées et
des sensations qui passent les bornes ordinaires de la
Nature; et comme elles ont un sentiment de cette
grandeur qui les élève au-dessus du vulgaire, il n'y a rien

dont elles soient plus jalouses. De là vient qu'elles souffrent si impatiemment le mépris et la risée, et que la honte est une de leurs plus violentes passions.

J'avais ce triste avantage à Saint-Lazare. Ma tristesse parut si excessive au Supérieur, qu'en appré- 5 hendant les suites, il crut devoir me traiter avec beaucoup de douceur et d'indulgence. Il me visitait deux ou trois fois le jour; il me prenait souvent avec lui, pour faire un tour de jardin, et son zèle s'épuisait en exhortations et en avis salutaires. Je les recevais 10 avec douceur, je lui marquais même de la reconnaissance; il en tirait l'espoir de ma conversion.

— Vous êtes d'un naturel si doux et si aimable, me dit-il un jour, que je ne puis comprendre les désordres dont on vous accuse. Deux choses m'étonnent: 15 l'une, comment avec de si bonnes qualités vous avez pu vous livrer à l'excès du libertinage; et l'autre, que j'admire encore plus, comment vous recevez si volontiers mes conseils et mes instructions, après avoir vécu plusieurs années dans l'habitude du désordre. Si c'est 20 repentir, vous êtes un exemple signalé des miséricordes du Ciel; si c'est bonté naturelle, vous avez du moins un excellent fonds de caractère, qui me fait espérer que nous n'aurons pas besoin de vous retenir ici longtemps, pour vous ramener à une vie honnête et 25 réglée.

Je fus ravi de lui voir cette opinion de moi. Je résolus de l'augmenter par une conduite qui pût le satisfaire entièrement, persuadé que c'était le plus sûr

moyen d'abréger ma prison. Je lui demandai des
livres; il fut surpris que, m'ayant laissé le choix de
ceux que je voulais lire, je me déterminai pour quelques
auteurs sérieux. Je feignis de m'appliquer à l'étude
5 avec le dernier attachement, et je lui donnai ainsi, dans
toutes les occasions, des preuves du changement qu'il
désirait.

Cependant il n'était qu'extérieur. Je dois le confesser à ma honte, je jouai, à Saint-Lazare, un per-
10 sonnage d'hypocrite. Au lieu d'étudier, quand j'étais
seul, je ne m'occupais qu'à gémir de ma destinée;
je maudissais ma prison et la tyrannie qui m'y retenait.
Je n'eus pas plutôt quelque relâche du côté de cet
accablement où m'avait jeté la confusion, que je
15 retombai dans les tourments de l'Amour. L'absence
de Manon, l'incertitude de son sort, la crainte de ne
la revoir jamais étaient l'unique objet de mes tristes
méditations. Je me la figurais dans les bras de G . . .
M . . . (car c'était la pensée que j'avais eue d'abord);
20 et loin de m'imaginer qu'il lui eût fait le même traitement qu'à moi, j'étais persuadé qu'il ne m'avait fait
éloigner, que pour la posséder tranquillement. Je
passais ainsi des jours et des nuits, dont la longueur
me paraissait éternelle; je n'avais d'espérance que
25 dans le succès de mon hypocrisie; j'observais soigneusement le visage et le discours du Supérieur, pour
m'assurer de ce qu'il pensait de moi; et je me faisais
une étude de lui plaire, comme à l'arbitre de ma destinée. Il me fut aisé de reconnaître que j'étais parfaite-

ment dans ses bonnes grâces; je ne doutai plus qu'il
ne fût disposé à me rendre service.

Je pris un jour la hardiesse de lui demander si c'était
de lui que mon élargissement dépendait. Il me dit
qu'il n'en était pas absolument le maître; mais que, 5
sur son témoignage, il espérait que M. de G...M...
à la sollicitation duquel M. lc Lieutenant Général de
Police m'avait fait renfermer, consentirait à me
rendre la liberté.

— Puis-je me flatter, repris-je doucement, que deux 10
mois de prison, que j'ai déjà essuyés, lui paraîtront
une expiation suffisante?

Il me promit de lui en parler, si je le souhaitais. Je
le priai instamment de me rendre ce bon office. Il
m'apprit, dcux jours après, que G...M... avait 15
été si touché du bien qu'il avait entendu de moi, que
non seulement il paraissait être dans le dessein de me
laisser voir le jour, mais qu'il avait même marqué
beaucoup d'envie de mc connaître plus particulière-
ment, et qu'il se proposait de me rendre une visite dans 20
ma prison. Quoique sa présence ne pût m'être agréable, je la regardai comme un acheminement prochain
à ma liberté.

Il vint effectivement à Saint-Lazare. Je lui trouvai
l'air plus grave ct moins sot, qu'il ne l'avait eu dans la 25
maison de Manon. Il me tint quelques discours de
bon sens sur ma mauvaise conduite. Il ajouta, pour
justifier apparemment ses propres désordres, qu'il
était permis à la faiblesse des hommes de se procurer

certains plaisirs que la nature exige, mais que la friponnerie et les artifices honteux méritaient d'être punis. Je l'écoutai avec un air de soumission dont il parut satisfait; je ne m'offensai pas même de lui entendre lâcher quelques railleries sur ma fraternité avec Lescaut et Manon, et sur les petites chapelles dont il supposait, me dit-il, que j'avais dû faire un grand nombre à Saint-Lazare, puisque je trouvais tant de plaisir à cette pieuse occupation. Mais il lui échappa, malheureusement pour lui et pour moi-même, de me dire que Manon en aurait fait aussi, sans doute, de fort jolies à l'Hôpital. Malgré le frémissement que le nom d'Hôpital me causa, j'eus encore le pouvoir de le prier, avec douceur, de s'expliquer.

— Hé oui ! reprit-il, il y a deux mois qu'elle apprend la sagesse à l'Hôpital Général, et je souhaite qu'elle en ait tiré autant de profit que vous à Saint-Lazare.

Quand j'aurais eu une prison éternelle, ou la mort même présente à mes yeux, je n'aurais pas été le maître de mon transport, à cette affreuse nouvelle. Je me jetai sur lui avec une si furieuse rage que j'en perdis la moitié de mes forces. J'en eus assez néanmoins pour le renverser par terre et pour le prendre à la gorge. Je l'étranglais, lorsque le bruit de sa chute et quelques cris aigus, que je lui laissais à peine la liberté de pousser, attirèrent le Supérieur et plusieurs religieux dans ma chambre. On le délivra de mes mains. J'avais presque perdu moi-même la force et la respiration.

— O Dieu ! m'écriai-je, en poussant mille soupirs;

justice du Ciel ! faut-il que je vive un moment, après une telle infamie ?

Je voulus me jeter encore sur le barbare qui venait de m'assassiner. On m'arrêta. Mon désespoir, mes cris et mes larmes passaient toute imagination. Je fis des choses si étonnantes, que tous les assistants, qui en ignoraient la cause, se regardaient les uns les autres avec autant de frayeur que de surprise. M. de G... M... rajustait pendant ce temps-là sa perruque et sa cravate, et, dans le dépit d'avoir été si maltraité, il ordonnait au Supérieur de me resserrer plus étroitement que jamais et de me punir par tous les châtiments qu'on sait être propres à Saint-Lazare.

— Non, Monsieur, lui dit le Supérieur; ce n'est point avec une personne de la naissance de M. le Chevalier que nous en usons de cette manière. Il est si doux, d'ailleurs, et si honnête, que j'ai peine à comprendre qu'il se soit porté à cet excès sans de fortes raisons.

Cette réponse acheva de déconcerter M. de G... M... Il sortit en disant qu'il saurait faire plier, et le Supérieur, et moi, et tous ceux qui oseraient lui résister.

Le Supérieur, ayant ordonné à ses religieux de le conduire, demeura seul avec moi. Il me conjura de lui apprendre promptement d'où venait ce désordre.

— O mon Père, lui dis-je en continuant de pleurer comme un enfant, figurez-vous la plus horrible cruauté, imaginez-vous la plus détestable de toutes les barba-

ries, c'est l'action que l'indigne G... M... a eu la
lâcheté de commettre. Oh ! il m'a percé le cœur. Je
n'en reviendrai jamais. Je veux vous raconter tout,
ajoutai-je en sanglotant. Vous êtes bon, vous aurez
5 pitié de moi.

Je lui fis un récit abrégé de la longue et insurmon-
table passion que j'avais pour Manon, de la situation
florissante de notre fortune avant que nous eussions
été dépouillés par nos propres domestiques, des
10 offres que G... M... avait faites à ma maîtresse, de
la conclusion de leur marché et de la manière dont il
avait été rompu. Je lui représentai les choses, à la
vérité, du côté le plus favorable pour nous:

— Voilà, continuai-je, de quelle source est venu le
15 zèle de M. de G... M... pour ma conversion. Il a
eu le crédit de me faire ici renfermer, par un pur motif
de vengeance. Je lui pardonne, mais, mon Père, ce
n'est pas tout: il a fait enlever cruellement la plus
chère moitié de moi-même, il l'a fait mettre honteuse-
20 ment à l'Hôpital, il a eu l'impudence de me l'annoncer
aujourd'hui de sa propre bouche. A l'Hôpital, mon
Père ! O Ciel ! ma charmante maîtresse, ma chère
reine à l'Hôpital, comme la plus infâme de toutes les
créatures ! Où trouverai-je assez de force, pour ne
25 pas mourir de douleur et de honte ?

Le bon Père, me voyant dans cet excès d'affliction,
entreprit de me consoler. Il me dit qu'il n'avait
jamais compris mon aventure de la manière dont je la
racontais; qu'il avait su, à la vérité, que je vivais dans

le désordre, mais qu'il s'était figuré que ce qui avait
obligé M. de G... M... d'y prendre intérêt, était
quelque liaison d'estime et d'amitié avec ma famille;
qu'il ne s'en était expliqué à lui-même que sur ce pied;
que ce que je venais de lui apprendre mettrait beau- 5
coup de changement dans mes affaires, et qu'il ne
doutait point que le récit fidèle qu'il avait dessein d'en
faire à M. le Lieutenant Général de Police ne pût
contribuer à ma liberté. Il me demanda ensuite
pourquoi je n'avais pas encore pensé à donner de mes 10
nouvelles à ma famille, puisqu'elle n'avait point eu de
part à ma captivité. Je satisfis à cette objection par
quelques raisons prises de la douleur que j'avais
appréhendé de causer à mon père, et de la honte que
j'en aurais ressentie moi-même. Enfin il me promit 15
d'aller de ce pas chez le Lieutenant de Police, « ne
fût-ce, ajouta-t-il, que pour prévenir quelque chose
de pis, de la part de M. de G... M..., qui est sorti
de cette maison fort mal satisfait, et qui est assez
considéré pour se faire redouter ».   20

J'attendis le retour du Père avec toutes les agitations d'un malheureux qui touche au moment de sa
sentence. C'était pour moi un supplice inexprimable
de me représenter Manon à l'Hôpital. Outre l'infamie
de cette demeure, j'ignorais de quelle manière elle y 25
était traitée; et le souvenir de quelques particularités
que j'avais entendues de cette maison d'horreur,
renouvelait à tous moments mes transports. J'étais
tellement résolu de la secourir, à quelque prix et par

quelque moyen que ce pût être, que j'aurais mis le
feu à Saint-Lazare, s'il m'eût été impossible d'en
sortir autrement. Je réfléchis donc sur les voies que
j'avais à prendre, s'il arrivait que le Lieutenant Gé-
5 néral de Police continuât de m'y retenir malgré moi.
Je mis mon industrie à toutes les épreuves; je par-
courus toutes les possibilités; je ne vis rien qui pût
m'assurer d'une évasion certaine, et je craignis d'être
renfermé plus étroitement, si je faisais une tentative
10 malheureuse. Je me rappelai le nom de quelques
amis, de qui je pouvais espérer du secours; mais quel
moyen de leur faire savoir ma situation ? Enfin, je
crus avoir formé un plan si adroit qu'il pourrait
réussir; et je remis à l'arranger encore mieux après le
15 retour du Père Supérieur, si l'inutilité de sa démarche
me le rendait nécessaire. Il ne tarda point à revenir.
Je ne vis pas, sur son visage, les marques de joie qui
accompagnent une bonne nouvelle.

— J'ai parlé, me dit-il, à M. le Lieutenant Général
20 de Police; mais je lui ai parlé trop tard. M. de G . . .
M . . . l'est allé voir en sortant d'ici, et l'a si fort prévenu contre vous, qu'il était sur le point de m'envoyer
de nouveaux ordres, pour vous resserrer davantage.
Cependant, lorsque je lui ai appris le fond de vos af-
25 faires, il a paru s'adoucir beaucoup; et, riant un peu
de l'incontinence du vieux M. de G . . . M . . ., il m'a
dit qu'il fallait vous laisser ici six mois pour le satisfaire;
d'autant mieux, a-t-il dit, que cette demeure ne saurait
vous être inutile. Il m'a recommandé de vous traiter

honnêtement, et je vous réponds que vous ne vous plaindrez point de mes manières.

Cette explication du bon Supérieur fut assez longue pour me donner le temps de faire une sage réflexion. Je conçus que je m'exposerais à renverser mes desseins, si je lui marquais trop d'empressement pour ma liberté. Je lui témoignai, au contraire, que dans la nécessité de demeurer, c'était une douce consolation pour moi d'avoir quelque part à son estime. Je le priai ensuite, sans affectation, de m'accorder une grâce, qui n'était de nulle importance pour personne, et qui servirait beaucoup à ma tranquillité; c'était de faire avertir un de mes amis, un saint ecclésiastique qui demeurait à Saint-Sulpice, que j'étais à Saint-Lazare, et de permettre que je reçusse quelquefois sa visite. Cette faveur me fut accordée sans délibérer. C'était mon ami Tiberge dont il était question; non que j'espérasse de lui les secours nécessaires pour ma liberté; mais je voulais l'y faire servir comme un instrument éloigné, sans qu'il en eût même connaissance. En un mot, voici mon projet: je voulais écrire à Lescaut et le charger, lui et nos amis communs, du soin de me délivrer. La première difficulté était de lui faire tenir ma lettre: ce devait être l'office de Tiberge. Cependant, comme il le connaissait pour le frère de ma maîtresse, je craignais qu'il n'eût peine à se charger de cette commission. Mon dessein était de renfermer ma lettre à Lescaut dans une autre lettre que je devais adresser à un honnête homme de ma con-

naissance, en le priant de rendre promptement la
première à son adresse; et comme il était nécessaire
que je visse Lescaut pour nous accorder dans nos
mesures, je voulais lui marquer de venir à Saint-
5 Lazare, et de demander à me voir sous le nom de mon
frère aîné, qui était venu exprès à Paris pour prendre
connaissance de mes affaires. Je remettais à convenir
avec lui des moyens qui nous paraîtraient les plus
expéditifs et les plus sûrs. Le Père Supérieur fit avertir
10 Tiberge du désir que j'avais de l'entretenir. Ce fidèle
ami ne m'avait pas tellement perdu de vue qu'il
ignorât mon aventure; il savait que j'étais à Saint-
Lazare, et peut-être n'avait-il pas été fâché de cette
disgrâce qu'il croyait capable de me ramener au devoir.
15 Il accourut aussitôt à ma chambre.

Notre entretien fut plein d'amitié. Il voulut être
informé de mes dispositions; je lui ouvris mon cœur
sans réserve, excepté sur le dessein de ma fuite.

— Ce n'est pas à vos yeux, cher ami, lui dis-je, que
20 je veux paraître ce que je ne suis point. Si vous avez
cru trouver ici un ami sage et réglé dans ses désirs, un
libertin réveillé par les châtiments du Ciel, en un mot
un cœur dégagé de l'amour et revenu des charmes de
sa Manon, vous avez jugé trop favorablement de moi.
25 Vous me revoyez tel que vous me laissâtes il y a quatre
mois: toujours tendre, et toujours malheureux par
cette fatale tendresse dans laquelle je ne me lasse
point de chercher mon bonheur.

Il me répondit que l'aveu que je faisais me rendait

inexcusable; qu'on voyait bien des pécheurs qui
s'enivraient du faux bonheur du vice jusqu'à le préférer hautement à celui de la vertu; mais que c'était
du moins à des images de bonheur qu'ils s'attachaient,
et qu'ils étaient les dupes de l'apparence; mais que de 5
reconnaître, comme je le faisais, que l'objet de mes
attachements n'était propre qu'à me rendre coupable
et malheureux, et de continuer à me précipiter volontairement dans l'infortune et dans le crime, c'était
une contradiction d'idées et de conduite qui ne faisait 10
pas honneur à ma raison.

— Tiberge! repris-je, qu'il vous est aisé de vaincre,
lorsqu'on n'oppose rien à vos armes! Laissez-moi
raisonner à mon tour. Pouvez-vous prétendre que ce
que vous appelez le bonheur de la vertu soit exempt de 15
peines, de traverses et d'inquiétudes? Quel nom
donnerez-vous à la prison, aux croix, aux supplices et
aux tortures des tyrans? Direz-vous, comme font les
Mystiques, que ce qui tourmente le corps est un bonheur pour l'âme? Vous n'oseriez le dire; c'est un 20
paradoxe insoutenable. Ce bonheur, que vous relevez
tant, est donc mêlé de mille peines, ou, pour parler
plus juste, ce n'est qu'un tissu de malheurs au travers
desquels on tend à la félicité. Or, si la force de l'imagination fait trouver du plaisir dans ces maux mêmes, 25
parce qu'ils peuvent conduire à un terme heureux
qu'on espère, pourquoi traitez-vous de contradictoire
et d'insensée, dans ma conduite, une disposition toute
semblable? J'aime Manon; je tends au travers de

mille douleurs à vivre heureux et tranquille auprès
d'elle. La voie par où je marche est malheureuse;
mais l'espérance d'arriver à mon terme y répand toujours de la douceur. Et je me croirai trop bien payé,
5 par un moment passé avec elle, de tous les chagrins
que j'essuie pour l'obtenir. Toutes choses me paraissent donc égales de votre côté et du mien; ou s'il y
a quelque différence, elle est encore à mon avantage,
car le bonheur que j'espère est proche, et l'autre est
10 éloigné. Le mien est de la nature des peines, c'est-à-
dire sensible au corps; et l'autre est d'une nature inconnue, qui n'est certaine que par la foi.

Tiberge parut effrayé de ce raisonnement. Il recula
de deux pas, en me disant de l'air le plus sérieux que
15 non seulement ce que je venais de dire blessait le bon
sens, mais que c'était un malheureux sophisme d'im-
piété et d'irréligion; « car cette comparaison, ajouta-
t-il, du terme de vos peines avec celui qui est proposé
par la Religion, est une idée des plus libertines et des
20 plus monstrueuses ».

— J'avoue, repris-je, qu'elle n'est pas juste; mais
prenez-y garde, ce n'est pas sur elle que porte mon
raisonnement. J'ai eu dessein d'expliquer ce que vous
regardez comme une contradiction, dans la persévé-
25 rance d'un amour malheureux; et je crois avoir fort
bien prouvé que si c'en est une, vous ne sauriez vous
en sauver plus que moi. C'est à cet égard seulement
que j'ai traité les choses d'égales, et je soutiens encore qu'elles le sont. Répondrez-vous que le terme de

la vertu est infiniment supérieur à celui de l'amour ?
Qui refuse d'en convenir ? Mais est-ce de quoi il est
question ? Ne s'agit-il pas de la force qu'ils ont, l'un
et l'autre, pour faire supporter les peines ? Jugeons-en
par l'effet. Combien trouve-t-on de déserteurs de la   5
sévère vertu, et combien en trouverez-vous peu de
l'amour ? Répondrez-vous encore que s'il y a des
peines dans l'exercice du bien, elles ne sont pas in-
faillibles et nécessaires; qu'on ne trouve plus de
tyrans ni de croix, et qu'on voit quantité de personnes 10
vertueuses mener une vie douce et tranquille ? Je
vous dirai de même qu'il y a des amours paisibles et
fortunés; et ce qui fait encore une différence qui m'est
extrêmement avantageuse, j'ajouterai que l'amour,
quoiqu'il trompe assez souvent, ne promet du moins 15
que des satisfactions et des joies, au lieu que la Religion veut qu'on s'attende à une pratique triste et
mortifiante.

— Ne vous alarmez pas, ajoutai-je en voyant son
zèle prêt à se chagriner. L'unique chose que je veux 20
conclure ici, c'est qu'il n'y a point de plus mauvaise
méthode pour dégoûter un cœur de l'amour, que de
lui en décrier les douceurs, et de lui promettre plus de
bonheur dans l'exercice de la vertu. De la manière
dont nous sommes faits, il est certain que notre félicité 25
consiste dans le plaisir; je défie qu'on s'en forme une
autre idée. Or le cœur n'a pas besoin de se consulter
longtemps, pour sentir que de tous les plaisirs les plus
doux sont ceux de l'amour. Il s'aperçoit bientôt qu'on

le trompe, lorsqu'on lui en promet ailleurs de plus
charmants; et cette tromperie le dispose à se défier des
promesses les plus solides. Prédicateurs, qui voulez
me ramener à la vertu, dites-moi qu'elle est indis-
5 pensablement nécessaire; mais ne me déguisez pas
qu'elle est sévère et pénible. Etablissez bien que les
délices de l'amour sont passagères, qu'elles sont dé-
fendues, qu'elles seront suivies par d'éternelles peines;
et ce qui fera peut-être encore plus d'impression sur
10 moi, que plus elles sont douces et charmantes, plus le
Ciel sera magnifique à récompenser un si grand sacrifice; mais confessez qu'avec des cœurs tels que
nous les avons, elles sont ici-bas nos plus parfaites
félicités.

15   Cette fin de mon discours rendit sa bonne humeur à
Tiberge. Il convint qu'il y avait quelque chose de
raisonnable dans mes pensées. La seule objection
qu'il ajouta fut de me demander pourquoi je n'entrais
pas du moins dans mes propres principes, en sacrifiant
20 mon amour à l'espérance de cette rémunération dont je
me faisais une si grande idée.

—O cher ami ! lui répondis-je, c'est ici que je re-
connais ma misère et ma faiblesse. Hélas ! oui, c'est
mon devoir d'agir comme je raisonne ! mais l'action
25 est-elle en mon pouvoir ? De quels secours n'aurais-je
pas besoin pour oublier les charmes de Manon ?

— Dieu me pardonne, reprit Tiberge, je pense que
voici encore un de nos Jansénistes.*

— Je ne sais ce que je suis, répliquai-je, et je ne vois

pas trop clairement ce qu'il faut être; mais je n'éprouve que trop la vérité de ce qu'ils disent.

Cette conversation servit du moins à renouveler la pitié de mon ami. Il comprit qu'il y avait plus de faiblesse que de malignité dans mes désordres. Son 5 amitié en fut plus disposée, dans la suite, à me donner des secours, sans lesquels j'aurais péri infailliblement de misère. Cependant je ne lui fis pas la moindre ouverture du dessein que j'avais de m'échapper de Saint-Lazare. Je le priai seulement de se charger de 10 ma lettre; je l'avais préparée, avant qu'il fût venu, et je ne manquai point de prétextes pour colorer la nécessité où j'étais d'écrire. Il eut la fidélité de la porter exactement, et Lescaut reçut, avant la fin du jour, celle qui était pour lui. 15

Il me vint voir le lendemain, et il passa heureusement sous le nom de mon frère. Ma joie fut extrême en l'apercevant dans ma chambre. J'en fermai la porte avec soin.

Ne perdons pas un seul moment, lui dis-je; 20 apprenez-moi d'abord des nouvelles de Manon, et donnez-moi ensuite un bon conseil pour rompre mes fers.

Il m'assura qu'il n'avait pas vu sa sœur, depuis le jour qui avait précédé mon emprisonnement; qu'il 25 n'avait appris son sort et le mien, qu'à force d'informations et de soins; que s'étant présenté deux ou trois fois à l'Hôpital, on lui avait refusé la liberté de lui parler.

— Malheureux G... M...! m'écriai-je, que tu me le payeras cher !

— Pour ce qui regarde votre délivrance, continua Lescaut, c'est une entreprise moins facile que vous ne
5 pensez. Nous passâmes hier la soirée, deux de mes amis et moi, à observer toutes les parties extérieures de cette maison, et nous jugeâmes que, vos fenêtres étant sur une cour entourée de bâtiments, comme vous nous l'aviez marqué, il y aurait bien de la difficulté à
10 vous tirer de là. Vous êtes d'ailleurs au troisième étage, et nous ne pouvons introduire ici ni cordes, ni échelles. Je ne vois donc nulle ressource du côté du dehors. C'est dans la maison même qu'il faudrait imaginer quelque artifice.

15 — Non, repris-je; j'ai tout examiné, surtout depuis que ma clôture est un peu moins rigoureuse, par l'indulgence du Supérieur. La porte de ma chambre ne se ferme plus avec la clef; j'ai la liberté de me pro-mener dans les galeries des religieux. Mais tous les
20 escaliers sont bouchés par des portes épaisses, qu'on a soin de tenir fermées la nuit et le jour; de sorte qu'il est impossible que la seule adresse puisse me sauver. Attendez, repris-je, après avoir un peu réfléchi sur une idée qui me parut excellente, pourriez-vous m'apporter
25 un pistolet ?

— Aisément, me dit Lescaut; mais voulez-vous tuer quelqu'un ?

Je l'assurai que j'avais si peu dessein de tuer, qu'il n'était pas même nécessaire que le pistolet fût chargé.

— Apportez-le-moi demain, ajoutai-je, et ne man-
quez pas de vous trouver le soir, à onze heures, vis-à-
vis de la porte de cette maison, avec deux ou trois de
nos amis. J'espère que je pourrai vous y rejoindre.

Il me pressa en vain de lui en apprendre davantage. 5
Je lui dis qu'une entreprise, telle que je la méditais, ne
pouvait paraître raisonnable qu'après avoir réussi.
Je le priai d'abréger sa visite, afin qu'il trouvât plus de
facilité à me revoir le lendemain. Il fut admis avec
aussi peu de peine que la première fois. Son air était 10
grave; il n'y a personne qui ne l'eût pris pour un
homme d'honneur.

Lorsque je me trouvai muni de l'instrument de ma
liberté, je ne doutai presque plus du succès de mon
projet. Il était bizarre et hardi; mais de quoi n'étais-je 15
pas capable, avec les motifs qui m'animaient ? J'avais
remarqué, depuis qu'il m'était permis de sortir de ma
chambre et de me promener dans les galeries, que le
portier apportait chaque jour au soir les clefs de
toutes les portes au Supérieur, et qu'il régnait ensuite 20
un profond silence dans la maison, qui marquait que
tout le monde était retiré. Je pouvais aller sans
obstacle, par une galerie de communication, de ma
chambre à celle de ce Père. Ma résolution était de
lui prendre ses clefs, en l'épouvantant avec mon pis- 25
tolet s'il faisait difficulté de me les donner, et de m'en
servir pour gagner la rue. J'en attendis le temps avec
impatience. Le portier vint à l'heure ordinaire, c'est-
à-dire un peu après neuf heures. J'en laissai passer

encore une, pour m'assurer que tous les religieux et les
domestiques étaient endormis. Je partis enfin, avec
mon arme, et une chandelle allumée. Je frappai d'a-
bord doucement à la porte du Père, pour l'éveiller sans
5 bruit. Il m'entendit au second coup; et s'imaginant
sans doute que c'était quelque religieux qui se trouvait
mal et qui avait besoin de secours, il se leva pour
m'ouvrir. Il eut néanmoins la précaution de demander,
au travers de la porte, qui c'était, et ce qu'on voulait
10 de lui. Je fus obligé de me nommer; mais j'affectai
un ton plaintif, pour lui faire comprendre que je ne me
trouvais pas bien.

— Ha! c'est vous, mon cher Fils, me dit-il, en
ouvrant la porte; qu'est-ce donc qui vous amène si
15 tard ?

J'entrai dans sa chambre, et, l'ayant tiré à l'autre
bout opposé à la porte, je lui déclarai qu'il m'était
impossible de demeurer plus longtemps à Saint-Lazare;
que la nuit était un temps commode pour sortir sans
20 être aperçu, et que j'attendais de son amitié qu'il
consentirait à m'ouvrir les portes, ou à me prêter ses
clefs pour les ouvrir moi-même.

Ce compliment devait le surprendre. Il demeura
quelque temps à me considérer, sans me répondre.
25 Comme je n'en n'avais pas à perdre, je repris la parole
pour lui dire que j'étais fort touché de toutes ses
bontés, mais que, la liberté étant le plus cher de tous
les biens, surtout pour moi à qui on la ravissait injustement, j'étais résolu de me la procurer cette nuit

même, à quelque prix que ce fût; et, de peur qu'il ne
lui prît envie d'élever la voix pour appeler du secours,
je lui fis voir une honnête raison de silence, que je
tenais sous mon juste-au-corps.

— Un pistolet! me dit-il.   Quoi! mon Fils, vous 5
voulez m'ôter la vie, pour reconnaître la considération
que j'ai eue pour vous ?

— A Dieu ne plaise, lui répondis-je.   Vous avez
trop d'esprit et de raison pour me mettre dans cette
nécessité; mais je veux être libre, et j'y suis si résolu 10
que, si mon projet manque par votre faute, c'est fait
de vous absolument.

— Mais, mon cher Fils, reprit-il d'un air pâle et
effrayé, que vous ai-je fait ? quelle raison avez-vous de
vouloir ma mort ?   15

— Eh non, répliquai-je avec impatience.   Je n'ai pas
dessein de vous tuer, si vous voulez vivre.   Ouvrez-
moi la porte, et je suis le meilleur de vos amis.

J'aperçus les clefs qui étaient sur sa table.   Je les
pris, et je le priai de me suivre, en faisant le moins de 20
bruit qu'il pourrait.   Il fut obligé de s'y résoudre.   A
mesure que nous avancions et qu'il ouvrait une porte,
il me répétait avec un soupir:

— Ah! mon Fils, ah! qui l'aurait jamais cru !

— Point de bruit, mon Père, répétais-je de mon 25
côté à tout moment.

Enfin nous arrivâmes à une espèce de barrière, qui
est avant la grande porte de la rue.   Je me croyais
déjà libre, et j'étais derrière le Père, avec ma chandelle

dans une main et mon pistolet dans l'autre. Pendant
qu'il s'empressait d'ouvrir, un domestique, qui cou-
chait dans une petite chambre voisine, entendant le
bruit de quelques verrous, se lève et met la tête à sa
5 porte. Le bon Père le crut apparemment capable de
m'arrêter; il lui ordonna, avec beaucoup d'imprudence, de venir à son secours. C'était un puissant
coquin, qui s'élança sur moi sans balancer. Je nc le
marchandai point; je lui lâchai le coup au milieu de la
10 poitrine.

— Voilà de quoi vous êtes cause, mon Père, dis-je
assez fièrement à mon guide. Mais que cela ne vous
empêche point d'achever, ajoutai-je en le poussant vers
la dernière porte.

15   Il n'osa refuser de l'ouvrir. Je sortis heureusement,
et je trouvai, à quatre pas, Lescaut qui m'attendait
avec deux amis, suivant sa promesse. Nous nous
éloignâmes. Lescaut me demanda s'il n'avait pas
entendu tirer un pistolet.

20   — C'est votre faute, lui dis-je; pourquoi me l'ap-
portiez-vous chargé ?

Cependant je le remerciai d'avoir eu cette précaution, sans laquelle j'étais sans doute à Saint-Lazare
pour longtemps. Nous allâmes passer la nuit chez un
25 traiteur, où je me remis un peu de la mauvaise chère
que j'avais faite depuis près de trois mois. Je ne pus
néanmoins m'y livrer au plaisir; je souffrais mortellement dans Manon.

— Il faut la délivrer, dis-je à mes trois amis. Je n'ai

souhaité la liberté que dans cette vue. Je vous demande le secours de votre adresse; pour moi, j'y emploierai jusqu'à ma vie.

Lescaut, qui ne manquait pas d'esprit et de prudence, me représenta qu'il fallait aller bride en main; que mon évasion de Saint-Lazare, et le malheur qui m'était arrivé en sortant, causeraient infailliblement du bruit; que le Lieutenant Général de Police me ferait chercher, et qu'il avait les bras longs; enfin, que si je ne voulais pas être exposé à quelque chose de pis que Saint-Lazare, il était à propos de me tenir couvert et renfermé pendant quelques jours, pour laisser au premier feu de mes ennemis le temps de s'éteindre. Son conseil était sage; mais il aurait fallu l'être aussi pour le suivre. Tant de lenteur et de ménagement ne s'accordait pas avec ma passion; toute ma complaisance se réduisit à lui promettre que je passerais le jour suivant à dormir. Il m'enferma dans sa chambre, où je demeurai jusqu'au soir.

J'employai une partie de ce temps à former des projets et des expédients pour secourir Manon. J'étais bien persuadé que sa prison était encore plus impénétrable que n'avait été la mienne. Il n'était pas question de force et de violence, il fallait de l'artifice; mais la déesse même de l'invention n'aurait pas su par où commencer. J'y vis si peu de jour, que je remis à considérer mieux les choses, lorsque j'aurais pris quelques informations sur l'arrangement intérieur de l'Hôpital.

Aussitôt que la nuit m'eut rendu la liberté, je priai Lescaut de m'accompagner. Nous liâmes conversation avec un des portiers, qui nous parut homme de bon sens. Je feignis d'être un étranger, qui avait
5 entendu parler avec admiration de l'Hôpital Général, et de l'ordre qui s'y observe. Je l'interrogeai sur les plus minces détails; et de circonstances en circonstances, nous tombâmes sur les administrateurs, dont je le priai de m'apprendre les noms et les qualités.
10 Les réponses, qu'il me fit sur ce dernier article, me firent naître une pensée dont je m'applaudis aussitôt, et que je ne tardai point à mettre en œuvre. Je lui demandai, comme une chose essentielle à mon dessein, si ces messieurs avaient des enfants. Il me dit qu'il ne
15 pouvait pas m'en rendre un compte certain mais que pour M. de T . . ., qui était un des principaux, il lui connaissait un fils en âge d'être marié, qui était venu plusieurs fois à l'Hôpital avec son père. Cette assurance me suffisait. Je rompis presque aussitôt notre
20 entretien, et je fis part à Lescaut, en retournant chez lui, du dessein que j'avais conçu.

— Je m'imagine, lui dis-je, que M. de T . . ., le fils, qui est riche et de bonne famille, est dans un certain goût de plaisirs, comme la plupart des jeunes
25 gens de son âge. Il ne saurait être ennemi des femmes, ni ridicule au point de refuser ses services pour une affaire d'amour. J'ai formé le dessein de l'intéresser à la liberté de Manon. S'il est honnête homme, et qu'il ait des sentiments, il nous accordera son secours par

générosité. S'il n'est point capable d'être conduit par
ce motif, il fera du moins quelque chose pour une fille
aimable, ne fût-ce que par l'espérance d'avoir part à
ses faveurs. Je ne veux pas différer de le voir, ajoutai-je, plus longtemps que jusqu'à demain. Je me sens 5
si consolé par ce projet, que j'en tire un bon augure.

Lescaut convint lui-même qu'il y avait de la vraisemblance dans mes idées, et que nous pouvions espérer quelque chose par cette voie. J'en passai la nuit
moins tristement. 10

Le matin étant venu, je m'habillai le plus proprement qu'il me fût possible dans l'état d'indigence où
j'étais, et je me fis conduire dans un fiacre à la maison
de M. de T... Il fut surpris de recevoir la visite d'un
inconnu. J'augurai bien de sa physionomie et de ses 15
civilités. Je m'expliquai naturellement avec lui; et
pour échauffer ses sentiments naturels, je lui parlai de
ma passion et du mérite de ma maîtresse, comme de
deux choses qui ne pouvaient être égalées que l'une
par l'autre. Il me dit que, quoiqu'il n'eût jamais vu 20
Manon, il avait entendu parler d'elle, du moins s'il
s'agissait de celle qui avait été la maîtresse du vieux
G... M... Je ne doutai point qu'il ne fût informé de
la part que j'avais eue à cette aventure; et, pour le
gagner de plus en plus, en me faisant un mérite de ma 25
confiance, je lui racontai le détail de tout ce qui était
arrivé à Manon et à moi.

— Vous voyez, Monsieur, continuai-je, que l'intérêt
de ma vie et celui de mon cœur sont maintenant entre

vos mains. L'un ne m'est pas plus cher que l'autre.
Je n'ai point de réserve avec vous, parce que je suis
informé de votre générosité, et que la ressemblance de
nos âges me fait espérer qu'il s'en trouvera quelqu'une
5 dans nos inclinations.

Il parut fort sensible à cette marque d'ouverture et
de candeur. Sa réponse fut celle d'un homme qui a du
monde et des sentiments; ce que le monde ne donne
pas toujours, et qu'il fait perdre souvent. Il me dit
10 qu'il mettait ma visite au rang de ses bonnes fortunes,
qu'il regarderait mon amitié comme une de ses plus
heureuses acquisitions et qu'il s'efforcerait de la mériter
par l'ardeur de ses services. Il ne promit pas de me
rendre Manon, parce qu'il n'avait, me dit-il, qu'un
15 crédit médiocre et mal assuré; mais il m'offrit de me
procurer le plaisir de la voir, et de faire tout ce qui
serait en sa puissance pour la remettre entre mes bras.
Je fus plus satisfait de cette incertitude de son crédit,
que je ne l'aurais été d'une pleine assurance de remplir
20 tous mes désirs. Je trouvai dans la modération de ses
offres une marque de franchise dont je fus charmé. En
un mot, je me promis tout de ses bons offices. La
seule promesse de me faire voir Manon m'aurait fait
tout entreprendre pour lui. Je lui marquai quelque
25 chose de ces sentiments, d'une manière qui le persuada
aussi que je n'étais pas d'un mauvais naturel. Nous
nous embrassâmes avec tendresse, et nous devînmes
amis sans autre raison que la bonté de nos cœurs et
une simple disposition qui porte un homme tendre et

généreux à aimer un autre homme qui lui ressemble.
Il poussa les marques de son estime bien plus loin; car
ayant combiné mes aventures, et jugeant qu'en sortant
de Saint-Lazare je ne devais pas me trouver à mon aise,
il m'offrit sa bourse, et il me pressa de l'accepter. Je 5
ne l'acceptai point; mais je lui dis:

— C'est trop, mon cher Monsieur. Si, avec tant de
bonté et d'amitié, vous me faites revoir ma chère
Manon, je vous suis attaché pour toute ma vie. Si
vous me rendez tout à fait cette chère créature, je ne 10
croirai pas être quitte en versant tout mon sang pour
vous servir.

Nous ne nous séparâmes qu'après être convenus du
temps et du lieu où nous devions nous retrouver. Il
eut la complaisance de ne pas me remettre plus loin 15
que l'après-midi du même jour. Je l'attendis dans un
café, où il vint me rejoindre vers les quatre heures, et
nous prîmes ensemble le chemin de l'Hôpital. Mes
genoux étaient tremblants en traversant les cours.

— Puissance d'amour! disais-je, je reverrai donc 20
l'idole de mon cœur, l'objet de tant de pleurs et d'inquiétudes! Ciel! conservez-moi assez de vie pour
aller jusqu'à elle, et disposez après cela de ma fortune
et de mes jours; je n'ai plus d'autre grâce à vous demander.   25

M. de T... parla à quelques concierges de la
maison, qui s'empressèrent de lui offrir tout ce qui
dépendait d'eux pour sa satisfaction. Il se fit montrer
le quartier où Manon avait sa chambre, et l'on nous y

conduisit avec une clef d'une grandeur effroyable, qui
servit à ouvrir sa porte. Je demandai au valet qui
nous menait, et qui était celui qu'on avait chargé du
soin de la servir, de quelle manière elle avait passé le
5 temps dans cette demeure. Il nous dit que c'était une
douceur angélique; qu'il n'avait jamais reçu d'elle
un mot de dureté; qu'elle avait versé continuellement
des larmes pendant les six premières semaines après son
arrivée, mais que depuis quelque temps elle paraissait
10 prendre son malheur avec plus de patience, et qu'elle
était occupée à coudre du matin jusqu'au soir, à la
réserve de quelques heures qu'elle employait à la
lecture. Je lui demandai encore si elle avait été
entretenue proprement; il m'assura que le nécessaire
15 du moins ne lui avait jamais manqué.

Nous approchâmes de sa porte. Mon cœur battait
violemment. Je dis à M. de T . . . :

— Entrez seul et prévenez-la sur ma visite; car
j'appréhende qu'elle ne soit trop saisie en me voyant
20 tout d'un coup.

La porte nous fut ouverte. Je demeurai dans la
galerie; j'entendis néanmoins leurs discours. Il lui dit
qu'il venait lui apporter un peu de consolation, qu'il
était de mes amis et qu'il prenait beaucoup d'intérêt à
25 notre bonheur. Elle lui demanda, avec le plus vif
empressement, si elle apprendrait de lui ce que j'étais
devenu. Il lui promit de m'amener à ses pieds, aussi
tendre, aussi fidèle qu'elle pouvait le désirer.

— Quand ? reprit-elle.

— Aujourd'hui même, lui dit-il; ce bienheureux moment ne tardera point; il va paraître à l'instant si vous le souhaitez.

Elle comprit que j'étais à la porte. J'entrai, lorsqu'elle y accourait avec précipitation. Nous nous 5 embrassâmes avec cette effusion de tendresse qu'une absence de trois mois fait trouver si charmante à de parfaits amants. Nos soupirs, nos exclamations interrompues, mille noms d'amour répétés languissamment de part et d'autre, formèrent, pendant un quart 10 d'heure, une scène qui attendrissait M. de T...

— Je vous porte envie, me dit-il, en nous faisant asseoir; il n'y a point de sort glorieux auquel je ne préférasse une maîtresse si belle et si passionnée.

— Aussi mépriserais-je tous les empires du monde, 15 lui répondis-je, pour m'assurer le bonheur d'être aimé d'elle.

Tout le reste d'une conversation si désirée ne pouvait manquer d'être infiniment tendre. La pauvre Manon me raconta ses aventures, et je lui appris les miennes. 20 Nous pleurâmes amèrement, en nous entretenant de l'état où elle était et de celui d'où je ne faisais que sortir. M. de T... nous consola par de nouvelles promesses de s'employer ardemment pour finir nos misères. Il nous conseilla de ne pas rendre cette 25 première entrevue trop longue, pour lui donner plus de facilité à nous en procurer d'autres. Il eut beaucoup de peine à nous faire goûter ce conseil; Manon, surtout, ne pouvait se résoudre à me laisser partir. Elle

me fit remettre cent fois sur ma chaise; elle me retenait
par les habits et par les mains.

— Hélas ! dans quel lieu me laissez-vous ! disait-elle.
Qui peut m'assurer de vous revoir ?

5   M. de T . . . lui promit de la venir voir souvent
avec moi.

— Pour le lieu, ajouta-t-il agréablement, il ne faut
plus l'appeler l'Hôpital; c'est Versailles, depuis qu'une
personne qui mérite l'empire de tous les cœurs y est
10 renfermée.

Je fis, en sortant, quelques libéralités au valet qui la
servait, pour l'engager à lui rendre ses soins avec zèle.
Ce garçon avait l'âme moins basse et moins dure que
ses pareils.   Il avait été témoin de notre entrevue;
15 ce tendre spectacle l'avait touché.   Un louis d'or, dont
je lui fis présent, acheva de me l'attacher; il me prit
à l'écart, en descendant dans les cours.

— Monsieur, me dit-il, si vous me voulez prendre à
votre service, ou me donner une honnête récompense
20 pour me dédommager de la perte de l'emploi que
j'occupe ici, je crois qu'il me sera facile de délivrer
Mademoiselle Manon.

J'ouvris l'oreille à cette proposition; et quoique je
fusse dépourvu de tout, je lui fis des promesses fort au-
25 dessus de ses désirs.   Je comptais bien qu'il me serait
toujours aisé de récompenser un homme de cette étoffe.

— Sois persuadé, lui dis-je, mon ami, qu'il n'y a rien
que je ne fasse pour toi, et que ta fortune est aussi
assurée que la mienne.

Je voulus savoir quels moyens il avait dessein d'employer.

— Nul autre, me dit-il, que de lui ouvrir le soir la porte de sa chambre, et de vous la conduire jusqu'à celle de la rue, où il faudra que vous soyez prêt à la 5 recevoir.

Je lui demandai s'il n'était point à craindre qu'elle ne fût reconnue en traversant les galeries et les cours. Il confessa qu'il y avait quelque danger; mais il me dit qu'il fallait bien risquer quelque chose. Quoique 10 je fusse ravi de le voir si résolu, j'appelai M. de T... pour lui communiquer ce projet, et la seule raison qui semblait pouvoir le rendre douteux. Il y trouva plus de difficulté que moi. Il convint qu'elle pouvait absolument s'échapper de cette manière; « mais, si 15 elle est reconnue, continua-t-il, si elle est arrêtée en fuyant, c'est peut-être fait d'elle pour toujours. D'ailleurs, il vous faudrait donc quitter Paris sur-le-champ; car vous ne seriez jamais assez caché aux recherches. On les redoublerait, autant par rapport à vous qu'à 20 elle. Un homme s'échappe aisément, quand il est seul; mais il est presque impossible de demeurer inconnu avec une jolie femme.

Quelque solide que me parût ce raisonnement, il ne put l'emporter, dans mon esprit, sur un espoir si 25 proche de mettre Manon en liberté. Je le dis à M. de T..., et je le priai de pardonner un peu d'imprudence et de témérité à l'amour. J'ajoutai que mon dessein était en effet de quitter Paris, pour m'arrêter, comme

j'avais déjà fait, dans quelque village voisin. Nous
convînmes donc, avec le valet, de ne pas remettre son
entreprise plus loin qu'au jour suivant; et pour la
rendre aussi certaine qu'il était en notre pouvoir, nous
5 résolûmes d'apporter des habits d'homme, dans la vue
de faciliter notre sortie. Il n'était pas aisé de les faire
entrer; mais je ne manquai pas d'invention pour en
trouver le moyen. Je priai seulement M. de T ... de
mettre le lendemain deux vestes légères l'une sur l'au-
10 tre, et je me chargeai de tout le reste.

Nous retournâmes le matin à l'Hôpital. J'avais
avec moi, pour Manon, du linge, des bas, etc., et, par-
dessus mon juste-au-corps, un surtout qui ne laissait
rien voir de trop enflé dans mes poches. Nous ne
15 fûmes qu'un moment dans sa chambre. M. de T ...
lui laissa une de ses deux vestes; je lui donnai mon
juste-au-corps, le surtout me suffisant pour sortir. Il
ne se trouva rien de manque à son ajustement, excepté la culotte que j'avais malheureusement oubliée.
20 L'oubli de cette pièce nécessaire nous eût sans doute
apprêté à rire, si l'embarras où il nous mettait eût été
moins sérieux. J'étais au désespoir qu'une bagatelle
de cette nature fût capable de nous arrêter. Cependant je pris mon parti, qui fut de sortir moi-même sans
25 culotte. Je laissai la mienne à Manon. Mon surtout
était long, et je me mis, à l'aide de quelques épingles,
en état de passer décemment à la porte.

Le reste du jour me parut d'une longueur insupportable. Enfin, la nuit étant venue, nous nous ren-

dîmes un peu au-dessous de la porte de l'Hôpital, dans
un carrosse. Nous n'y fûmes pas longtemps sans voir
Manon paraître avec son conducteur. Notre portière
étant ouverte, ils montèrent tous deux à l'instant. Je
reçus ma chère maîtresse dans mes bras. Elle trem- 5
blait comme une feuille. Le cocher me demanda où
il fallait toucher.

— Touche au bout du monde,* lui dis-je, et mène-
moi quelque part où je ne puisse jamais être séparé de
Manon. 10

Ce transport, dont je ne fus pas le maître, faillit de
m'attirer un fâcheux embarras. Le cocher fit réflexion
à mon langage; et lorsque je lui dis ensuite le nom de la
rue où nous voulions être conduits, il me répondit
qu'il craignait que je ne l'engageasse dans une mau- 15
vaise affaire; qu'il voyait bien que ce beau jeune
homme, qui s'appelait Manon, était une fille que j'en-
levais de l'Hôpital, et qu'il n'était pas d'humeur à se
perdre pour l'amour de moi. La délicatesse de ce
coquin n'était qu'une envie de me faire payer la voiture 20
plus cher. Nous étions trop près de l'Hôpital pour ne
pas filer doux.

— Tais-toi, lui dis-je, il y a un louis d'or à gagner
pour toi.

Il m'aurait aidé, après cela, à brûler l'Hôpital même. 25
Nous gagnâmes la maison où demeurait Lescaut.
Comme il était tard, M. de T... nous quitta en
chemin, avec promesse de nous revoir le lendemain.
Le valet demeura seul avec nous.

Je tenais Manon si étroitement serrée entre mes
bras, que nous n'occupions qu'une place dans le
carrosse. Elle pleurait de joie, et je sentais ses larmes
qui mouillaient mon visage. Mais lorsqu'il fallut des-
5 cendre pour entrer chez Lescaut, j'eus avec le cocher
un nouveau démêlé, dont les suites furent funestes.
Je me repentis de lui avoir promis un louis, non seulement parce que le présent était excessif, mais par une
autre raison bien plus forte, qui était l'impuissance de
10 le payer. Je fis appeler Lescaut; il descendit de sa
chambre pour venir à la porte. Je lui dis à l'oreille
dans quel embarras je me trouvais. Comme il était
d'une humeur brusque, et nullement accoutumé à
ménager un fiacre, il me répondit que je me moquais.
15 — Un louis d'or ! ajouta-t-il. Vingt coups de canne
à ce coquin-là !

J'eus beau lui représenter doucement qu'il allait
nous perdre; il m'arracha ma canne, avec l'air d'en
vouloir maltraiter le cocher. Celui-ci, à qui il était
20 peut-être arrivé de tomber quelquefois sous la main
d'un garde du corps ou d'un mousquetaire, s'enfuit de
peur, avec son carrosse, en criant que je l'avais trompé,
mais que j'aurais de ses nouvelles. Je lui répétai
inutilement d'arrêter. Sa fuite me causa une extrême
25 inquiétude. Je ne doutai point qu'il n'avertît le
commissaire.

— Vous me perdez, dis-je à Lescaut. Je ne serais
pas en sûreté chez vous; il faut nous éloigner dans le
moment.

Je prêtai le bras à Manon pour marcher, et nous sortîmes promptement de cette dangereuse rue. Lescaut nous tint compagnie. C'est quelque chose d'admirable, que la manière dont la Providence enchaîne les événements. A peine avions-nous marché 5 cinq ou six minutes, qu'un homme, dont je ne découvris point le visage, reconnut Lescaut. Il le cherchait sans doute aux environs de chez lui, avec le malheureux dessein qu'il exécuta.

— C'est Lescaut, dit-il, en lui lâchant un coup de 10 pistolet; il ira souper ce soir avec les anges.

Il se déroba aussitôt. Lescaut tomba, sans le moindre mouvement de vie. Je pressai Manon de fuir; car nos secours étaient inutiles à un cadavre, et je craignais d'être arrêté par le guet, qui ne pouvait 15 tarder à paraître. J'enfilai, avec elle et le valet, la première petite rue qui croisait. Elle était si éperdue, que j'avais de la peine à la soutenir. Enfin j'aperçus un fiacre au bout de la rue. Nous y montâmes; mais lorsque le cocher me demanda où il fallait nous con- 20 duire, je fus embarrassé à lui répondre. Je n'avais point d'asile assuré, ni d'ami de confiance à qui j'osasse avoir recours; j'étais sans argent, n'ayant guère plus d'une demi-pistole dans ma bourse. La frayeur et la fatigue avaient tellement incommodé Manon, qu'elle 25 était à demi pâmée près de moi. J'avais d'ailleurs l'imagination remplie du meurtre de Lescaut, et je n'étais pas encore sans appréhension de la part du guet: Quel parti prendre ? Je me souvins heureusement de l'auberge de Chaillot, où j'avais passé quelques jours avec Manon, lorsque nous étions allés dans ce village pour y demeurer. J'espérai non seulement d'y être en sûreté, mais d'y pouvoir vivre quelque temps sans être pressé de payer.

— Mène-nous à Chaillot, dis-je au cocher.

Il refusa d'y aller si tard, à moins d'une pistole : autre sujet d'embarras. Enfin nous convînmes de six francs ; c'était toute la somme qui restait dans ma bourse.

Je consolais Manon, en avançant ; mais au fond, j'avais le désespoir dans le cœur. Je me serais donné mille fois la mort, si je n'eusse pas eu, dans mes bras, le seul bien qui m'attachait à la vie. Cette seule pensée me remettait. « Je la tiens du moins, disais-je ; elle m'aime, elle est à moi. Tiberge a beau dire, ce n'est pas là un fantôme de bonheur. Je verrais périr tout l'univers sans y prendre intérêt. Pourquoi ? Parce que je n'ai plus d'affection de reste. »

Ce sentiment était vrai ; cependant, dans le temps que je faisais si peu de cas des biens du monde, je sentais que j'aurais eu besoin d'en avoir du moins une petite partie, pour mépriser encore plus souverainement tout le reste. L'amour est plus fort que l'abondance, plus fort que les trésors et les richesses, mais il a besoin de leur secours ; et rien n'est plus désespérant pour un amant délicat, que de se voir ramené par là, malgré lui, à la grossièreté des âmes les plus basses.

Il était onze heures, quand nous arrivâmes à Chaillot. Nous fûmes reçus à l'auberge comme des personnes de connaissance; on ne fut pas surpris de voir Manon en habit d'homme, parce qu'on est accoutumé, à Paris et aux environs, de voir prendre aux femmes toutes sortes de formes. Je la fis servir aussi proprement que si j'eusse été dans la meilleure fortune. Elle ignorait que je fusse mal en argent; je me gardai bien de lui en rien apprendre, étant résolu de retourner seul à Paris, le lendemain, pour chercher quelque remède à cette fâcheuse espèce de maladie.

Elle me parut pâle et maigrie, en soupant. Je ne m'en étais point aperçu à l'Hôpital, parce que la chambre, où je l'avais vue, n'était pas des plus claires. Je lui demandai si ce n'était point encore un effet de la frayeur qu'elle avait eue, en voyant assassiner son frère. Elle m'assura que, quelque touchée qu'elle fût de cet accident, sa pâleur ne venait que d'avoir essuyé pendant trois mois mon absence.

— Tu m'aimes donc extrêmement ! lui répondis-je.

— Mille fois plus que je ne puis dire, reprit-elle.

— Tu ne me quitteras donc plus jamais ? ajoutai-je.

— Non, jamais, répliqua-t-elle; et cette assurance fut confirmée par tant de caresses et de serments, qu'il me parut impossible, en effet, qu'elle pût jamais les oublier.

J'ai toujours été persuadé qu'elle était sincère: quelle raison aurait-elle eue de se contrefaire jusqu'à ce point ? Mais elle était encore plus volage, ou plutôt elle n'était plus rien; et elle ne se reconnaissait pas elle-même lorsque, ayant devant les yeux des femmes qui vivaient dans l'abondance,* elle se trouvait dans la pauvreté et dans le besoin. J'étais à la veille 5 d'en avoir une dernière preuve qui a surpassé toutes les autres, et qui a produit la plus étrange aventure qui soit jamais arrivée à un homme de ma naissance et de ma fortune.

Comme je la connaissais de cette humeur, je me 10 hâtai le lendemain d'aller à Paris. La mort de son frère, et la nécessité d'avoir du linge et des habits pour elle et pour moi, étaient de si bonnes raisons, que je n'eus pas besoin de prétextes. Je sortis de l'auberge, avec le dessein, dis-je à Manon et à mon hôte, de 15 prendre un carrosse de louage; mais c'était une gasconnade. La nécessité m'obligeant d'aller à pied, je marchai fort vite jusqu'au Cours-la-Reine,* où j'avais dessein de m'arrêter. Il fallait bien prendre un moment de solitude et de tranquillité pour m'arranger 20 et prévoir ce que j'allais faire à Paris.

Je m'assis sur l'herbe; j'entrai dans une mer de raisonnements et de réflexions, qui se réduisirent peu à peu à trois principaux articles.

J'avais besoin d'un secours présent, pour un nombre 25 infini de nécessités présentes. J'avais à chercher quelque voie qui pût du moins m'ouvrir des espérances pour l'avenir; et, ce qui n'était pas de moindre importance, j'avais des informations et des mesures à prendre pour la sûreté de Manon et pour la mienne.

Après m'être épuisé en projets et en combinaisons sur
ces trois chefs, je jugeai encore à propos d'en retran-
cher les deux derniers. Nous n'étions pas mal à
couvert, dans une chambre de Chaillot; et pour les
besoins futurs, je crus qu'il serait temps d'y penser 5
lorsque j'aurais satisfait aux présents.

Il était donc question de remplir actuellement ma
bourse M. de T... m'avait offert généreusement
la sienne; mais j'avais une extrême répugnance à le
remettre moi-même sur cette matière. Quel person- 10
nage, que d'aller exposer sa misère à un étranger, et de
le prier de nous faire part de son bien ! Il n'y a qu'une
âme lâche qui en soit capable, par une bassesse qui
l'empêche d'en sentir l'indignité; ou un chrétien
humble, par un excès de générosité qui le rend supé- 15
rieur à cette honte. Je n'étais ni un homme lâche, ni
un bon chrétien; j'aurais donné la moitié de mon
sang pour éviter cette humiliation.

« Tiberge, disais-je, le bon Tiberge, me refusera-t-il
ce qu'il aura le pouvoir de me donner ? Non, il sera 20
touché de ma misère; mais il m'assassinera par sa
morale. Il faudra essuyer ses reproches, ses exhortations, ses menaces; il me fera acheter ses secours si
cher, que je donnerais encore une partie de mon sang
plutôt que de m'exposer à cette scène fâcheuse, qui me 25
laissera du trouble et des remords. Bon, reprenais-je;
il faut donc renoncer à tout espoir, puisqu'il ne me
reste point d'autre voie, et que je suis si éloigné de
m'arrêter à ces deux-là, que je verserais plus volontiers

la moitié de mon sang que d'en prendre une, c'est-à-
dire tout mon sang plutôt que de les prendre toutes
deux. Oui, mon sang tout entier, ajoutai-je après une
réflexion d'un moment; je le donnerais plus volontiers,
5 sans doute, que de me réduire à de basses supplications.
Mais il s'agit bien ici de mon sang; il s'agit de la vie et
de l'entretien de Manon, il s'agit de son amour et de
sa fidélité. Qu'ai-je à mettre en balance avec elle?
Je n'y ai rien mis jusqu'à présent. Elle me tient lieu
10 de gloire, de bonheur et de fortune. Il y a bien des
choses, sans doute, que je donnerais ma vie pour
obtenir ou pour éviter; mais estimer une chose plus
que ma vie n'est pas une raison pour l'estimer autant
que Manon. »

15   Je ne fus pas longtemps à me déterminer, après ce
raisonnement. Je continuai mon chemin, résolu d'aller d'abord chez Tiberge, et de là chez M. de T...

En entrant à Paris, je pris un fiacre, quoique je
n'eusse pas de quoi le payer; je comptais sur les
20 secours que j'allais solliciter. Je me fis conduire au
Luxembourg, d'où j'envoyai avertir Tiberge que
j'étais à l'attendre. Il satisfit mon impatience par sa
promptitude; je lui appris l'extrémité de mes besoins,
sans nul détour. Il me demanda si les cent pistoles
25 que je lui avais rendues me suffiraient; et, sans m'opposer un seul mot de difficulté, il me les alla chercher
dans le moment, avec cet air ouvert et ce plaisir à
donner qui n'est connu que de l'amour et de la véritable amitié.

Quoique je n'eusse pas eu le moindre doute du succès
de ma demande, je fus surpris de l'avoir obtenue à si
bon marché, c'est-à-dire sans qu'il m'eût querellé sur
mon impénitence. Mais je me trompais, en me
croyant tout à fait quitte de ses reproches; car lorsqu'il 5
eut achevé de me compter son argent, et que je me
préparais à le quitter, il me pria de faire avec lui un
tour d'allée. Je ne lui avais point parlé de Manon, il
ignorait qu'elle fût en liberté; ainsi sa morale ne
tomba que sur ma fuite téméraire de Saint-Lazare et 10
sur la crainte où il était, qu'au lieu de profiter des
leçons de sagesse que j'y avais reçues, je ne reprisse le
train du désordre. Il me dit qu'étant allé pour me
visiter à Saint-Lazare, le lendemain de mon évasion, il
avait été frappé au-delà de toute expression en ap- 15
prenant la manière dont j'en étais sorti; qu'il avait eu
là-dessus un entretien avec le Supérieur; que ce bon
Père n'était pas encore remis de son effroi, qu'il avait
eu néanmoins la générosité de déguiser à M. le Lieutenant Général de Police les circonstances de mon départ, 20
et qu'il avait empêché que la mort du portier ne fût
connue au dehors; que je n'avais donc, de ce côté-là,
nul sujet d'alarme, mais que, s'il me restait le moindre
sentiment de sagesse, je profiterais de cet heureux tour
que le Ciel donnait à mes affaires; que je devais com- 25
mencer par écrire à mon père et me remettre bien
avec lui; et que, si je voulais suivre une fois son conseil, il était d'avis que je quittasse Paris, pour retourner
dans le sein de ma famille.

J'écoutai son discours jusqu'à la fin. Il y avait là
bien des choses satisfaisantes. Je fus ravi, première-
ment, de n'avoir rien à craindre du côté de Saint-
Lazare; les rues de Paris me redevenaient un pays
5 libre. En second lieu, je m'applaudis de ce que
Tiberge n'avait pas la moindre idée de la délivrance de
Manon et de son retour avec moi; je remarquais
même qu'il avait évité de me parler d'elle, dans l'opinion apparemment qu'elle me tenait moins au cœur,
10 puisque je paraissais si tranquille sur son sujet. Je
résolus, sinon de retourner dans ma famille, du moins
d'écrire à mon père, comme il me le conseillait, et de
lui témoigner que j'étais disposé à rentrer dans l'ordre
de mes devoirs et de ses volontés. Mon espérance
15 était de l'engager à m'envoyer de l'argent, sous prétexte de faire mes exercices à l'Académie; car j'aurais
eu peine à lui persuader que je fusse dans la disposition
de retourner à l'état ecclésiastique. Et dans le fond,
je n'avais nul éloignement pour ce que je voulais lui
20 promettre; j'étais bien aise, au contraire, de m'appliquer à quelque chose d'honnête et de raisonnable,
autant que ce dessein pourrait s'accorder avec mon
amour. Je faisais mon compte de vivre avec ma
maîtresse, et de faire en même temps mes exercices:
25 cela était fort compatible. Je fus si satisfait de toutes
ces idées, que je promis à Tiberge de faire partir, le
jour même, une lettre pour mon père. J'entrai effectivement dans un bureau d'écriture, en le quittant, et
j'écrivis d'une manière si tendre et si soumise, qu'en

relisant ma lettre, je me flattai d'obtenir quelque chose
du cœur paternel.

Quoique je fusse en état de prendre et de payer un
fiacre après avoir quitté Tiberge, je me fis un plaisir de
marcher fièrement à pied, en allant chez M. de T . . . 5
Je trouvais de la joie dans cet exercice de ma liberté,
pour laquelle mon ami m'avait assuré qu'il ne me
restait rien à craindre. Cependant il me revint tout
d'un coup à l'esprit que ses assurances ne regardaient
que Saint-Lazare, et que j'avais outre cela l'affaire de 10
l'Hôpital sur les bras, sans compter la mort de Lescaut
dans laquelle j'étais mêlé, du moins comme témoin.
Ce souvenir m'effraya si vivement, que je me retirai
dans la première allée, d'où je fis appeler un carrosse.
J'allai droit chez M. de T . . ., que je fis rire de ma 15
frayeur; elle me parut risible à moi-même, lorsqu'il
m'eut appris que je n'avais rien à craindre du côté de
l'Hôpital, ni de celui de Lescaut. Il me dit que, dans
la pensée qu'on pourrait le soupçonner d'avoir eu part
à l'enlèvement de Manon, il était allé le matin à l'Hô- 20
pital, et qu'il avait demandé à la voir en feignant
d'ignorer ce qui était arrivé; qu'on était si éloigné de
nous accuser, ou lui, ou moi, qu'on s'était empressé au
contraire de lui apprendre cette aventure comme une
étrange nouvelle, et qu'on admirait qu'une fille aussi 25
jolie que Manon eût pris le parti de fuir avec un valet;
qu'il s'était contenté de répondre froidement qu'il n'en
était pas surpris, et qu'on fait tout pour la liberté. Il
continua de me raconter qu'il était allé de là chez

Lescaut, dans l'espérance de m'y trouver avec ma
charmante maîtresse; que l'hôte de la maison, qui
était un carrossier, lui avait protesté qu'il n'avait vu
ni elle, ni moi; mais qu'il n'était pas étonnant que
5 nous n'eussions point paru chez lui, si c'était pour
Lescaut que nous devions y venir, parce que nous
aurions sans doute appris qu'il venait d'être tué à peu
près dans le même temps. Sur quoi, il n'avait pas
refusé d'expliquer ce qu'il savait de la cause et des
10 circonstances de cette mort.

Environ deux heures auparavant, un garde du
corps, des amis de Lescaut, l'était venu voir et lui
avait proposé de jouer. Lescaut avait gagné si rapidement, que l'autre s'était trouvé cent écus de moins en
15 une heure, c'est-à-dire tout son argent. Ce malheureux, qui se voyait sans un sou, avait prié Lescaut
de lui prêter la moitié de la somme qu'il avait perdue;
et sur quelques difficultés nées à cette occasion, ils
s'étaient querellés avec une animosité extrême. Les-
20 caut avait refusé de sortir pour mettre l'épée à la main,
et l'autre avait juré, en le quittant, de lui casser la
tête: ce qu'il avait exécuté, le soir même. M. de T...
eut l'honnêteté d'ajouter qu'il avait été fort inquiet par
rapport à nous, et qu'il continuait à m'offrir ses ser-
25 vices. Je ne balançai point à lui apprendre le lieu de
notre retraite. Il me pria de trouver bon qu'il allât
souper avec nous.

Comme il ne me restait qu'à prendre du linge et des
habits pour Manon, je lui dis que nous pouvions partir

à l'heure même, s'il voulait avoir la complaisance de
s'arrêter un moment avec moi chez quelques marchands. Je ne sais s'il crut que je lui faisais cette
proposition dans la vue d'intéresser sa générosité, ou si
ce fut par le simple mouvement d'une belle âme; mais, 5
ayant consenti à partir aussitôt, il me mena chez les
marchands qui fournissaient sa maison. Il me fit
choisir plusieurs étoffes d'un prix plus considérable
que je ne me l'étais proposé, et, lorsque je me disposais
à les payer, il défendit absolument aux marchands de 10
recevoir un sou de moi. Cette galanterie se fit de si
bonne grâce, que je crus pouvoir en profiter sans honte.
Nous prîmes ensemble le chemin de Chaillot, où
j'arrivai avec moins d'inquiétude que je n'en étais
parti.   15

Le Chevalier des Grieux ayant employé plus d'une
heure à ce récit, je le priai de prendre un peu de relâche,
et de nous tenir compagnie à souper. Notre attention
lui fit juger que nous l'avions écouté avec plaisir. Il
nous assura que nous trouverions quelque chose encore 20
de plus intéressant dans la suite de son histoire; et
lorsque nous eûmes fini de souper, il continua dans
ces termes.

FIN DE LA PREMIÈRE PARTIE.*

SECONDE PARTIE

Ma présence et les politesses de M. T . . . dissipèrent tout ce qui pouvait rester de chagrin à Manon.

— Oublions nos terreurs passées, ma chère âme, lui dis-je en arrivant, et recommençons à vivre plus heureux que jamais. Après tout, l'Amour est un bon maître; la Fortune ne saurait nous causer autant de peines, qu'il nous fait goûter de plaisirs.

Notre souper fut une vraie scène de joie. J'étais plus fier et plus content avec Manon et mes cent pistoles, que le plus riche partisan* de Paris avec ses trésors entassés. Il faut compter ses richesses par les moyens qu'on a de satisfaire ses désirs. Je n'en avais pas un seul à remplir; l'avenir même me causait peu d'embarras. J'étais presque sûr que mon père ne ferait pas difficulté de me donner de quoi vivre honorablement à Paris, parce qu'étant dans ma vingtième année, j'entrais en droit d'exiger ma part du bien de ma mère. Je ne cachai point à Manon que le fond de mes richesses n'était que de cent pistoles. C'était assez pour attendre tranquillement une meilleure fortune, qui semblait ne me pouvoir manquer, soit par mes droits naturels, ou par les ressources du jeu.

Ainsi, pendant les premières semaines, je ne pensai qu'à jouir de ma situation; et la force de l'honneur, autant qu'un reste de ménagement pour la police, me

faisant remettre de jour en jour à renouer avec les
associés de l'hôtel de T . . ., je me réduisis à jouer dans
quelques assemblées moins décriées, où la faveur du
sort m'épargna l'humiliation d'avoir recours à l'industrie. J'allais passer à la ville une partie de l'après- 5
midi, et je revenais souper à Chaillot, accompagné fort
souvent de M. de T. . . ., dont l'amitié croissait de jour
en jour pour nous. Manon trouva des ressources
contre l'ennui; elle se lia, dans le voisinage, avec
quelques jeunes personnes que le printemps y avait 10
ramenées. La promenade et les petits exercices de
leur sexe faisaient alternativement leur occupation.
Une partie de jeu, dont elles avaient réglé les bornes,
fournissait aux frais de la voiture. Elles allaient
prendre l'air au bois de Boulogne; et le soir, à mon 15
retour, je retrouvais Manon plus belle, plus contente,
et plus passionnée que jamais. Il s'éleva néanmoins
quelques nuages, qui semblèrent menacer l'édifice de
mon bonheur. Mais ils furent nettement dissipés; et
l'humeur folâtre de Manon rendit le dénouement si 20
comique, que je trouve encore de la douceur dans un
souvenir qui me représente sa tendresse et les agréments de son esprit.

Le seul valet qui composait notre domestique, me
prit un jour à l'écart pour me dire, avec beaucoup 25
d'embarras, qu'il avait un secret d'importance à me
communiquer. Je l'encourageai à parler librement.
Après quelques détours, il me fit entendre qu'un
seigneur étranger semblait avoir pris beaucoup d'a-

mour pour Mlle Manon.   Le trouble de mon sang se
fit sentir dans toutes mes veines.

— En a-t-elle pour lui ? interrompis-je plus brusquement que la prudence ne permettait pour m'éclaircir.
5 Ma vivacité l'effraya.   Il me répondit, d'un air
inquiet, que sa pénétration n'avait pas été si loin ;
mais qu'ayant observé, depuis plusieurs jours, que cet
étranger venait assidûment au bois de Boulogne, qu'il
y descendait de son carrosse et que, s'engageant seul
10 dans les contre-allées, il paraissait chercher l'occasion
de voir ou de rencontrer Mademoiselle, il lui était venu
à l'esprit de faire quelque liaison avec ses gens, pour
apprendre le nom de leur maître ; qu'ils le traitaient de
prince italien, et qu'ils le soupçonnaient eux-mêmes de
15 quelque aventure galante ; qu'il n'avait pu se procurer
d'autres lumières, ajouta-t-il en tremblant, parce que
le prince, étant alors sorti du bois, s'était approché
familièrement de lui et lui avait demandé son nom ;
après quoi, comme s'il eût deviné qu'il était à notre
20 service, il l'avait félicité d'appartenir à la plus charmante personne du monde.

J'attendais impatiemment la suite de ce récit.   Il le
finit par des excuses timides, que je n'attribuai qu'à
mes imprudentes agitations.   Je le pressai en vain de
25 continuer sans déguisement ; il me protesta qu'il ne
savait rien de plus et que, ce qu'il venait de me raconter étant arrivé le jour précédent, il n'avait pas
revu les gens du prince.   Je le rassurai, non seulement
par des éloges, mais par une honnête récompense ; et

sans lui marquer la moindre défiance de Manon, je lui recommandai, d'un ton plus tranquille, de veiller sur toutes les démarches de l'étranger.

Au fond, sa frayeur me laissa de cruels doutes. Elle pouvait lui avoir fait supprimer une partie de la vérité. Cependant, après quelques réflexions, je revins de mes alarmes, jusqu'à regretter d'avoir donné cette marque de faiblesse. Je ne pouvais faire un crime à Manon d'être aimée. Il y avait beaucoup d'apparence qu'elle ignorait sa conquête; et quelle vie allais-je mener, si j'étais capable d'ouvrir si facilement l'entrée de mon cœur à la jalousie ?

Je retournai à Paris le jour suivant, sans avoir formé d'autre dessein que de hâter le progrès de ma fortune en jouant plus gros jeu, pour me mettre en état de quitter Chaillot au premier sujet d'inquiétude. Le soir, je n'appris rien de nuisible à mon repos. L'étranger avait reparu au bois de Boulogne, et, prenant droit de ce qui s'y était passé la veille pour se rapprocher de mon confident, il lui avait parlé de son amour, mais dans des termes qui ne supposaient aucune intelligence avec Manon. Il l'avait interrogé sur mille détails; enfin, il avait tenté de le mettre dans ses intérêts par des promesses considérables, et, tirant une lettre qu'il tenait prête, il lui avait offert inutilement quelques louis d'or pour la rendre à sa maîtresse.

Deux jours se passèrent sans aucun autre incident. Le troisième fut plus orageux. J'appris, en arrivant de la ville assez tard, que Manon, pendant sa prome-

nade, s'était écartée un moment de ses compagnes, et
que l'étranger, qui la suivait à peu de distance, s'étant
approché d'elle au signe qu'elle lui en avait fait, elle
lui avait remis une lettre qu'il avait reçue avec des
5 transports de joie. Il n'avait eu le temps de les exprimer qu'en baisant amoureusement les caractères,
parce qu'elle s'était aussitôt dérobée. Mais elle avait
paru d'une gaieté extraordinaire pendant le reste du
jour, et, depuis qu'elle était rentrée au logis, cette
10 humeur ne l'avait pas abandonnée. Je frémis, sans
doute, à chaque mot.

— Es-tu bien sûr, dis-je tristement à mon valet, que
tes yeux ne t'aient pas trompé ?

Il prit le Ciel à témoin de sa bonne foi. Je ne sais à
15 quoi les tourments de mon cœur m'auraient porté, si
Manon, qui m'avait entendu rentrer, ne fût venue au-
devant de moi avec un air d'impatience et des plaintes
de ma lenteur. Elle n'attendit point ma réponse pour
m'accabler de caresses ; et, lorsqu'elle se vit seule avec
20 moi, elle me fit des reproches fort vifs de l'habitude que
je prenais de revenir si tard. Mon silence lui laissant
la liberté de continuer, elle me dit que, depuis trois
semaines, je n'avais pas passé une journée entière avec
elle ; qu'elle ne pouvait soutenir de si longues absences ;
25 qu'elle me demandait du moins un jour, par intervalles ;
et que, dès le lendemain, elle voulait me voir près d'elle,
du matin au soir.

— J'y serai, n'en doutez pas, lui répondis-je d'un
ton assez brusque.

Elle marqua peu d'attention pour mon chagrin;
et, dans le mouvement de sa joie, qui me parut en
effet d'une vivacité singulière, elle me fit mille peintures
plaisantes de la manière dont elle avait passé le jour.
« Etrange fille ! me disais-je à moi-même; que dois-je 5
attendre de ce prélude ? » L'aventure de notre première séparation me revint à l'esprit. Cependant, je
croyais voir, dans le fond de sa joie et de ses caresses,
un air de vérité qui s'accordait avec les apparences.

Il ne me fut pas difficile de rejeter la tristesse, dont 10
je ne pus me défendre pendant notre souper, sur une
perte que je me plaignis d'avoir faite au jeu. J'avais
regardé comme un extrême avantage, que l'idée de ne
pas quitter Chaillot le jour suivant fût venue d'elle-
même; c'était gagner du temps pour mes délibérations. 15
Ma présence éloignait toutes sortes de craintes pour le
lendemain; et, si je ne remarquais rien qui m'obligeât
de faire éclater mes découvertes, j'étais déjà résolu
de transporter, le jour d'après, mon établissement à la
ville, dans un quartier où je n'eusse rien à démêler 20
avec les princes. Cet arrangement me fit passer une
nuit plus tranquille; mais il ne m'ôtait pas la douleur
d'avoir à trembler pour une nouvelle infidélité.

A mon réveil, Manon me déclara que, pour passer le
jour dans notre appartement, elle ne prétendait pas 25
que j'en eusse l'air plus négligé, et qu'elle voulait que
mes cheveux fussent accommodés de ses propres
mains. Je les avais fort beaux. C'était un amusement qu'elle s'était donné plusieurs fois; mais elle y

apporta plus de soins que je ne lui en avais jamais vu
prendre. Je fus obligé, pour la satisfaire, de m'asseoir
devant sa toilette et d'essuyer toutes les petites recherches qu'elle imagina pour ma parure. Dans le
5 cours de son travail, elle me faisait tourner souvent le
visage vers elle, et, s'appuyant des deux mains sur mes
épaules, elle me regardait avec une curiosité avide.
Ensuite, exprimant sa satisfaction par un ou deux
baisers, elle me faisait reprendre ma situation pour
10 continuer son ouvrage. Ce badinage nous occupa
jusqu'à l'heure du dîner. Le goût qu'elle y avait pris
m'avait paru si naturel, et sa gaieté sentait si peu
l'artifice, que, ne pouvant concilier des apparences si
constantes avec le projet d'une noire trahison, je fus
15 tenté plusieurs fois de lui ouvrir mon cœur et de me
décharger d'un fardeau qui commençait à me peser.
Mais je me flattais, à chaque instant, que l'ouverture
viendrait d'elle; et je m'en faisais d'avance un déli-
cieux triomphe.

20   Nous rentrâmes dans son cabinet. Elle se mit à
rajuster mes cheveux, et ma complaisance me faisait
céder à toutes ses volontés, lorsqu'on vint l'avertir que
le Prince de . . . demandait à la voir. Ce nom m'é-
chauffa jusqu'au transport.

25   — Quoi donc ? m'écriai-je en la repoussant. Qui ?
Quel prince ?

Elle ne répondit point à mes questions.

— Faites-le monter, dit-elle froidement au valet, et,
se tournant vers moi:

— Cher amant, toi que j'adore, reprit-elle d'un ton enchanteur, je te demande un moment de complaisance; un moment, un seul moment. Je t'en aimerai mille fois plus. Je t'en saurai gré toute ma vie.

L'indignation et la surprise me lièrent la langue. Elle répétait ses instances, et je cherchais des expressions pour les rejeter avec mépris. Mais, entendant ouvrir la porte de l'antichambre, elle empoigna d'une main mes cheveux, qui étaient flottants sur mes épaules, elle prit de l'autre son miroir de toilette. Elle employa toute sa force pour me traîner dans cet état jusqu'à la porte du cabinet; et, l'ouvrant du genou, elle offrit à l'étranger, que le bruit semblait avoir arrêté au milieu de la chambre, un spectacle qui ne dut pas lui causer peu d'étonnement. Je vis un homme fort bien mis, mais d'assez mauvaise mine. Dans l'embarras où le jetait cette scène, il ne laissa pas de faire une profonde révérence. Manon ne lui donna pas le temps d'ouvrir la bouche; elle lui présenta son miroir:

— Voyez, Monsieur, lui dit-elle, regardez vous bien, et rendez-moi justice. Vous me demandez de l'amour. Voici l'homme que j'aime, et que j'ai juré d'aimer toute ma vie. Faites la comparaison vous-même. Si vous croyez lui pouvoir disputer mon cœur, apprenez-moi donc sur quel fondement; car je vous déclare qu'aux yeux de votre servante très humble, tous les princes d'Italie ne valent pas un des cheveux que je tiens.

Pendant cette folle harangue, qu'elle avait apparem-

ment méditée, je faisais des efforts inutiles pour me
dégager; et, prenant pitié d'un homme de considération, je me sentais porté à réparer ce petit outrage par
mes politesses. Mais s'étant remis assez facilement,
5 sa réponse, que je trouvai un peu grossière, me fit
perdre cette disposition.

— Mademoiselle, Mademoiselle, lui dit-il avec un
sourire forcé, j'ouvre en effet les yeux, et je vous trouve
bien moins novice que je ne me l'étais figuré.

10 Il se retira aussitôt sans jeter les yeux sur elle, en
ajoutant, d'une voix plus basse, que les femmes de
France ne valaient pas mieux que celles d'Italie. Rien
ne m'invitait, dans cette occasion, à lui faire prendre
une meilleure idée du beau sexe.

15 Manon quitta mes cheveux, se jeta dans un fauteuil,
et fit retentir la chambre de longs éclats de rire. Je ne
dissimulerai pas que je fus touché, jusqu'au fond du
cœur, d'un sacrifice que je ne pouvais attribuer qu'à
l'amour. Cependant la plaisanterie me parut ex-
20 cessive; je lui en fis des reproches. Elle me raconta
que mon rival, après l'avoir obsédée pendant plusieurs
jours au bois de Boulogne, et lui avoir fait deviner ses
sentiments par des grimaces, avait pris le parti de lui
en faire une déclaration ouverte, accompagnée de son
25 nom et de tous ses titres, dans une lettre qu'il lui avait
fait remettre par le cocher qui la conduisait avec ses
compagnes; qu'il lui promettait, au délà des monts,
une brillante fortune et des adorations éternelles;
qu'elle était revenue à Chaillot dans la résolution de

me communiquer cette aventure; mais, qu'ayant
conçu que nous en pouvions tirer de l'amusement, elle
n'avait pu résister à son imagination; qu'elle avait
offert au prince italien, par une réponse flatteuse, la
liberté de la voir chez elle, et qu'elle s'était fait un 5
second plaisir de me faire entrer dans son plan, sans
m'en avoir fait naître le moindre soupçon. Je ne lui
dis pas un mot des lumières qui m'étaient venues par
une autre voie; et l'ivresse de l'amour triomphant me
fit tout approuver. 10

J'ai remarqué, dans toute ma vie, que le Ciel a
toujours choisi, pour me frapper de ses plus rudes
châtiments, le temps où ma fortune me semblait le
mieux établie. Je me croyais si heureux avec l'amitié
de M. de T... et la tendresse de Manon, qu'on 15
n'aurait pu me faire comprendre que j'eusse à craindre
quelque nouveau malheur. Cependant il s'en préparait un si funeste, qu'il m'a réduit à l'état où vous
m'avez vu à Pacy et, par degrés, à des extrémités si
déplorables, que vous aurez peine à croire mon récit 20
fidèle.

Un jour que nous avions M. de T... à souper, nous
entendîmes le bruit d'un carrosse qui s'arrêtait à la
porte de l'hôtellerie. La curiosité nous fit désirer de
savoir qui pouvait arriver à cette heure. On nous dit 25
que c'était le jeune G... M..., c'est-à-dire le fils de
notre plus cruel ennemi, de ce vieux débauché qui
m'avait mis à Saint-Lazare et Manon à l'Hôpital.
Son nom me fit monter la rougeur au visage.

— C'est le Ciel qui me l'amène, dis-je à M. de T . . ., pour le punir de la lâcheté de son père. Il ne m'échappera pas, que nous n'ayons mesuré nos épées.

M. de T . . ., qui le connaissait et qui était même de ses meilleurs amis, s'efforça de me faire prendre d'autres sentiments pour lui. Il m'assura que c'était un jeune homme très aimable et si peu capable d'avoir eu part à l'action de son père, que je ne le verrais pas moi-même un moment sans lui accorder mon estime et sans désirer la sienne. Après avoir ajouté mille choses à son avantage, il me pria de consentir qu'il allât lui proposer de venir prendre place avec nous, et de s'accommoder du reste de notre souper. Il prévint l'objection du péril où c'était exposer Manon que de découvrir sa demeure au fils de notre ennemi, en protestant, sur son honneur et sur sa foi, que, lorsqu'il nous connaîtrait, nous n'aurions point de plus zélé défenseur.

Je ne fis difficulté de rien, après de telles assurances. M. de T . . . ne nous l'amena point sans avoir pris un moment pour l'informer qui nous étions. Il entra d'un air qui nous prévint effectivement en sa faveur. Il m'embrassa. Nous nous assîmes. Il admira Manon, moi, tout ce qui nous appartenait, et il mangea d'un appétit qui fit honneur à notre souper. Lorsqu'on eut desservi, la conversation devint plus sérieuse. Il baissa les yeux pour nous parler de l'excès où son père s'était porté contre nous; il nous fit les excuses les plus soumises.

— Je les abrège, nous dit-il, pour ne pas renouveler un souvenir qui me cause trop de honte.

Si elles étaient sincères dès le commencement, elles le devinrent bien plus dans la suite; car il n'eut pas passé une demi-heure dans cet entretien, que je m'aperçus de l'impression que les charmes de Manon faisaient sur lui. Ses regards et ses manières s'attendrirent par degrés. Il ne laissa rien échapper néanmoins dans ses discours; mais, sans être aidé de la jalousie, j'avais trop d'expérience en amour pour ne pas discerner ce qui venait de cette source. Il nous tint compagnie pendant une partie de la nuit, et il ne nous quitta qu'après s'être félicité de notre connaissance et nous avoir demandé la permission de venir nous renouveler quelquefois l'offre de ses services. Il partit le matin avec M. de T . . . , qui se mit avec lui dans son carrosse.

Je ne me sentais, comme j'ai dit, aucun penchant à la jalousie. J'avais plus de crédulité que jamais pour les serments de Manon. Cette charmante créature était si absolument maîtresse de mon âme, que je n'avais pas un seul petit sentiment qui ne fût de l'estime et de l'amour. Loin de lui faire un crime d'avoir plu au jeune G . . . M . . . , j'étais ravi de l'effet de ses charmes, et je m'applaudissais d'être aimé d'une fille que tout le monde trouvait aimable. Je ne jugeai pas même à propos de lui communiquer mes soupçons. Nous fûmes occupés, pendant quelques jours, du soin de faire ajuster ses habits, et à délibérer si nous pou-

vions aller à la Comédie sans appréhender d'être
reconnus. M. de T... revint nous voir avant la fin
de la semaine. Nous le consultâmes là-dessus; il vit
bien qu'il fallait dire oui, pour faire plaisir à Manon.
5 Nous résolûmes d'y aller le même soir avec lui. Cependant cette résolution ne put s'exécuter; car,
m'ayant tiré aussitôt en particulier:

— Je suis, me dit-il, dans le dernier embarras depuis
que je ne vous ai vu; et la visite que je vous fais au-
10 jourd'hui en est une suite. G... M... aime votre
maîtresse; il m'en a fait confidence. Je suis son
intime ami, et disposé en tout à le servir; mais je ne
suis pas moins le vôtre. J'ai considéré que ses intentions sont injustes et je les ai condamnées. J'aurais
15 gardé son secret s'il n'avait dessein d'employer, pour
plaire, que les voies communes; mais il est bien informé de l'humeur de Manon. Il a su, je ne sais d'où,
qu'elle aime l'abondance et les plaisirs, et, comme il
jouit déjà d'un bien considérable, il m'a déclaré qu'il
20 veut la tenter d'abord par un très gros présent et par
l'offre de dix mille livres de pension. Toutes choses
égales, j'aurais peut-être eu beaucoup plus de violence
à me faire pour le trahir. Mais la justice s'est jointe en
votre faveur à l'amitié; d'autant plus qu'ayant été la
25 cause imprudente de sa passion, en l'introduisant ici,
je suis obligé de prévenir les effets du mal que j'ai causé.

Je remerciai M. de T... d'un service de cette importance, et je lui avouai, avec un parfait retour de
confiance, que le caractère de Manon était tel que

G... M... se le figurait, c'est-à-dire qu'elle ne pouvait supporter le nom de la pauvreté.

— Cependant, lui dis-je, lorsqu'il n'est question que du plus ou du moins, je ne la crois pas capable de m'abandonner pour un autre. Je suis en état de ne la 5 laisser manquer de rien, et je compte que ma fortune va croître de jour en jour. Je ne crains qu'une chose, ajoutai-je, c'est que G... M... ne se serve de la connaissance qu'il a de notre demeure pour nous rendre quelque mauvais office. 10

M. de T... m'assura que je devais être sans appréhension de ce côté-là; que G... M... était capable d'une folie amoureuse, mais qu'il ne l'était point d'une bassesse; que, s'il avait la lâcheté d'en commettre une, il serait le premier, lui qui parlait, à l'en punir et à 15 réparer par là le malheur qu'il avait eu d'y donner occasion.

— Je vous suis obligé de ce sentiment, repris-je; mais le mal serait fait, et le remède fort incertain. Ainsi le parti le plus sage est de le prévenir, en quittant 20 Chaillot pour prendre une autre demeure.

— Oui, reprit M. de T... Mais vous aurez peine à le faire aussi promptement qu'il faudrait, car G... M... doit être ici à midi; il me le dit hier, et c'est ce qui m'a porté à venir si matin, pour vous informer de 25 ses vues. Il peut arriver à tout moment.

Un avis si pressant me fit regarder cette affaire d'un œil plus sérieux. Comme il me semblait impossible d'éviter la visite de G... M..., et qu'il me le serait aussi, sans doute, d'empêcher qu'il ne s'ouvrît à Manon, je pris le parti de la prévenir moi-même sur le dessein de ce nouveau rival. Je m'imaginai que, me sachant instruit des propositions qu'il lui ferait et les recevant à mes yeux, elle aurait assez de force pour les rejeter. Je découvris ma pensée à M. de T . . ., qui me répondit que cela était extrêmement délicat.

— Je l'avoue, lui dis-je; mais toutes les raisons qu'on peut avoir d'être sûr d'une maîtresse, je les ai de compter sur l'affection de la mienne. Il n'y aurait que la grandeur des offres qui pût l'éblouir,* et je vous ai dit qu'elle ne connaît point l'intérêt. Elle aime ses aises, mais elle m'aime aussi; et, dans la situation où sont mes affaires, je ne saurais croire qu'elle me préfère le fils d'un homme qui l'a mise à l'Hôpital.

En un mot, je persistai dans mon dessein et, m'étant retiré à l'écart avec Manon, je lui déclarai naturellement tout ce que je venais d'apprendre. Elle me remercia de la bonne opinion que j'avais d'elle, et elle me promit de recevoir les offres de G . . . M . . . d'une manière qui lui ôterait l'envie de les renouveler.

— Non, lui dis-je, il ne faut pas l'irriter par une brusquerie. Il peut nous nuire. Mais tu sais assez, toi, friponne, ajoutai-je en riant, comment te défaire d'un amant désagréable ou incommode.

Elle reprit, après avoir un peu rêvé:

— Il me vient un dessein admirable, s'écria-t-elle, et je suis toute glorieuse de l'invention. G . . . M . . . est le fils de notre plus cruel ennemi; il faut nous venger du père, non pas sur le fils, mais sur sa bourse. Je veux l'écouter, accepter ses présents, et me moquer de lui.

— Le projet est joli, lui dis-je; mais tu ne songes pas, mon pauvre enfant, que c'est le chemin qui nous a conduits droit à l'Hôpital.

J'eus beau lui représenter le péril de cette entreprise, elle me dit qu'il ne s'agissait que de bien prendre nos mesures, et elle répondit à toutes mes objections. Donnez-moi un amant qui n'entre point aveuglément dans tous les caprices d'une maîtresse adorée, et je conviendrai que j'eus tort de céder si facilement. La résolution fut prise de faire une dupe de G ... M ...; et, par un tour bizarre de mon sort, il arriva que je devins la sienne.

Nous vîmes paraître son carrosse vers les onze heures. Il nous fit des compliments fort recherchés sur la liberté qu'il prenait de venir dîner avec nous. Il ne fut pas surpris de trouver M. de T ..., qui lui avait promis la veille de s'y rendre aussi, et qui avait feint quelques affaires pour se dispenser de venir dans la même voiture. Quoiqu'il n'y eût pas un seul de nous qui ne portât la trahison dans le cœur, nous nous mîmes à table avec un air de confiance et d'amitié. G ... M ... trouva aisément l'occasion de déclarer ses sentiments à Manon. Je ne dus pas lui paraître gênant; car je m'absentai exprès pendant quelques minutes. Je m'aperçus à mon retour, qu'on ne l'avait pas désespéré par un excès de rigueur. Il était de la meilleure humeur du monde; j'affectai de le paraître.

Il riait intérieurement de ma simplicité, et moi de la sienne. Pendant tout l'après-midi, nous fûmes l'un pour l'autre une scène fort agréable. Je lui ménageai encore, avant son départ, un moment d'entretien 5 particulier avec Manon; de sorte qu'il eut lieu de s'applaudir de ma complaisance autant que de la bonne chère.

Aussitôt qu'il fut monté en carrosse avec M. de T..., Manon accourut à moi, les bras ouverts, et 10 m'embrassa en éclatant de rire. Elle me répéta ses discours et ses propositions, sans y changer un mot. Ils se réduisaient à ceci: il l'adorait. Il voulait partager avec elle quarante mille livres de rente dont il jouissait déjà, sans compter ce qu'il attendait après la 15 mort de son père; elle allait être maîtresse de son cœur et de sa fortune, et, pour gage de ses bienfaits, il était prêt à lui donner un carrosse, un hôtel meublé, une femme de chambre, trois laquais et un cuisinier.

— Voilà un fils, dis-je à Manon, bien autrement 20 généreux que son père. Parlons de bonne foi, ajoutai-je. Cette offre ne vous tente-t-elle point?

— Moi? répondit-elle, en ajustant à sa pensée deux vers de Racine;*

Moi! vous me soupçonnez de cette perfidie?
25 *Moi! je pourrais souffrir un visage odieux,*
Qui rappelle toujours l'Hôpital à mes yeux?

— Non, repris-je en continuant la parodie,
J'aurais peine à penser que l'Hôpital, Madame,
Fût un trait dont l'Amour l'eût gravé dans votre âme.

Mais c'en est un bien séduisant qu'un hôtel meublé, avec un carrosse et trois laquais; et l'Amour en a peu d'aussi fort. »

Elle me protesta que son cœur était à moi pour toujours, et qu'il ne recevrait jamais d'autres traits que les miens.

— Les promesses qu'il m'a faites, me dit-elle, sont un aiguillon de vengeance, plutôt qu'un trait d'amour.

Je lui demandai si elle était dans le dessein d'accepter l'hôtel et le carrosse. Elle me répondit qu'elle n'en voulait qu'à son argent; la difficulté était d'obtenir l'un sans l'autre. Nous résolûmes d'attendre l'entière explication du projet de G... M..., dans une lettre qu'il avait promis de lui écrire. Elle la reçut en effet le lendemain, par un laquais sans livrée, qui se procura fort adroitement l'occasion de lui parler sans témoins. Elle lui dit d'attendre sa réponse, et elle vint m'apporter aussitôt sa lettre. Nous l'ouvrîmes ensemble. Outre les lieux communs de tendresse, elle contenait le détail des promesses de mon rival. Il ne bornait point sa dépense; il s'engageait à lui compter dix mille francs, en prenant possession de l'hôtel, et à réparer tellement les diminutions de cette somme qu'elle l'eût toujours devant elle en argent comptant. Le jour de l'inauguration n'était pas reculé trop loin; il ne lui en demandait que deux pour les préparatifs, et il lui marquait le nom de la rue et de l'hôtel, où il lui promettait de l'attendre l'après-midi du second jour, si elle pouvait se dérober de mes mains. C'était l'unique

point, sur lequel il la conjurait de le tirer d'inquiétude.
Il paraissait sûr de tout le reste; mais il ajoutait que,
si elle prévoyait de la difficulté à m'échapper, il trouverait le moyen de rendre sa fuite aisée.

5   G... M... était plus fin que son père; il voulait
tenir sa proie avant que de compter ses espèces. Nous
délibérâmes sur la conduite que Manon avait à tenir.
Je fis encore des efforts pour lui ôter cette entreprise
de la tête, et je lui en représentai tous les dangers.
10 Rien ne fut capable d'ébranler sa résolution. Elle fit
une courte réponse à G... M..., pour l'assurer qu'elle
ne trouverait pas de difficulté à se rendre à Paris le
jour marqué, et qu'il pouvait l'attendre avec certitude.
Nous réglâmes ensuite que je partirais sur-le-champ,
15 pour aller louer un nouveau logement dans quelque
village, de l'autre côté de Paris, et que je transporterais
avec moi notre petit équipage; que le lendemain
après-midi, qui était le temps de son assignation, elle
se rendrait de bonne heure à Paris; qu'après avoir
20 reçu les présents de G... M..., elle le prierait instamment de la conduire à la Comédie;* qu'elle
prendrait avec elle tout ce qu'elle pourrait porter de la
somme, et qu'elle chargerait du reste mon valet, qu'elle
voulait mener avec elle. C'était toujours le même qui
25 l'avait délivrée de l'Hôpital, et qui nous était infiniment attaché. Je devais me trouver, avec un fiacre, à
l'entrée de la rue Saint-André-des-Arcs, et l'y laisser
vers les sept heures, pour m'avancer dans l'obscurité à
la porte de la Comédie. Manon me promettait d'in-

venter des prétextes, pour sortir un instant de sa loge,
et de l'employer à descendre pour me rejoindre. L'exécution du reste était facile. Nous aurions regagné
mon fiacre en un moment, et nous serions sortis de
Paris par le Faubourg Saint-Antoine, qui était le 5
chemin de notre nouvelle demeure.

Ce dessein, tout extravagant qu'il était, nous parut
assez bien arrangé. Mais il y avait, dans le fond, une
folle imprudence à s'imaginer que, quand il eût réussi
le plus heureusement du monde, nous eussions jamais 10
pu nous mettre à couvert des suites. Cependant nous
nous exposâmes avec la plus téméraire confiance.
Manon partit avec Marcel: c'est ainsi que se nommait
notre valet. Je la vis partir avec douleur. Je lui dis
en l'embrassant: 15

— Manon, ne me trompez point; me serez-vous
fidèle ?

Elle se plaignit tendrement de ma défiance, et elle
me renouvela tous ses serments. Son compte était
d'arriver à Paris sur les trois heures. Je partis après 20
elle. J'allai me morfondre, le reste de l'après-midi,
dans le Café de Feré, au pont Saint-Michel; j'y demeurai jusqu'à la nuit. J'en sortis alors pour prendre
un fiacre, que je postai, suivant notre projet, à l'entrée
de le rue Saint-André-des-Arcs; ensuite je gagnai à 25
pied la porte de la Comédie. Je fus surpris de n'y pas
trouver Marcel, qui devait être à m'attendre. Je
pris patience pendant une heure, confondu dans une
foule de laquais, et l'œil ouvert sur tous les passants.

Enfin, sept heures étant sonnées, sans que j'eusse rien
aperçu qui eût rapport à nos desseins, je pris un billet
de parterre pour aller voir si je découvrirais Manon et
G... M... dans les loges.   Ils n'y étaient, ni l'un,
5 ni l'autre.   Je retournai à la porte, où je passai encore
un quart d'heure, transporté d'impatience et d'inquiétude.   N'ayant rien vu paraître, je rejoignis mon fiacre,
sans pouvoir m'arrêter à la moindre résolution.   Le
cocher, m'ayant aperçu, vint quelques pas au-devant
10 de moi pour me dire, d'un air mystérieux, qu'une jolie
demoiselle m'attendait depuis une heure dans le carrosse; qu'elle m'avait demandé à des signes qu'il
avait bien reconnus, et qu'ayant appris que je devais
revenir, elle avait dit qu'elle ne s'impatienterait point
15 à m'attendre.   Je me figurai aussitôt que c'était
Manon.   J'approchai; mais je vis un joli petit visage,
qui n'était pas le sien.   C'était une étrangère, qui me
demanda d'abord si elle n'avait pas l'honneur de parler
à M. le Chevalier des Grieux.   Je lui dis que c'était
20 mon nom.

— J'ai une lettre à vous rendre, reprit-elle, qui vous
instruira du sujet qui m'amène, et par quel rapport j'ai
l'avantage de connaître votre nom.

Je la priai de me donner le temps de la lire dans un
25 cabaret voisin.   Elle voulut me suivre, et elle me conseilla de demander une chambre à part.

— De qui vient cette lettre ? lui dis-je en montant.

Elle me remit à la lecture.   Je reconnus la main de
Manon.   Voici à peu près ce qu'elle me marquait:

G . . . M . . . l'avait reçue avec une politesse et une
magnificence au delà de toutes ses idées. Il l'avait
comblée de présents; il lui faisait envisager un sort de
reine. Elle m'assurait néanmoins qu'elle ne m'ou-
bliait pas dans cette nouvelle splendeur; mais que, 5
n'ayant pu faire consentir G . . . M . . . à la mener ce
soir à la Comédie, elle remettait à un autre jour le
plaisir de me voir; et que, pour me consoler un peu de
la peine qu'elle prévoyait que cette nouvelle pouvait
me causer, elle avait trouvé le moyen de me procurer 10
une des plus jolies filles de Paris, qui serait la porteuse
de son billet. *Signé:* « Votre fidèle amante, MANON
LESCAUT. »

Il y avait quelque chose de si cruel et de si insultant
pour moi dans cette lettre que, demeurant suspendu 15
quelque temps entre la colère et la douleur, j'entrepris
de faire un effort pour oublier éternellement mon ingrate et parjure maîtresse. Je jetai les yeux sur la fille
qui était devant moi: elle était extrêmement jolie, et
j'aurais souhaité qu'elle l'eût été assez pour me rendre 20
parjure et infidèle à mon tour. Mais je n'y trouvai
point ces yeux fins et languissants, ce port divin, ce
teint de la composition de l'Amour, enfin ce fond
inépuisable de charmes que la Nature avait prodigués
à la perfide Manon.   25

— Non, non, lui dis-je en cessant de la regarder,
l'ingrate qui vous envoie savait fort bien qu'elle vous
faisait faire une démarche inutile. Retournez à elle,
et dites-lui de ma part qu'elle jouisse de son crime, et

qu'elle en jouisse, s'il se peut, sans remords. Je l'abandonne sans retour, et je renonce en même temps à toutes les femmes, qui ne sauraient être aussi aimables qu'elle, et qui sont, sans doute, aussi lâches et 5 d'aussi mauvaise foi.

Je fus alors sur le point de descendre et de me retirer, sans prétendre davantage à Manon; et, la jalousie mortelle qui me déchirait le cœur se déguisant en une morne et sombre tranquillité, je me crus d'autant plus 10 proche de ma guérison que je ne sentais nul de ces mouvements violents dont j'avais été agité dans les mêmes occasions. Hélas ! j'étais la dupe de l'amour autant que je croyais l'être de G ... M ... et de Manon.

15   Cette fille, qui m'avait apporté la lettre, me voyant prêt à descendre l'escalier, me demanda ce que je voulais donc qu'elle rapportât à M. de G ... M ... et à la dame qui était avec lui. Je rentrai dans la chambre, à cette question; et, par un changement incroyable à 20 ceux qui n'ont jamais senti de passions violentes, je me trouvai tout d'un coup, de la tranquillité où je croyais être, dans un transport terrible de fureur.

— Va, lui dis-je, rapporte au traître G ... M ... et à sa perfide maîtresse le désespoir où ta maudite lettre 25 m'a jeté; mais apprends-leur qu'ils n'en riront pas longtemps, et que je les poignarderai tous deux de ma propre main.

Je me jetai sur une chaise. Mon chapeau tomba d'un côté, et ma canne de l'autre. Deux ruisseaux de

larmes amères commencèrent à couler de mes yeux.
L'accès de rage que je venais de sentir se changea dans
une profonde douleur; je ne fis plus que pleurer, en
poussant des gémissements et des soupirs.

— Approche, mon enfant, approche, m'écriai-je en 5
parlant à la jeune fille; approche, puisque c'est toi
qu'on envoie pour me consoler. Dis-moi si tu sais des
consolations contre la rage et le désespoir, contre l'envie de se donner la mort à soi-même, après avoir tué
deux perfides qui ne méritent pas de vivre. Oui, 10
approche, continuai-je, en voyant qu'elle faisait vers
moi quelques pas timides et incertains. Viens essuyer
mes larmes; viens rendre la paix à mon cœur; viens
me dire que tu m'aimes, afin que je m'accoutume à
l'être d'une autre que de mon infidèle. Tu es jolie, je 15
pourrai peut-être t'aimer à mon tour.

Cette pauvre enfant, qui n'avait pas seize ou dix-
sept ans, et qui paraissait avoir plus de pudeur que ses
pareilles, était extraordinairement surprise d'une si
étrange scène. Elle s'approcha néanmoins pour me 20
faire quelques caresses; mais je l'écartai aussitôt, en
la repoussant de mes mains.

— Que veux-tu de moi ? lui dis-je. Ha ! tu es une
femme, tu es d'un sexe que je déteste et que je ne puis
plus souffrir. La douceur de ton visage me menace 25
encore de quelque trahison. Va-t'en et laisse-moi seul
ici.

Elle me fit une révérence, sans oser rien dire, et elle
se tourna pour sortir. Je lui criai de s'arrêter.

— Mais apprends-moi du moins, repris-je, pourquoi, comment, à quel dessein tu as été envoyée ici. Comment as-tu découvert mon nom et le lieu où tu pouvais me trouver ?

5   Elle me dit qu'elle connaissait de longue main M. de G... M...; qu'il l'avait envoyé chercher à cinq heures, et qu'ayant suivi le laquais qui l'avait avertie, elle était allée dans une grande maison, où elle l'avait trouvé qui jouait au piquet avec une jolie dame, et
10 qu'ils l'avaient chargée tous deux de me rendre la lettre qu'elle m'avait apportée, après lui avoir appris qu'elle me trouverait dans un carrosse au bout de la rue Saint-André. Je lui demandai s'ils ne lui avaient rien dit de plus; elle me répondit, en rougissant, qu'ils
15 lui avaient fait espérer que je la prendrais pour me tenir compagnie.

— On t'a trompée, lui dis-je; ma pauvre fille, on t'a trompée. Tu es une femme, il te faut un homme; mais il t'en faut un qui soit riche et heureux, et ce n'est pas
20 ici que tu le peux trouver. Retourne, retourne à M. de G... M... Il a tout ce qu'il faut pour être aimé des belles; il a des hôtels meublés et des équipages à donner. Pour moi, qui n'ai que de l'amour et de la constance à offrir, les femmes méprisent ma
25 misère et font leur jouet de ma simplicité.

J'ajoutai mille choses, ou tristes ou violentes, suivant que les passions qui m'agitaient tour à tour cédaient ou emportaient le dessus. Cependant, à force de me tourmenter, mes transports diminuèrent assez pour

faire place à quelques réflexions. Je comparai cette
dernière infortune à celles que j'avais déjà essuyées
dans le même genre, et je ne trouvai pas qu'il y eût plus
à désespérer que dans les premières. Je connaissais
Manon; pourquoi m'affliger tant, d'un malheur que 5
j'avais dû prévoir ? Pourquoi ne pas m'employer
plutôt à chercher du remède ? Il était encore temps.
Je devais du moins n'y pas épargner mes soins, si je ne
voulais avoir à me reprocher d'avoir contribué par ma
négligence à mes propres peines. Je me mis là-dessus 10
à considérer tous les moyens qui pouvaient m'ouvrir
un chemin à l'espérance.

Entreprendre de l'arracher avec violence des mains
de G... M..., c'était un parti désespéré, qui
n'était propre qu'à me perdre et qui n'avait pas la 15
moindre apparence de succès. Mais il me semblait que
si j'eusse pu me procurer le moindre entretien avec
elle, j'aurais gagné infailliblement quelque chose sur
son cœur; j'en connaissais si bien tous les endroits
sensibles ! J'étais si sûr d'être aimé d'elle ! Cette 20
bizarrerie même de m'avoir envoyé une jolie fille pour
me consoler, j'aurais parié qu'elle venait de son invention, et que c'était un effet de sa compassion pour mes
peines. Je résolus d'employer toute mon industrie
pour la voir. Parmi quantité de voies que j'examinai 25
l'une après l'autre, je m'arrêtai à celle-ci.

M. de T... avait commencé à me rendre service
avec trop d'affection, pour me laisser le moindre doute
de sa sincérité et de son zèle. Je me proposai d'aller

chez lui sur-le-champ, et de l'engager à faire appeler
G... M... sous le prétexte d'une affaire importante.
Il ne me fallait qu'une demi-heure pour parler à
Manon; mon dessein était de me faire introduire dans
5 sa chambre même, et je crus que cela me serait aisé
dans l'absence de G... M...

Cette résolution m'ayant rendu plus tranquille, je
payai libéralement la jeune fille, qui était encore avec
moi; et pour lui ôter l'envie de retourner chez ceux
10 qui me l'avaient envoyée, je pris son adresse, en lui
faisant espérer que j'irais passer la nuit avec elle. Je
montai dans mon fiacre, et je me fis conduire à grand
train chez M. de T... Je fus assez heureux pour l'y
trouver; j'avais eu, là-dessus, de l'inquiétude en che-
15 min. Un mot le mit au fait de mes peines et du service
que je venais lui demander. Il fut si étonné d'apprendre que G... M... avait pu séduire Manon,
qu'ignorant que j'avais eu part moi-même à mon malheur, il m'offrit généreusement de rassembler tous ses
20 amis, pour employer leurs bras et leurs épées à la
délivrance de ma maîtresse. Je lui fis comprendre que
cet éclat pouvait être pernicieux à Manon et à moi.

— Réservons notre sang, lui dis-je, pour l'extrémité.
Je médite une voie plus douce, et dont je n'espère pas
25 moins de succès.

Il s'engagea, sans exception, à faire tout ce que je
demanderais de lui; et, lui ayant répété qu'il ne
s'agissait que de faire avertir G... M... qu'il avait
à lui parler et de le tenir dehors une heure ou deux, il

partit aussitôt avec moi pour me satisfaire. Nous
cherchâmes de quel expédient il pourrait se servir
pour l'arrêter si longtemps. Je lui conseillai de lui
écrire d'abord un billet simple, daté d'un cabaret, par
lequel il le prierait de s'y rendre aussitôt, pour une 5
affaire si importante qu'elle ne pouvait souffrir de
délai.

— J'observerai, ajoutai-je, le moment de sa sortie,
et je m'introduirai sans peine dans la maison, n'y étant
connu que de Manon et de Marcel, qui est mon valet. 10
Pour vous, qui serez pendant ce temps-là avec G . . .
M . . . , vous pourrez lui dire que cette affaire importante, pour laquelle vous souhaitez de lui parler, est un
besoin d'argent; que vous venez de perdre le vôtre au
jeu, et que vous avez joué beaucoup plus sur votre 15
parole, avec le même malheur. Il lui faudra du temps
pour vous mener à son coffre-fort, et j'en aurai suffisamment pour exécuter mon dessein.

M. de T . . . suivit cet arrangement de point en
point. Je le laissai dans un cabaret, où il écrivit 20
promptement sa lettre; j'allai me placer à quelques
pas de la maison de Manon. Je vis arriver le porteur
du message, et G . . . M . . . sortir à pied, un moment
après, suivi d'un laquais. Lui ayant laissé le temps de
s'éloigner de la rue, je m'avançai à la porte de mon 25
infidèle, et, malgré toute ma colère, je frappai avec le
respect qu'on a pour un temple. Heureusement, ce
fut Marcel qui vint m'ouvrir; je lui fis signe de se taire.
Quoique je n'eusse rien à craindre des autres domes-

tiques, je lui demandai tout bas s'il pouvait me conduire dans la chambre où était Manon sans que je
fusse aperçu. Il me dit que cela était aisé, en montant
doucement par le grand escalier.

5 — Allons donc promptement, lui dis-je, et tâche
d'empêcher, pendant que j'y serai, qu'il n'y monte
personne.

Je pénétrai sans obstacle jusqu'à l'appartement.
Manon était occupée à lire. Ce fut là que j'eus lieu
10 d'admirer le caractère de cette étrange fille. Loin
d'être effrayée et de paraître timide en m'apercevant,
elle ne donna que ces marques légères de surprise dont
on n'est pas le maître à la vue d'une personne qu'on
croit éloignée.

15 — Ha ! c'est vous, mon amour, me dit-elle en venant
m'embrasser avec sa tendresse ordinaire. Bon Dieu !
que vous êtes hardi ! Qui vous aurait attendu aujourd'hui dans ce lieu ?

Je me dégageai de ses bras ; et, loin de répondre à ses
20 caresses, je la repoussai avec dédain, et je fis deux ou
trois pas en arrière pour m'éloigner d'elle. Ce mouvement ne laissa pas de la déconcerter. Elle demeura
dans la situation où elle était, et elle jeta les yeux sur
moi, en changeant de couleur. J'étais dans le fond si
25 charmé de la revoir, qu'avec tant de justes sujets de
colère, j'avais à peine la force d'ouvrir la bouche pour
la quereller. Cependant mon cœur saignait du cruel
outrage qu'elle m'avait fait ; je le rappelais vivement à
ma mémoire pour exciter mon dépit, et je tâchais de

faire briller dans mes yeux un autre feu que celui de
l'amour. Comme je demeurai quelque temps en silence, et qu'elle remarqua mon agitation, je la vis
trembler; apparemment par un effet de sa crainte. Je
ne pus soutenir ce spectacle. 5

— Ah ! Manon, lui dis-je d'un ton tendre, infidèle
et parjure Manon ! par où commencerai-je à me
plaindre ? Je vous vois pâle et tremblante; et je suis
encore si sensible à vos moindres peines, que je crains
de vous affliger trop par mes reproches. Mais, Manon, 10
je vous le dis, j'ai le cœur percé de la douleur de votre
trahison. Ce sont là des coups qu'on ne porte point à
un amant, quand on n'a pas résolu sa mort. Voici la
troisième fois, Manon. Je les ai bien comptées; il est
impossible que cela s'oublie. C'est à vous de consi- 15
dérer, à l'heure même, quel parti vous voulez prendre;
car mon triste cœur n'est plus à l'épreuve d'un si cruel
traitement. Je sens qu'il succombe et qu'il est prêt à
se fendre de douleur. Je n'en puis plus, ajoutai-je en
m'asseyant sur une chaise; j'ai à peine la force de 20
parler et de me soutenir.

Elle ne me répondit point; mais lorsque je fus assis,
elle se laissa tomber à genoux, et elle appuya sa tête
sur les miens, en cachant son visage de mes mains. Je
sentis en un instant qu'elle les mouillait de ses larmes. 25
Dieux ! de quels mouvements n'étais-je point agité !

— Ah ! Manon, Manon, repris-je avec un soupir, il
est bien tard de me donner des larmes, lorsque vous
avez causé ma mort. Vous affectez une tristesse que

vous ne sauriez sentir. Le plus grand de vos maux est
sans doute ma présence, qui a toujours été importune à
vos plaisirs. Ouvrez les yeux, voyez qui je suis; on ne
verse pas des pleurs si tendres pour un malheureux
5 qu'on a trahi et qu'on abandonne cruellement.

Elle baisait mes mains sans changer de posture.

— Inconstante Manon, repris-je encore, fille ingrate
et sans foi, où sont vos promesses et vos serments ?
Amante mille fois volage et cruelle, qu'as-tu fait de cet
10 amour que tu me jurais encore aujourd'hui ? Juste
Ciel ! ajoutai-je, est-ce ainsi qu'une infidèle se rit de
vous, après vous avoir attesté si saintement ? C'est
donc le parjure qui est récompensé ! Le désespoir et
l'abandon sont pour la constance et la fidélité.

15 Ces paroles furent accompagnées d'une réflexion si
amère, que j'en laissai échapper malgré moi quelques
larmes. Manon s'en aperçut au changement de ma
voix; elle rompit enfin le silence.

— Il faut bien que je sois coupable, me dit-elle
20 tristement, puisque j'ai pu vous causer tant de douleur
et d'émotion; mais que le Ciel me punisse si j'ai cru
l'être, ou si j'ai eu la pensée de le devenir !

Ce discours me parut si dépourvu de sens et de bonne
foi, que je ne pus me défendre d'un vif mouvement
25 de colère.

— Horrible dissimulation ! m'écriai-je. Je vois
mieux que jamais que tu n'es qu'une coquine et une
perfide. C'est à présent que je connais ton misérable
caractère. Adieu, lâche créature, continuai-je en me

levant; j'aime mieux mourir mille fois, que d'avoir désormais le moindre commerce avec toi. Que le Ciel me punisse moi-même si je t'honore jamais du moindre regard ! Demeure avec ton nouvel amant, aime-le, déteste-moi, renonce à l'honneur, au bon sens; je m'en 5 ris, tout m'est égal.

Elle fut si épouvantée de ce transport que, demeurant à genoux près de la chaise d'où je m'étais levé, elle me regardait en tremblant et sans oser respirer. Je fis encore quelques pas vers la porte, en tournant la 10 tête, et tenant les yeux fixés sur elle. Mais il aurait fallu que j'eusse perdu tous sentiments d'humanité pour m'endurcir contre tant de charmes. J'étais si éloigné d'avoir cette force barbare que, passant tout d'un coup à l'extrémité opposée, je retournai vers elle, 15 ou plutôt je m'y précipitai sans réflexion. Je la pris entre mes bras, je lui donnai mille tendres baisers; je lui demandai pardon de mon emportement; je confessai que j'étais un brutal et que je ne méritais pas le bonheur d'être aimé d'une fille comme elle. Je 20 la fis asseoir, et, m'étant mis à genoux à mon tour, je la conjurai de m'écouter en cet état. Là, tout ce qu'un amant soumis et passionné peut imaginer de plus respectueux et de plus tendre, je le renfermai en peu de mots dans mes excuses. Je lui demandai en grâce de 25 prononcer qu'elle me pardonnait. Elle laissa tomber ses bras sur mon cou, en disant que c'était elle-même qui avait besoin de ma bonté pour me faire oublier les chagrins qu'elle me causait, et qu'elle commençait à

craindre avec raison que je ne goûtasse point ce qu'elle
avait à me dire pour se justifier.

— Moi ! interrompis-je aussitôt. Ah ! je ne vous
demande point de justification; j'approuve tout ce que
5 vous avez fait. Ce n'est point à moi d'exiger des raisons de votre conduite; trop content, trop heureux, si
ma chère Manon ne m'ôte point la tendresse de son
cœur ! Mais, continuai-je, en réfléchissant sur l'état
de mon sort, toute-puissante Manon ! vous qui faites à
10 votre gré mes joies et mes douleurs, après vous avoir
satisfait par mes humiliations et par les marques de
mon repentir, ne me sera-t-il point permis de vous
parler de ma tristesse et de mes peines ? Apprendrai-je
de vous ce qu'il faut que je devienne aujourd'hui, et si
15 c'est sans retour que vous allez signer ma mort, en
passant la nuit avec mon rival ?

Elle fut quelque temps à méditer sa réponse.

— Mon Chevalier, me dit-elle, en reprenant un air
tranquille, si vous vous étiez d'abord expliqué si
20 nettement, vous vous seriez épargné bien du trouble,
et à moi une scène bien affligeante. Puisque votre
peine ne vient que de votre jalousie, je l'aurais guérie
en m'offrant à vous suivre sur-le-champ au bout du
monde. Mais je me suis figuré que c'était la lettre que
25 je vous ai écrite sous les yeux de M. de G . . . M . . . et
la fille que nous vous avons envoyée qui causaient
votre chagrin; j'ai cru que vous auriez pu regarder ma
lettre comme une raillerie, et cette fille, en vous imaginant qu'elle était allée vous trouver de ma part,

comme une déclaration que je renonçais à vous pour
m'attacher à G ... M ...   C'est cette pensée qui m'a
jetée tout d'un coup dans la consternation; car,
quelque innocente que je fusse, je trouvais, en y pensant, que les apparences ne m'étaient pas favorables. 5
Cependant, continua-t-elle, je veux que vous soyez
mon juge, après que je vous aurai expliqué la vérité
du fait.

Elle m'apprit alors tout ce qui lui était arrivé, depuis
qu'elle avait trouvé G ... M ... qui l'attendait dans 10
le lieu où nous étions. Il l'avait reçue effectivement
comme la première princesse du monde. Il lui avait
montré tous les appartements, qui étaient d'un goût et
d'une propreté admirables. Il lui avait compté dix
mille livres dans son cabinet, et il y avait ajouté 15
quelques bijoux, parmi lesquels étaient le collier et les
bracelets de perles qu'elle avait déjà eus de son père.
Il l'avait menée de là dans un salon qu'elle n'avait pas
encore vu, où elle avait trouvé une collation exquise;
il l'avait fait servir par les nouveaux domestiques qu'il 20
avait pris pour elle, en leur ordonnant de la regarder
désormais comme leur maîtresse. Enfin il lui avait fait
voir le carrosse, les chevaux et tout le reste de ses
présents; après quoi, il lui avait proposé une partie de
jeu, pour attendre le souper. 25

— Je vous avoue, continua-t-elle, que j'ai été
frappée de cette magnificence. J'ai fait réflexion que
ce serait dommage de nous priver tout d'un coup de
tant de biens, en me contentant d'emporter les dix

mille francs et les bijoux; que c'était une fortune toute
faite pour vous et pour moi, et que nous pourrions
vivre agréablement aux dépens de G... M... Au
lieu de lui proposer la Comédie, je me suis mis dans la
5 tête de le sonder sur votre sujet, pour pressentir quelles
facilités nous aurions à nous voir, en supposant l'exécution de mon système. Je l'ai trouvé d'un caractère
fort traitable. Il m'a demandé ce que je pensais de
vous et si je n'avais pas eu quelque regret à vous
10 quitter. Je lui ai dit que vous étiez si aimable et que
vous en aviez toujours usé si honnêtement avec moi,
qu'il n'était pas naturel que je pusse vous haïr. Il a
confessé que vous aviez du mérite, et qu'il s'était
senti porté à désirer votre amitié. Il a voulu savoir de
15 quelle manière je croyais que vous prendriez mon
départ, surtout lorsque vous viendriez à savoir que
j'étais entre ses mains. Je lui ai répondu que la date
de notre amour était déjà si ancienne, qu'il avait eu le
temps de se refroidir un peu; que vous n'étiez pas
20 d'ailleurs fort à votre aise, et que vous ne regarderiez
peut-être pas ma perte comme un grand malheur, parce
qu'elle vous déchargerait d'un fardeau qui vous pesait
sur les bras. J'ai ajouté qu'étant tout à fait con-
vaincue que vous agiriez pacifiquement, je n'avais pas
25 fait difficulté de vous dire que je venais à Paris pour
quelques affaires; que vous y aviez consenti, et qu'y
étant venu vous-même, vous n'aviez pas paru extrêmement inquiet, lorsque je vous avais quitté. « Si je
croyais, m'a-t-il dit, qu'il fût d'humeur à bien vivre

avec moi, je serais le premier à lui offrir mes services
et mes civilités. » Je l'ai assuré que, du caractère dont
je vous connaissais, je ne doutais point que vous n'y
répondissiez honnêtement; surtout, lui ai-je dit, s'il
pouvait vous servir dans vos affaires, qui étaient fort 5
dérangées depuis que vous étiez mal avec votre famille. Il m'a interrompue, pour me protester qu'il
vous rendrait tous les services qui dépendraient de
lui; et que, si vous vouliez même vous embarquer
dans un autre amour, il vous procurerait une jolie 10
maîtresse, qu'il avait quittée pour s'attacher à moi.

« J'ai applaudi à son idée, ajouta-t-elle, pour prévenir plus parfaitement tous ses soupçons et, me con-
firmant de plus en plus dans mon projet, je ne
souhaitais que de pouvoir trouver le moyen de vous en 15
informer, de peur que vous ne fussiez trop alarmé
lorsque vous me verriez manquer à notre assignation.
C'est dans cette vue que je lui ai proposé de vous envoyer cette nouvelle maîtresse dès le soir même, afin
d'avoir une occasion de vous écrire; j'étais obligée 20
d'avoir recours à cette adresse, parce que je ne pouvais
espérer qu'il me laissât libre un moment. Il a ri de
ma proposition; il a appelé son laquais et, lui ayant
demandé s'il pourrait retrouver sur-le-champ son
ancienne maîtresse, il l'a envoyé de côté et d'autre pour 25
la chercher. Il s'imaginait que c'était à Chaillot qu'il
fallait qu'elle allât vous trouver; mais je lui ai appris
qu'en vous quittant, je vous avais promis de vous
rejoindre à la Comédie, ou que, si quelque raison

m'empêchait d'y aller, vous vous étiez engagé à
m'attendre dans un carrosse au bout de la rue Saint-
André; qu'il valait mieux, par conséquent, vous
envoyer là votre nouvelle amante, ne fût-ce que pour
5 vous empêcher de vous y morfondre pendant toute la
nuit. Je lui ai dit encore qu'il était à propos de vous
écrire un mot pour vous avertir de cet échange, que
vous auriez peine à comprendre sans cela. Il y a
consenti; mais j'ai été obligée d'écrire en sa présence,
10 et je me suis bien gardée de m'expliquer trop ouvertement dans ma lettre.

« Voilà, ajouta Manon, de quelle manière les choses
se sont passées. Je ne vous déguise rien, ni de ma
conduite, ni de mes desseins. La jeune fille est venue,
15 je l'ai trouvée jolie; et, comme je ne doutais point que
mon absence ne vous causât de la peine, c'était sincèrement que je souhaitais qu'elle pût servir à vous
désennuyer quelques moments: car la fidélité que je
souhaite de vous est celle du cœur. J'aurais été ravie
20 de pouvoir vous envoyer Marcel; mais je n'ai pu me
procurer un moment pour l'instruire de ce que j'avais
à vous faire savoir. »

Elle conclut enfin son récit, en m'apprenant l'embarras où G ... M ... s'était trouvé en recevant le
25 billet de M. de T ...

— Il a balancé, me dit-elle, s'il devait me quitter, et
il m'a assuré que son retour ne tarderait point. C'est
ce qui fait que je ne vous vois point ici sans inquiétude,
et que j'ai marqué de la surprise à votre arrivée.

J'écoutai ce discours avec beaucoup de patience.
J'y trouvais assurément quantité de traits cruels et
mortifiants pour moi; car le dessein de son infidélité
était si clair, qu'elle n'avait pas même eu le soin de me
le déguiser. Elle ne pouvait espérer que G...M... 5
la laissât, toute la nuit, comme une vestale. C'était
donc avec lui qu'elle comptait de la passer. Quel aveu
pour un amant! Cependant, je considérai que j'étais
cause en partie de sa faute, par la connaissance
que je lui avais donnée d'abord des sentiments que 10
G...M... avait pour elle, et par la complaisance que
j'avais eue d'entrer aveuglément dans le plan téméraire de son aventure. D'ailleurs, par un tour naturel
de génie qui m'est particulier, je fus touché de l'in-
génuité de son récit et de cette manière bonne et 15
ouverte avec laquelle elle me racontait jusqu'aux
circonstances dont j'étais le plus offensé. Elle pèche
sans malice, disais-je en moi-même; elle est légère et
imprudente, mais elle est droite et sincère. Ajoutez
que l'amour suffisait seul pour me fermer les yeux sur 20
toutes ses fautes. J'étais trop satisfait de l'espérance
de l'enlever le soir même à mon rival. Je lui dis
néanmoins:

— Et la nuit, avec qui l'auriez-vous passée?

Cette question, que je lui fis tristement, l'em- 25
barrassa. Elle ne me répondit que par des *mais* et des
si interrompus. J'eus pitié de sa peine, et, rompant ce
discours, je lui déclarai naturellement que j'attendais
d'elle qu'elle me suivît à l'heure même.

— Je le veux bien, me dit-elle; mais vous n'approuvez donc pas mon projet ?

— Ha ! n'est-ce pas assez, repartis-je, que j'approuve tout ce que vous avez fait jusqu'à présent ?

5 — Quoi ! nous n'emporterons pas même les dix mille francs ? répliqua-t-elle. Il me les a donnés; ils sont à moi.

Je lui conseillai d'abandonner tout et de ne penser qu'à nous éloigner promptement; car, quoiqu'il y 10 eût à peine une demi-heure que j'étais avec elle, je craignis le retour de G... M... Cependant elle me fit de si pressantes instances pour me faire consentir à ne pas sortir les mains vides, que je crus lui devoir accorder quelque chose après avoir tant obtenu d'elle.

15 Dans le temps que nous nous préparions au départ, j'entendis frapper à la porte de la rue. Je ne doutai nullement que ce ne fût G... M..., et, dans le trouble où cette pensée me jeta, je dis à Manon que c'était un homme mort s'il paraissait. Effectivement, 20 je n'étais pas assez revenu de mes transports pour me modérer à sa vue. Marcel finit ma peine en m'apportant un billet qu'il avait reçu pour moi à la porte. Il était de M. de T... Il me marquait que, G... M... étant allé lui chercher de l'argent à sa maison, il 25 profitait de son absence pour me communiquer une pensée fort plaisante: qu'il lui semblait que je ne pouvais me venger plus agréablement de mon rival, qu'en mangeant son souper et en couchant, cette nuit même, dans le lit qu'il espérait d'occuper avec ma

maîtresse; que cela lui paraissait assez facile, si je
pouvais m'assurer de trois ou quatre hommes qui
eussent assez de résolution pour l'arrêter dans la rue
et de fidélité pour le garder à vue jusqu'au lendemain;
que, pour lui, il promettait de l'amuser encore une 5
heure pour le moins, par des raisons qu'il tenait prêtes
pour son retour.

Je montrai ce billet à Manon, et je lui appris de
quelle ruse je m'étais servi pour m'introduire librement chez elle. Mon invention et celle de M. de T... 10
lui parurent admirables; nous en rîmes à notre aise
pendant quelques moments. Mais lorsque je lui parlai
de la dernière comme d'un badinage, je fus surpris
qu'elle insistât sérieusement à me la proposer, comme
une chose dont l'idée la ravissait. En vain lui de- 15
mandai-je où elle voulait que je trouvasse, tout d'un
coup, des gens propres à arrêter G... M... et à le
garder fidèlement. Elle me dit qu'il fallait du moins
tenter, puisque M. de T... nous garantissait encore
une heure; et, pour réponse à mes autres objections, 20
elle me dit que je faisais le tyran et que je n'avais pas
de complaisance pour elle. Elle ne trouvait rien de si
joli que ce projet.

— Vous aurez son couvert à souper, me répétait-
elle; vous coucherez dans ses draps, et demain, de 25
grand matin, vous enlèverez sa maîtresse et son argent.
Vous serez bien vengé du père et du fils.

Je cédai à ses instances malgré les mouvements
secrets de mon cœur, qui semblaient me présager une

catastrophe malheureuse. Je sortis, dans le dessein
de prier deux ou trois gardes du corps, avec lesquels
Lescaut m'avait mis en liaison, de se charger du soin
d'arrêter G ... M ... Je n'en trouvai qu'un au logis;
5 mais c'était un homme entreprenant, qui n'eut pas
plutôt su de quoi il était question, qu'il m'assura du
succès. Il me demanda seulement dix pistoles, pour
récompenser trois soldats aux gardes qu'il prit la
résolution d'employer, en se mettant à leur tête. Je
10 le priai de ne pas perdre de temps; il les assembla en
moins d'un quart d'heure. Je l'attendais à sa maison,
et, lorsqu'il fut de retour avec ses associés, je le
conduisis moi-même au coin d'une rue, par laquelle
G ... M ... devait nécessairement rentrer dans celle
15 de Manon. Je lui recommandai de ne le pas maltraiter, mais de le garder si étroitement jusqu'à sept
heures du matin, que je pusse être assuré qu'il ne lui
échapperait pas. Il me dit que son dessein était de le
conduire à sa chambre et de l'obliger à se déshabiller,
20 ou même à se coucher dans son lit, tandis que lui et ses
trois braves passeraient la nuit à boire et à jouer. Je
demeurai avec eux jusqu'au moment où je vis paraître
G ... M ... ; et je me retirai alors quelques pas au-
dessous, dans un endroit obscur, pour être témoin
25 d'une scène si extraordinaire. Le garde du corps
l'aborda, le pistolet au poing, et lui expliqua civilement
qu'il n'en voulait ni à sa vie, ni à son argent; mais que,
s'il faisait la moindre difficulté de le suivre, ou s'il
jetait le moindre cri, il allait lui brûler la cervelle.

G... M..., le voyant soutenu par trois soldats et
craignant sans doute la bourre du pistolet, ne fit pas de
résistance; je le vis emmener comme un mouton.

Je retournai aussitôt chez Manon, et, pour ôter tout
soupçon aux domestiques, je lui dis, en entrant, qu'il 5
ne fallait pas attendre M. de G... M... pour souper;
qu'il lui était survenu des affaires qui le retenaient
malgré lui, et qu'il m'avait prié de venir lui en faire ses
excuses et souper avec elle: ce que je regardais comme
une grande faveur auprès d'une si belle dame. Elle 10
seconda fort adroitement mon dessein. Nous nous
mîmes à table; nous y prîmes un air grave, pendant
que les laquais demeurèrent à nous servir. Enfin, les
ayant congédiés, nous passâmes une des plus charmantes soirées de notre vie. J'ordonnai en secret à 15
Marcel de chercher un fiacre, et de l'avertir de se
trouver le lendemain à la porte, avant six heures du
matin. Je feignis de quitter Manon vers minuit; mais,
étant rentré doucement par le secours de Marcel, je me
préparai à occuper le lit de G... M... comme j'avais 20
rempli sa place à table.

Pendant ce temps-là, notre mauvais génie travaillait
à nous perdre. Nous étions dans le délire du plaisir, et
le glaive était suspendu sur nos têtes: le fil qui le
soutenait allait se rompre. Mais pour faire mieux 25
entendre toutes les circonstances de notre ruine, il faut
en éclaircir la cause.

G... M... était suivi d'un laquais, lorsqu'il avait
été arrêté par le garde du corps. Ce garçon effrayé de

l'aventure de son maître, retourna en fuyant sur ses
pas; et la première démarche qu'il fit pour le secourir
fut d'aller avertir le vieux G . . . M . . . de ce qui venait
d'arriver.   Une si fâcheuse nouvelle ne pouvait man-
5 quer de l'alarmer beaucoup: il n'avait que ce fils, et sa
vivacité était extrême pour son âge.   Il voulut savoir
d'abord, du laquais, tout ce que son fils avait fait
l'après-midi, s'il s'était querellé avec quelqu'un, s'il
avait pris part au démêlé d'un autre, s'il s'était trouvé
10 dans quelque maison suspecte.   Celui-ci, qui croyait
son maître dans le dernier danger et qui s'imaginait
ne devoir plus rien ménager pour lui procurer du secours, découvrit tout ce qu'il savait de son amour pour
Manon et de la dépense qu'il avait faite pour elle,
15 la manière dont il avait passé l'après-midi dans sa
maison jusqu'aux environs de neuf heures, sa sortie et
le malheur de son retour.   C'en fut assez pour faire
soupçonner au vieillard que l'affaire de son fils était
une querelle d'amour.   Quoiqu'il fût au moins dix
20 heures et demie du soir, il ne balança point à se rendre
aussitôt chez M. le Lieutenant de Police.   Il le pria de
faire donner des ordres particuliers à toutes les es-
couades du guet, et, lui en ayant demandé une pour se
faire accompagner, il courut lui-même vers la rue où
25 son fils avait été arrêté.   Il visita tous les endroits de la
ville où il espérait de le pouvoir trouver; et, n'ayant
pu découvrir ses traces, il se fit conduire enfin à la
maison de sa maîtresse, où il se figura qu'il pouvait
être retourné.

J'allais me mettre au lit, lorsqu'il arriva. La porte
de la chambre étant fermée, je n'entendis point frapper
à celle de la rue; mais il entra suivi de deux archers, et,
s'étant informé inutilement de ce qu'était devenu son
fils, il lui prit envie de voir sa maîtresse, pour tirer 5
d'elle quelque lumière. Il monte à l'appartement,
toujours accompagné de ses archers. Nous étions prêts
à nous mettre au lit. Il ouvre la porte, et il nous glace
le sang par sa vue.

— O Dieu! c'est le vieux G... M..., dis-je à 10
Manon.

Je saute sur mon épée; elle était malheureusement
embarrassée dans mon ceinturon. Les archers, qui
virent mon mouvement, s'approchèrent aussitôt pour
me la saisir. Un homme en chemise est sans résistance. 15
Ils m'ôtèrent tous les moyens de me défendre.

G... M..., quoique troublé par ce spectacle, ne
tarda point à me reconnaître; il remit encore plus
aisément Manon.

— Est-ce une illusion? nous dit-il gravement; ne 20
vois-je point le Chevalier des Grieux et Manon
Lescaut?

J'étais si enragé de honte et de douleur, que je ne lui
fis pas de réponse. Il parut rouler, pendant quelque
temps, diverses pensées dans sa tête; et, comme si 25
elles eussent allumé tout d'un coup sa colère, il s'écria
en s'adressant à moi:

— Ah! malheureux, je suis sûr que tu as tué mon
fils.

Cette injure me piqua vivement.

— Vieux scélérat, lui répondis-je avec fierté, si j'avais eu à tuer quelqu'un de ta famille, c'est par toi que j'aurais commencé.

5 — Tenez-le bien, dit-il aux archers. Il faut qu'il me dise des nouvelles de mon fils; je le ferai pendre demain, s'il ne m'apprend tout à l'heure ce qu'il en a fait.

— Tu me feras pendre? repris-je. Infâme! ce sont tes pareils qu'il faut chercher au gibet. Apprends que 10 je suis d'un sang plus noble et plus pur que le tien. Oui, ajoutai-je, je sais ce qui est arrivé à ton fils; et, si tu m'irrites davantage, je le ferai étrangler avant qu'il soit demain, et je te promets le même sort après lui.

Je commis une imprudence en lui confessant que je 15 savais où était son fils; mais l'excès de ma colère me fit faire cette indiscrétion. Il appela aussitôt cinq ou six autres archers, qui l'attendaient à la porte, et il leur ordonna de s'assurer de tous les domestiques de la maison.

20 — Ha! Monsieur le Chevalier, reprit-il d'un ton railleur, vous savez où est mon fils, et vous le ferez étrangler, dites-vous? Comptez que nous y mettrons bon ordre.

Je sentis aussitôt la faute que j'avais commise. Il 25 s'approcha de Manon, qui était assise sur le lit en pleurant; il lui dit quelques galanteries ironiques sur l'empire qu'elle avait sur le père et sur le fils, et sur le bon usage qu'elle en faisait. Ce vieux monstre d'incontinence voulut prendre quelques familiarités avec 30 elle.

— Garde-toi de la toucher, m'écriai-je ! Il n'y aurait rien de sacré qui te pût sauver de mes mains.

Il sortit en laissant trois archers dans la chambre,
auxquels il ordonna de nous faire prendre promptement nos habits.

Je ne sais quels étaient alors ses desseins sur nous.
Peut-être eussions-nous obtenu la liberté en lui apprenant où était son fils; je méditais, en m'habillant,
si ce n'était pas le meilleur parti. Mais, s'il était dans
cette disposition en quittant notre chambre, elle était
bien changée lorsqu'il y revint : il était allé interroger
les domestiques de Manon, que les archers avaient
arrêtés. Il ne put rien apprendre de ceux qu'elle avait
reçus de son fils; mais lorsqu'il sut que Marcel nous
avait servis auparavant, il résolut de le faire parler en
l'intimidant par des menaces. C'était un garçon
fidèle, mais simple et grossier. Le souvenir de ce
qu'il avait fait à l'Hôpital pour délivrer Manon, joint
à la terreur que G... M... lui inspirait, fit tant
d'impression sur son esprit faible, qu'il s'imagina qu'on
allait le conduire à la potence ou sur la roue. Il promit
de découvrir tout ce qui était venu à sa connaissance,
si l'on voulait lui sauver la vie. G... M... se persuada là-dessus qu'il y avait quelque chose, dans nos
affaires, de plus sérieux et de plus criminel qu'il
n'avait eu lieu jusque-là de se le figurer. Il offrit à
Marcel, non seulement la vie, mais des récompenses
pour sa confession.

Ce malheureux lui apprit une partie de notre dessein,

sur lequel nous n'avions pas fait difficulté de nous
entretenir devant lui, parce qu'il devait y entrer pour
quelque chose. Il est vrai qu'il ignorait entièrement les
changements que nous y avions faits à Paris; mais il
5 avait été informé, en partant de Chaillot, du plan de
l'entreprise et du rôle qu'il devait jouer. Il lui déclara
donc que notre vue était de duper son fils et que
Manon devait recevoir, ou avait déjà reçu, dix mille
francs, qui, selon notre projet, ne retourneraient ja-
10 mais aux héritiers de la maison de G ... M ...

Après cette découverte, le vieillard emporté re-
monta brusquement dans notre chambre. Il passa
sans parler dans le cabinet, où il n'eut pas de peine à
trouver la somme et les bijoux. Il revint à nous avec
15 un visage enflammé, et, nous montrant ce qu'il lui plut
de nommer notre larcin, il nous accabla de reproches
outrageants. Il fit voir de près, à Manon, le collier de
perles et les bracelets.

— Les reconnaissez-vous ? lui dit-il avec un sourire
20 moqueur. Ce n'était pas la première fois que vous les
eussiez vus. Les mêmes, sur ma foi. Ils étaient de
votre goût, ma belle; je me le persuade aisément. Les
pauvres enfants ! ajouta-t-il. Ils sont bien aimables,
en effet, l'un et l'autre; mais ils sont un peu fripons.
25 Mon cœur crevait de rage à ce discours insultant.
J'aurais donné, pour être libre un moment ... Juste
Ciel ! que n'aurais-je pas donné ! Enfin, je me fis
violence pour lui dire, avec une modération qui n'était
qu'un raffinement de fureur:

— Finissons, Monsieur, ces insolentes railleries. De quoi est-il question ? Voyons, que prétendez-vous faire de nous ?

— Il est question, Monsieur le Chevalier, me ré-pondit-il, d'aller de ce pas au Châtelet.* Il fera jour demain; nous verrons plus clair dans nos affaires, et j'espère que vous me ferez la grâce, à la fin, de m'ap-prendre où est mon fils.

Je compris, sans beaucoup de réflexions, que c'était une chose d'une terrible conséquence pour nous d'être une fois renfermés au Châtelet; j'en prévis, en trem-blant, tous les dangers. Malgré toute ma fierté, je reconnus qu'il fallait plier sous le poids de ma fortune, et flatter mon plus cruel ennemi pour en obtenir quelque chose par la soumission. Je le priai, d'un ton honnête, de m'écouter un moment.

— Je me rends justice, Monsieur, lui dis-je. Je confesse que la jeunesse m'a fait commettre de grandes fautes, et que vous en êtes assez blessé pour vous plaindre. Mais si vous connaissez la force de l'amour, si vous pouvez juger de ce que souffre un malheureux jeune homme à qui l'on enlève tout ce qu'il aime, vous me trouverez peut-être pardonnable d'avoir cherché le plaisir d'une petite vengeance, ou du moins vous me croirez assez puni par l'affront que je viens de recevoir. Il n'est besoin ni de prison, ni de supplice pour me forcer de vous découvrir où est Monsieur votre fils. Il est en sûreté. Mon dessein n'a pas été de lui nuire, ni de vous offenser. Je suis prêt à vous nommer le lieu où il passe tranquillement la nuit, si vous me faites la grâce de nous accorder la liberté.

Ce vieux tigre, loin d'être touché de ma prière, me tourna le dos en riant. Il lâcha seulement quelques mots, pour me faire comprendre qu'il savait notre dessein jusqu'à l'origine. Pour ce qui regardait son fils, il ajouta brutalement qu'il se retrouverait assez, puisque je ne l'avais pas assassiné.

— Conduisez-les au Petit-Châtelet, dit-il aux archers, et prenez garde que le Chevalier ne vous échappe. C'est un rusé, qui s'est déjà sauvé de Saint-Lazare.

Il sortit, et me laissa dans l'état que vous pouvez vous imaginer.

— O Ciel ! m'écriai-je, je recevrai avec soumission tous les coups qui viennent de ta main ; mais qu'un malheureux coquin ait le pouvoir de me traiter avec cette tyrannie, c'est ce qui me réduit au dernier désespoir.

Les archers nous prièrent de ne pas les faire attendre plus longtemps. Ils avaient un carrosse à la porte. Je tendis la main à Manon pour descendre.

— Venez, ma chère reine, lui dis-je, venez vous soumettre à toute la rigueur de notre sort. Il plaira peut-être au Ciel de nous rendre quelque jour plus heureux.

Nous partîmes dans le même carrosse ; elle se mit dans mes bras. Je ne lui avais pas entendu prononcer un mot depuis le premier moment de l'arrivée de G... M... ; mais, se trouvant seule alors avec moi,

elle me dit mille tendresses, en se reprochant d'être la
cause de mon malheur. Je l'assurai que je ne me
plaindrais jamais de mon sort, tant qu'elle ne cesserait
pas de m'aimer.

— Ce n'est pas moi qui suis à plaindre, continuai-je. 5
Quelques mois de prison ne m'effraient nullement, et je
préférerai toujours le Châtelet à Saint-Lazare. Mais
c'est pour toi, ma chère âme, que mon cœur s'intéresse.
Quel sort pour une créature si charmante ! Ciel !
comment traitez-vous, avec tant de rigueur, le plus 10
parfait de vos ouvrages ? Pourquoi ne sommes-nous
pas nés, l'un et l'autre, avec des qualités conformes
à notre misère ? Nous avons reçu de l'esprit, du goût,
des sentiments. Hélas ! quel triste usage en faisons-
nous, tandis que tant d'âmes basses et dignes de notre 15
sort jouissent de toutes les faveurs de la Fortune !

Ces réflexions me pénétraient de douleur; mais ce
n'était rien en comparaison de celles qui regardaient
l'avenir, car je séchais de crainte pour Manon. Elle
avait déjà été à l'Hôpital; et, quand elle en fût sortie 20
par la bonne porte, je savais que les rechutes en ce
genre étaient d'une conséquence extrêmement dangereuse. J'aurais voulu lui exprimer mes frayeurs:
j'appréhendais de lui en causer trop. Je tremblais
pour elle, sans oser l'avertir du danger, et je l'embras- 25
sais en soupirant, pour l'assurer du moins de mon
amour, qui était presque le seul sentiment que j'osasse
exprimer.

— Manon, lui dis-je, parlez sincèrement; m'aime-
rez-vous toujours ?
30

Elle me répondit qu'elle était bien malheureuse que j'en pusse douter.

— Hé bien, repris-je, je n'en doute point, et je veux braver tous nos ennemis avec cette assurance. J'emploierai ma famille pour sortir du Châtelet; et tout mon sang ne sera utile à rien, si je ne vous en tire pas aussitôt que je serai libre.

Nous arrivâmes à la prison. On nous mit chacun dans un lieu séparé. Ce coup me fut moins rude, parce que je l'avais prévu. Je recommandai Manon au concierge, en lui apprenant que j'étais un homme de quelque distinction, et lui promettant une récompense considérable. J'embrassai ma chère maîtresse, avant que de la quitter; je la conjurai de ne pas s'affliger excessivement et de ne rien craindre tant que je serais au monde. Je n'étais pas sans argent; je lui en donnai une partie, et je payai au concierge, sur ce qui me restait, un mois de grosse pension d'avance pour elle et pour moi.

Mon argent eut un fort bon effet. On me mit dans une chambre proprement meublée, et l'on m'assura que Manon en avait une pareille. Je m'occupai, aussitôt, des moyens de hâter ma liberté. Il était clair qu'il n'y avait rien d'absolument criminel dans mon affaire; et, supposant même que le dessein de notre vol fût prouvé par la déposition de Marcel, je savais fort bien qu'on ne punit point les simples volontés. Je résolus d'écrire promptement à mon père, pour le prier de venir en personne à Paris. J'avais bien moins de honte, comme je l'ai déjà dit, d'être au Châtelet qu'à Saint-Lazare; d'ailleurs, quoique je conservasse tout le respect dû à l'autorité paternelle, l'âge et l'expérience avaient diminué beaucoup ma timidité. J'écrivis donc, et l'on ne fit pas difficulté, au Châtelet, de laisser 5 sortir ma lettre; mais c'était une peine que j'aurais pu m'épargner, si j'avais su que mon père devait arriver le lendemain à Paris.

Il avait reçu celle que je lui avais écrite huit jours auparavant; il en avait ressenti une joie extrême. 10 Mais, de quelque espérance que je l'eusse flatté au sujet de ma conversion, il n'avait pas cru devoir s'arrêter tout à fait à mes promesses; il avait pris le parti de venir s'assurer de mon changement par ses yeux, et de régler sa conduite sur la sincérité de mon repentir. 15 Il arriva, le lendemain de mon emprisonnement. Sa première visite fut celle qu'il rendit à Tiberge, à qui je l'avais prié d'adresser sa réponse. Il ne put savoir de lui ni ma demeure, ni ma condition présente; il en apprit seulement mes principales aventures, depuis 20 que je m'étais échappé de Saint-Sulpice. Tiberge lui parla fort avantageusement des dispositions que je lui avais marquées pour le bien, dans notre dernière entrevue. Il ajouta qu'il me croyait entièrement dégagé de Manon; mais qu'il était surpris, néanmoins, que je ne 25 lui eusse pas donné de mes nouvelles depuis huit jours. Mon père n'était pas dupe; il comprit qu'il y avait quelque chose, qui échappait à la pénétration de Tiberge, dans le silence dont il se plaignait, et il em-

ploya tant de soins pour découvrir mes traces que,
deux jours après son arrivée, il apprit que j'étais au
Châtelet.

Avant que de recevoir sa visite, à laquelle j'étais fort
5 éloigné de m'attendre sitôt, je reçus celle de M. le
Lieutenant Général de Police, ou, pour expliquer les
choses par leur nom, je subis l'interrogatoire. Il me
fit quelques reproches; mais ils n'étaient ni durs, ni
désobligeants. Il me dit, avec douceur, qu'il plaignait
10 ma mauvaise conduite; que j'avais manqué de sagesse
en me faisant un ennemi tel que M. de G... M...;
qu'à la vérité il était aisé de remarquer qu'il y avait,
dans mon affaire, plus d'imprudence et de légèreté que
de malice; mais que c'était néanmoins la seconde fois
15 que je me trouvais sujet à son tribunal, et qu'il avait
espéré que je fusse devenu plus sage, après avoir pris
deux ou trois mois de leçons à Saint-Lazare. Charmé
d'avoir affaire à un juge raisonnable, je m'expliquai
avec lui d'une manière si respectueuse et si modérée,
20 qu'il parut extrêmement satisfait de mes réponses. Il
me dit que je ne devais pas me livrer trop au chagrin,
et qu'il se sentait disposé à me rendre service, en faveur
de ma naissance et de ma jeunesse. Je me hasardai à
lui recommander Manon et à lui faire l'éloge de sa
25 douceur et de son bon naturel. Il me répondit, en
riant, qu'il ne l'avait point encore vue; mais qu'on la
représentait comme une dangereuse personne. Ce
mot excita tellement ma tendresse, que je lui dis mille
choses passionnées pour la défense de ma pauvre

maîtresse; et je ne pus m'empêcher même de répandre
quelques larmes. Il ordonna qu'on me reconduisît à
ma chambre.

— Amour, amour ! s'écria ce grave magistrat en me
voyant sortir, ne te réconcilieras-tu jamais avec la 5
sagesse ?

J'étais à m'entretenir tristement de mes idées et à
réfléchir sur la conversation que j'avais eue avec M. le
Lieutenant Général de Police, lorsque j'entendis ouvrir
la porte de ma chambre: c'était mon père. Quoique je 10
dusse être à demi préparé à cette vue, puisque je m'y
attendais quelques jours plus tard, je ne laissai pas d'en
être frappé si vivement, que je me serais précipité au
fond de la terre, si elle s'était entr'ouverte à mes pieds.
J'allai l'embrasser, avec toutes les marques d'une 15
extrême confusion. Il s'assit sans que ni lui, ni moi,
eussions encore ouvert la bouche. Comme je demeurais debout, les yeux baissés et la tête découverte:

— Asseyez-vous, Monsieur, me dit-il gravement,
asseyez-vous. Grâce au scandale de votre libertinage 20
et de vos friponneries, j'ai découvert le lieu de votre
demeure. C'est l'avantage d'un mérite tel que le
vôtre, de ne pouvoir demeurer caché. Vous allez à la
Renommée par un chemin infaillible. J'espère que le
terme en sera bientôt la Grève,* et que vous aurez 25
effectivement la gloire d'y être exposé à l'admiration de
tout le monde.

Je ne répondis rien. Il continua:

— Qu'un père est malheureux, lorsque, après avoir

aimé tendrement un fils et n'avoir rien épargné pour
en faire un honnête homme, il n'y trouve à la fin qu'un
fripon qui le déshonore ! On se console d'un malheur
de fortune: le temps l'efface, et le chagrin diminue;
5 mais quel remède contre un mal qui augmente tous les
jours, tel que les désordres d'un fils vicieux, qui a perdu
tous sentiments d'honneur ? Tu ne dis rien, malheureux, ajouta-t-il; voyez cette modestie contrefaite et
cet air de douceur hypocrite. Ne le prendrait-on pas
10 pour le plus honnête homme de sa race ?

Quoique je fusse obligé de reconnaître que je méritais
une partie de ces outrages, il me parut néanmoins que
c'était les porter à l'excès. Je crus qu'il m'était permis
d'expliquer naturellement ma pensée.

15 — Je vous assure, Monsieur, lui dis-je, que la modestie où vous me voyez devant vous n'est nullement
affectée; c'est la situation naturelle d'un fils bien né,
qui respecte infiniment son père, et surtout un père
irrité. Je ne prétends pas non plus passer pour l'homme
20 le plus réglé de notre race. Je me connais digne de vos
reproches; mais je vous conjure d'y mettre un peu plus
de bonté et de ne pas me traiter comme le plus infâme
de tous les hommes. Je ne mérite pas des noms si durs.
C'est l'Amour, vous le savez, qui a causé toutes mes
25 fautes. Fatale passion ! Hélas ! n'en connaissez-vous
pas la force, et se peut-il que votre sang, qui est la
source du mien, n'ait jamais ressenti les mêmes ardeurs ? L'Amour m'a rendu trop tendre, trop passionné, trop fidèle et, peut-être trop complaisant pour

les désirs d'une maîtresse toute charmante; voilà
mes crimes. En voyez-vous là quelqu'un qui vous
déshonore ? Allons, mon cher père, ajoutai-je tendrement, un peu de pitié pour un fils qui a toujours été
plein de respect et d'affection pour vous, qui n'a 5
pas renoncé, comme vous pensez, à l'honneur et au devoir, et qui est mille fois plus à plaindre que vous ne
sauriez vous l'imaginer.

Je laissai tomber quelques larmes en finissant ces
paroles.   10

Un cœur de père est le chef-d'œuvre de la Nature;
elle y règne, pour ainsi parler, avec complaisance, et
elle en règle elle-même tous les ressorts. Le mien, qui
était avec cela homme d'esprit et de goût, fut si touché
du tour que j'avais donné à mes excuses qu'il ne fut 15
pas le maître de me cacher ce changement.

— Viens, mon pauvre Chevalier, me dit-il, viens
m'embrasser; tu me fais pitié.

Je l'embrassai; il me serra d'une manière qui me fit
juger de ce qui se passait dans son cœur.   20

— Mais quel moyen prendrons-nous donc, reprit-il,
pour te tirer d'ici ? Explique-moi toutes tes affaires
sans déguisement.

Comme il n'y avait rien, après tout, dans le gros de
ma conduite, qui pût me déshonorer absolument, du 25
moins en la mesurant sur celle des jeunes gens d'un
certain monde, et qu'une maîtresse ne passe point pour
une infamie dans le siècle où nous sommes, non plus
qu'un peu d'adresse à s'attirer la fortune du jeu, je fis

sincèrement à mon père le détail de la vie que j'avais
menée. A chaque faute dont je lui faisais l'aveu,
j'avais soin de joindre des exemples célèbres pour en
diminuer la honte.

5   — Je vis avec une maîtresse, lui disais-je, sans être
lié par les cérémonies du mariage: M. le Duc de ...
en entrctient deux, aux yeux de tout Paris; M. de ...
en a une depuis dix ans, qu'il aime avec une fidélité
qu'il n'a jamais eue pour sa femme; les deux tiers des
10 honnêtes gens de France se font honneur d'en avoir.*
J'ai usé de quelque supercherie au jeu: M. le Marquis
de ... et le Comte de ... n'ont point d'autres revenus;
M. le Prince de ... et M. le Duc de ... sont les chefs
d'une bande de chevaliers du même ordre.

15   Pour ce qui regardait mes desseins sur la bourse des
deux G ... M ..., j'aurais pu prouver aussi facilement que je n'étais pas sans modèles. Mais il me
restait trop d'honneur pour ne pas me condamner
moi-même, avec tous ceux dont j'aurais pu me pro-
20 poser l'exemple; de sorte que je priai mon père de
pardonner cette faiblesse aux deux violentes passions
qui m'avaient agité, la vengeance et l'amour. Il me
demanda si je pouvais lui donner quelques ouvertures
sur les plus courts moyens d'obtenir ma liberté et
25 d'une manière qui pût lui faire éviter l'éclat. Je lui
appris les sentiments de bonté que le Lieutenant
Général de Police avait pour moi.

— Si vous trouvez quelques difficultés, lui dis-je,
elles ne peuvent venir que de la part des G ... M ... :

ainsi, je crois qu'il serait à propos que vous prissiez la
peine de les voir.

Il me le promit. Je n'osai le prier de solliciter pour
Manon; ce ne fut point un défaut de hardiesse, mais
un effet de la crainte où j'étais de le révolter par cette 5
proposition, et de lui faire naître quelque dessein
funeste à elle et à moi. Je suis encore à savoir si
cette crainte n'a pas causé mes plus grandes infortunes, en m'empêchant de tenter les dispositions de
mon père, et de faire des efforts pour lui en inspirer de 10
favorables à ma malheureuse maîtresse. J'aurais
peut-être excité encore une fois sa pitié; je l'aurais
mis en garde contre les impressions qu'il allait recevoir
trop facilement du vieux G... M... Que sais-je?
Ma mauvaise destinée l'aurait peut-être emporté sur 15
tous mes efforts; mais je n'aurais eu qu'elle, du moins,
et la cruauté de mes ennemis, à accuser de mon malheur.

En me quittant, mon père alla faire une visite à M.
de G... M... Il le trouva avec son fils, à qui le
garde du corps avait honnêtement rendu la liberté. Je 20
n'ai jamais su les particularités de leur conversation;
mais il ne m'a été que trop facile d'en juger par ses
mortels effets.

Ils allèrent ensemble, je dis les deux pères, chez M.
le Lieutenant Général de Police, auquel ils deman- 25
dèrent deux grâces: l'une, de me faire sortir sur-le-
champ du Châtelet; l'autre, d'enfermer Manon pour
le reste de ses jours, ou de l'envoyer en Amérique. On
commençait, dans le même temps, à embarquer quan-

tité de gens sans aveu pour le Mississipi.* M. le
Lieutenant Général de Police leur donna sa parole de
faire partir Manon par le premier vaisseau.

M. de G... M... et mon père vinrent aussitôt
m'apporter ensemble la nouvelle de ma liberté. M. de
G... M... me fit un compliment civil sur le passé, et,
m'ayant félicité sur le bonheur que j'avais d'avoir un
tel père, il m'exhorta à profiter désormais de ses leçons
et de ses exemples. Mon père m'ordonna de lui faire
des excuses de l'injure prétendue que j'avais faite à sa
famille, et de le remercier de s'être employé avec lui
pour mon élargissement. Nous sortîmes ensemble,
sans avoir dit un mot de ma maîtresse. Je n'osai
même parler d'elle aux guichetiers en leur présence.
Hélas ! mes tristes recommandations eussent été bien
inutiles ! L'ordre cruel était venu en même temps que
celui de ma délivrance. Cette fille infortunée fut conduite, une heure après, à l'Hôpital, pour y être asso-
ciée à quelques malheureuses qui étaient condamnées à
subir le même sort. Mon père m'ayant obligé de le
suivre à la maison où il avait pris sa demeure, il était
presque six heures du soir lorsque je trouvai le moment
de me dérober de ses yeux pour retourner au Châtelet.
Je n'avais dessein que de faire tenir quelques rafraî-
chissements à Manon, et de la recommander au concierge; car je ne me promettais pas que la liberté de la
voir me fût accordée. Je n'avais point encore eu le
temps, non plus, de réfléchir aux moyens de la délivrer.

Je demandai à parler au concierge. Il avait été

content de ma libéralité et de ma douceur; de sorte
qu'ayant quelque disposition à me rendre service, il me
parla du sort de Manon, comme d'un malheur dont il
avait beaucoup de regret parce qu'il pouvait m'affliger.
Je ne compris point ce langage; nous nous entretînmes 5
quelques moments sans nous entendre; à la fin, s'apercevant que j'avais besoin d'une explication, il me la
donna, telle que j'ai déjà eu horreur de vous la dire, et
que j'ai encore de la répéter.

Jamais apoplexie violente ne causa d'effet plus subit 10
et plus terrible. Je tombai, avec une palpitation de
cœur si douloureuse, qu'à l'instant que je perdis la
connaissance, je me crus délivré de la vie pour toujours.
Il me resta même quelque chose de cette pensée,
lorsque je revins à moi. Je tournai mes regards vers 15
toutes les parties de la chambre et sur moi-même, pour
m'assurer si je portais encore la malheureuse qualité
d'homme vivant. Il est certain qu'en ne suivant que
le mouvement naturel qui fait chercher à se délivrer de
ses peines, rien ne pouvait me paraître plus doux que 20
la mort, dans ce moment de désespoir et de consternation. La religion même ne pouvait me faire envisager
rien de plus insupportable, après la vie, que les con-
vulsions cruelles dont j'étais tourmenté. Cependant,
par un miracle propre à l'amour, je retrouvai bien- 25
tôt assez de force pour remercier le Ciel de m'avoir
rendu la connaissance et la raison. Ma mort n'eût
été utile qu'à moi; Manon avait besoin de ma vie pour
la délivrer, pour la secourir, pour la venger. Je jurai de
m'y employer sans ménagement. 30

Le concierge me donna toute l'assistance que j'eusse
pu attendre du meilleur de mes amis. Je reçus ses
services avec une vive reconnaissance.

— Hélas ! lui dis-je, vous êtes donc touché de mes
5 peines. Tout le monde m'abandonne. Mon père
même est sans doute un de mes plus cruels persécu-
teurs. Personne n'a pitié de moi; vous seul, dans le
séjour de la dureté et de la barbarie, vous marquez
de la compassion pour le plus misérable de tous les
10 hommes !

Il me conseillait de ne point paraître dans la rue,
sans être un peu remis du trouble où j'étais.

— Laissez, laissez, répondis-je en sortant; je vous
reverrai plus tôt que vous ne pensez. Préparez-moi le
15 plus noir de vos cachots; je vais travailler à le mériter.

En effet, mes premières résolutions n'allaient à rien
moins qu'à me défaire des deux G ... M ... et du
Lieutenant Général de Police, et fondre ensuite à main
armée sur l'Hôpital, avec tous ceux que je pourrais
20 engager dans ma querelle. Mon père, lui-même, eût à
peine été respecté, dans une vengeance qui me paraissait si juste; car le concierge ne m'avait pas caché
que lui et G ... M ... étaient les auteurs de ma perte.
Mais lorsque j'eus fait quelques pas dans les rues, et
25 que l'air eut un peu rafraîchi mon sang et mes humeurs,
ma fureur fit place peu à peu à des sentiments plus
raisonnables. La mort de nos ennemis eût été d'une
faible utilité pour Manon, et elle m'eût exposé sans
doute à me voir ôter tous les moyens de la secourir.

D'ailleurs, aurais-je eu recours à un lâche assassinat ?
Quelle autre voie pouvais-je m'ouvrir à la vengeance ?
Je recueillis toutes mes forces et tous mes esprits pour
travailler d'abord à la délivrance de Manon, remettant
tout le reste après le succès de cette importante entre- 5
prise.

Il me restait peu d'argent; c'était néanmoins un
fondement nécessaire, par lequel il fallait commencer.
Je ne voyais que trois personnes de qui j'en pusse
attendre: M. de T . . . , mon père et Tiberge. Il y 10
avait peu d'apparence d'obtenir quelque chose des
deux derniers, et j'avais honte de fatiguer l'autre
par mes importunités. Mais ce n'est point dans le
désespoir qu'on garde des ménagements. J'allai sur-le-
champ au Séminaire de Saint-Sulpice, sans m'embar- 15
rasser si j'y serais reconnu; je fis appeler Tiberge. Ses
premières paroles me firent comprendre qu'il ignorait
encore mes dernières aventures. Cette idée me fit
changer le dessein que j'avais, de l'attendrir par la
compassion. Je lui parlai, en général, du plaisir que 20
j'avais eu de revoir mon père, et je le priai ensuite de
me prêter quelque argent, sous prétexte de payer,
avant mon départ de Paris, quelques dettes que je
souhaitais de tenir inconnues; il me présenta aussitôt
sa bourse. Je pris cinq cents francs, sur six cents que 25
j'y trouvai. Je lui offris mon billet; il était trop
généreux pour l'accepter.

Je tournai de là chez M. de T . . . Je n'eus point de
réserve avec lui. Je lui fis l'exposition de mes malheurs

et de mes peines. Il en savait déjà jusqu'aux moindres
circonstances, par le soin qu'il avait eu de suivre
l'aventure du jeune G ... M ... ; il m'écouta néanmoins, et il me plaignit beaucoup. Lorsque je lui
5 demandai ses conseils sur les moyens de délivrer
Manon, il me répondit tristement qu'il y voyait si peu
de jour, qu'à moins d'un secours extraordinaire du
Ciel, il fallait renoncer à l'espérance; qu'il avait passé
exprès à l'Hôpital, depuis qu'elle y était renfermée;
10 qu'il n'avait pu obtenir lui-même la liberté de la voir;
que les ordres du Lieutenant Général de Police étaient
de la dernière rigueur, et que, pour comble d'infortune,
la malheureuse bande où elle devait entrer était
destinée à partir le surlendemain du jour où nous
15 étions. J'étais si consterné de son discours, qu'il eût
pu parler une heure sans que j'eusse pensé à l'in-
terrompre. Il continua de me dire qu'il ne m'était
point allé voir au Châtelet, pour se donner plus de
facilité à me servir lorsqu'on le croirait sans liaison
20 avec moi; que, depuis quelques heures que j'en étais
sorti, il avait eu le chagrin d'ignorer où je m'étais retiré,
et qu'il avait souhaité de me voir promptement pour
me donner le seul conseil dont il semblait que je pusse
espérer du changement dans le sort de Manon, mais un
25 conseil dangereux, auquel il me priait de cacher éternellement qu'il eût part: c'était de choisir quelques
braves, qui eussent le courage d'attaquer les gardes de
Manon, lorsqu'ils seraient sortis de Paris avec elle. Il
n'attendit point que je lui parlasse de mon indigence.

—Voilà cent pistoles, me dit-il, en me présentant une bourse, qui pourront vous être de quelque usage. Vous me les remettrez, lorsque la Fortune aura rétabli vos affaires.

Il ajouta que, si le soin de sa réputation lui eût permis d'entreprendre lui-même la délivrance de ma maîtresse, il m'eût offert son bras et son épée.

Cette excessive générosité me toucha jusqu'aux larmes. J'employai, pour lui marquer ma reconnaissance, toute la vivacité que mon affliction me laissait de reste. Je lui demandai s'il n'y avait rien à espérer par la voie des intercessions, auprès du Lieutenant Général de Police. Il me dit qu'il y avait pensé; mais qu'il croyait cette ressource inutile, parce qu'une grâce de cette nature ne pouvait se demander sans motif, et qu'il ne voyait pas bien quel motif on pouvait employer pour se faire un intercesseur d'une personne grave et puissante; que, si l'on pouvait se flatter de quelque chose de ce côté-là, ce ne pouvait être qu'en faisant changer de sentiment à M. de G... M... et à mon père, et en les engageant à prier eux-mêmes M. le Lieutenant Général de Police de révoquer sa sentence. Il m'offrit de faire tous ses efforts pour gagner le jeune G... M..., quoiqu'il le crût un peu refroidi à son égard, par quelques soupçons qu'il avait conçus de lui à l'occasion de notre affaire; et il m'exhorta à ne rien omettre de mon côté, pour fléchir l'esprit de mon père.

Ce n'était pas une légère entreprise pour moi, je ne

dis pas seulement par la difficulté que je devais naturellement trouver à le vaincre, mais par une autre
raison qui me faisait même redouter ses approches:
je m'étais dérobé de son logement contre ses ordres, et
5 j'étais fort résolu de n'y pas retourner, depuis que
j'avais appris la triste destinée de Manon. J'appréhendais avec sujet qu'il ne me fît retenir malgré moi, et
qu'il ne me reconduisît de même en province. Mon
frère aîné avait usé autrefois de cette méthode. Il est
10 vrai que j'étais devenu plus âgé; mais l'âge était une
faible raison contre la force.

Cependant je trouvais une voie, qui me sauvait du
danger; c'était de le faire appeler dans un endroit
public, et de m'annoncer à lui sous un autre nom. Je
15 pris aussitôt ce parti. M. de T . . . s'en alla chez G . . .
M . . . et moi au Luxembourg, d'où j'envoyai avertir
mon père, qu'un gentilhomme de ses serviteurs était à
l'attendre. Je craignais qu'il n'eût quelque peine à
venir, parce que la nuit approchait. Il parut néan-
20 moins peu après, suivi de son laquais. Je le priai de
prendre une allée où nous puissions être seuls. Nous
fîmes cent pas, pour le moins, sans parler. Il s'imaginait bien, sans doute, que tant de préparations ne
s'étaient pas faites sans un dessein d'importance; il
25 attendait ma harangue, et je la méditais. Enfin
j'ouvris la bouche.

— Monsieur, lui dis-je en tremblant, vous êtes un
bon père. Vous m'avez comblé de grâces, et vous
m'avez pardonné un nombre infini de fautes. Aussi le

Ciel m'est-il témoin, que j'ai pour vous tous les sentiments du fils le plus tendre et le plus respectueux.
Mais il me semble . . . que votre rigueur . . .

— Hé bien ! ma rigueur ? interrompit mon père, qui
trouvait sans doute que je parlais lentement pour son   5
impatience.

— Ah ! Monsieur, repris-je, il me semble que votre
rigueur est extrême, dans le traitement que vous avez
fait à la malheureuse Manon.   Vous vous en êtes
rapporté à M. de G . . . M . . .   Sa haine vous l'a 10
représentée sous les plus noires couleurs; vous vous
êtes formé d'elle une affreuse idée.   Cependant c'est la
plus douce et la plus aimable créature qui fût jamais.
Que n'a-t-il plu au Ciel de vous inspirer l'envie de la
voir un moment ! Je ne suis pas plus sûr qu'elle est 15
charmante, que je le suis qu'elle vous l'aurait paru.
Vous auriez pris parti pour elle; vous auriez détesté les
noirs artifices de G . . . M . . . ; vous auriez eu compassion d'elle et de moi.   Hélas ! j'en suis sûr.   Votre
cœur n'est pas insensible.   Vous vous seriez laissé 20
attendrir.

Il m'interrompit encore, voyant que je parlais avec
une ardeur qui ne m'aurait pas permis de finir sitôt.
Il voulut savoir à quoi j'avais dessein d'en venir, par
un discours si passionné.   25

— A vous demander la vie, répondis-je, que je ne
puis conserver un moment si Manon part une fois pour
l'Amérique.

— Non, non, me dit-il d'un ton sévère; j'aime

mieux te voir sans vie, que sans sagesse et sans honneur.

— N'allons donc pas plus loin, m'écriai-je en l'arrêtant par le bras. Otez-la moi, cette vie odieuse et
5 insupportable; car dans le désespoir où vous me jetez, la mort sera une faveur pour moi. C'est un présent digne de la main d'un père.

— Je ne te donnerais que ce que tu mérites, répliqua-t-il. Je connais bien des pères qui n'auraient
10 pas attendu si longtemps pour être eux-mêmes tes bourreaux; mais c'est ma bonté excessive qui t'a perdu.

Je me jetai à ses genoux.

— Ah ! s'il vous en reste encore, lui dis-je en les
15 embrassant, ne vous endurcissez donc pas contre mes pleurs. Songez que je suis votre fils . . . Hélas ! souvenez-vous de ma mère. Vous l'aimiez si tendrement ! Auriez-vous souffert qu'on l'eût arrachée de vos bras ? Vous l'auriez défendue jusqu'à la mort. Les autres
20 n'ont-ils pas un cœur comme vous ? Peut-on être barbare, après avoir une fois éprouvé ce que c'est que la tendresse et la douleur ?

— Ne me parle pas davantage de ta mère, reprit-il d'une voix irritée; ce souvenir échauffe mon indigna-
25 tion. Tes désordres la feraient mourir de douleur, si elle eût assez vécu pour les voir. Finissons cet entretien, ajouta-t-il; il m'importune, et ne me fera point changer de résolution. Je retourne au logis; je t'ordonne de me suivre.

Le ton sec et dur avec lequel il m'intima cet ordre me fit trop comprendre que son cœur était inflexible. Je m'éloignai de quelques pas, dans la crainte qu'il ne lui prît envie de m'arrêter de ses propres mains.

— N'augmentez pas mon désespoir, lui dis-je, en me forçant de vous désobéir. Il est impossible que je vous suive. Il ne l'est pas moins que je vive, après la dureté avec laquelle vous me traitez. Ainsi je vous dis un éternel adieu. Ma mort, que vous apprendrez bientôt, ajoutai-je tristement, vous fera peut-être reprendre pour moi des sentiments de père.

Comme je me tournais pour le quitter:

— Tu refuses donc de me suivre ? s'écria-t-il avec une vive colère. Va, cours à ta perte. Adieu, fils ingrat et rebelle.

— Adieu, lui dis-je dans mon transport, adieu, père barbare et dénaturé.

Je sortis aussitôt du Luxembourg. Je marchai dans les rues comme un furieux, jusqu'à la maison de M. de T... Je levais, en marchant, les yeux et les mains pour invoquer toutes les puissances célestes.

— O Ciel ! disais-je, serez-vous aussi impitoyable que les hommes ? Je n'ai plus de secours à attendre que de vous.

M. de T... n'était point encore retourné chez lui; mais il revint, après que je l'y eus attendu quelques moments. Sa négociation n'avait pas réussi mieux que la mienne; il me le dit d'un visage abattu. Le jeune G... M..., quoique moins irrité que son père

contre Manon et contre moi, n'avait pas voulu entreprendre de le solliciter en notre faveur. Il s'en était
défendu par la crainte qu'il avait lui-même de ce
vieillard vindicatif, qui s'était déjà fort emporté contre
5 lui en lui reprochant ses desseins de commerce avec
Manon. Il ne me restait donc que la voie de la violence, telle que M. de T... m'en avait tracé le plan;
j'y réduisis toutes mes espérances.

— Elles sont bien incertaines, lui dis-je; mais la
10 plus solide et la plus consolante pour moi est celle de
périr du moins dans l'entreprise.

Je le quittai en le priant de me secourir par ses
vœux; et je ne pensai plus qu'à m'associer des camarades, à qui je pusse communiquer une étincelle de
15 mon courage et de ma résolution.

Le premier qui s'offrit à mon esprit, fut le même
garde du corps que j'avais employé pour arrêter G...
M... J'avais dessein aussi d'aller passer la nuit dans
sa chambre, n'ayant pas eu l'esprit assez libre pendant
20 l'après-midi pour me procurer un logement. Je le
trouvai seul. Il eut de la joie de me voir sorti du
Châtelet; il m'offrit affectueusement ses services. Je
lui expliquai ceux qu'il pouvait me rendre. Il avait
assez de bon sens pour en apercevoir toutes les diffi-
25 cultés; mais il fut assez généreux pour entreprendre de
les surmonter. Nous employâmes une partie de la
nuit à raisonner sur mon dessein. Il me parla des trois
soldats aux gardes dont il s'était servi dans la dernière
occasion, comme de trois braves à l'épreuve. M. de

T ... m'avait informé exactement du nombre des
archers, qui devait conduire Manon; il n'étaient que
six. Cinq hommes hardis et résolus suffisaient pour
donner l'épouvante à ces misérables, qui ne sont point
capables de se défendre honorablement lorsqu'ils peu- 5
vent éviter le péril du combat par une lâcheté. Comme
je ne manquais point d'argent, le garde du corps me
conseilla de ne rien épargner pour assurer le succès
de notre attaque.

— Il nous faut des chevaux, me dit-il, avec des 10
pistolets, et chacun notre mousqueton. Je me charge
de prendre demain le soin de ces préparatifs. Il
faudra aussi trois habits communs pour nos soldats,
qui n'oseraient paraître dans une affaire de cette nature
avec l'uniforme du régiment. 15

Je lui mis entre les mains les cent pistoles que j'avais
reçues de M. de T ... Elles furent employées, le
lendemain, jusqu'au dernier sol. Les trois soldats
passèrent en revue devant moi. Je les animai par de
grandes promesses, et, pour leur ôter toute défiance, je 20
commençai par leur faire présent, à chacun, de dix
pistoles.

Le jour de l'exécution étant venu, j'en envoyai un
de grand matin à l'Hôpital, pour s'instruire, par ses
propres yeux, du moment auquel les archers par- 25
tiraient avec leur proie. Quoique je n'eusse pris cette
précaution que par un excès d'inquiétude et de pré-
voyance, il se trouva qu'elle avait été absolument
nécessaire. J'avais compté sur quelques fausses infor-

mations qu'on m'avait données de leur route, et,
m'étant persuadé que c'était à la Rochelle* que cette
déplorable troupe devait être embarquée, j'aurais
perdu mes peines à l'attendre sur le chemin d'Orléans.
5 Cependant je fus informé par le rapport du soldat aux
gardes, qu'elle prenait le chemin de Normandie,* et
que c'était du Havre-de-Grâce qu'elle devait partir
pour l'Amérique.

Nous nous rendîmes aussitôt à la Porte Saint-
10 Honoré,* observant de marcher par des rues différentes. Nous nous réunîmes au bout du faubourg.
Nos chevaux étaient frais. Nous ne tardâmes point à
découvrir les six gardes et les deux misérables voitures
que vous vîtes à Pacy, il y a deux ans. Ce spectacle
15 faillit de m'ôter la force et la connaissance.

— O Fortune, m'écriai-je, Fortune cruelle ! accorde-
moi ici, du moins, la mort ou la victoire.

Nous tînmes conseil un moment sur la manière dont
nous ferions notre attaque.* Les archers n'étaient
20 guère plus de quatre cents pas devant nous, et nous
pouvions les couper en passant au travers d'un petit
champ, autour duquel le grand chemin tournait. Le
garde du corps fut d'avis de prendre cette voie, pour
les surprendre en fondant tout d'un coup sur eux.
25 J'approuvai sa pensée, et je fus le premier à piquer mon
cheval; mais la Fortune avait rejeté impitoyable-
ment mes vœux. Les archers, voyant cinq cavaliers
accourir vers eux, ne doutèrent point que ce ne fût
pour les attaquer. Ils se mirent en défense, en pré-

parant leurs baïonnettes et leurs fusils, d'un air assez résolu. Cette vue, qui ne fit que nous animer, le garde du corps et moi, ôta tout d'un coup le courage à nos trois lâches compagnons. Ils s'arrêtèrent comme de concert, et, s'étant dit entre eux quelques mots que je 5 n'entendis point, ils tournèrent la tête de leurs chevaux, pour reprendre le chemin de Paris à bride abattue.

— Dieux ! me dit le garde du corps, qui paraissait aussi éperdu que moi de cette infâme désertion, qu'allons-nous faire ? Nous ne sommes que deux. 10

J'avais perdu la voix, de fureur et d'étonnement. Je m'arrêtai, incertain si ma première vengeance ne devait pas s'employer à la poursuite et au châtiment des lâches qui m'abandonnaient. Je les regardais fuir, et je jetais les yeux de l'autre côté sur les archers. S'il 15 m'eût été possible de me partager, j'aurais fondu tout à la fois sur ces deux objets de ma rage ; je les dévorais tous ensemble. Le garde du corps, qui jugeait de mon incertitude par le mouvement égaré de mes yeux, me pria d'écouter son conseil. 20

— N'étant que deux, me dit-il, il y aurait de la folie à attaquer six hommes aussi bien armés que nous et qui paraissent nous attendre de pied ferme. Il faut retourner à Paris et tâcher de réussir mieux dans le choix de nos braves. Les archers ne sauraient faire de 25 grandes journées avec deux pesantes voitures ; nous les rejoindrons demain sans peine.

Je fis un moment de réflexion sur ce parti ; mais, ne voyant de tous côtés que des sujets de désespoir, je

pris une résolution véritablement désespérée. Ce
fut de remercier mon compagnon de ses services; et,
loin d'attaquer les archers, je résolus d'aller, avec
soumission, les prier de me recevoir dans leur troupe,
5 pour accompagner Manon avec eux jusqu'au Havre-
de-Grâce et passer ensuite au delà des mers avec elle.

— Tout le monde me persécute ou me trahit, dis-je au
garde du corps. Je n'ai plus de fond à faire sur personne; je n'attends plus rien, ni de la Fortune, ni du
10 secours des hommes. Mes malheurs sont au comble;
il ne me reste plus que de m'y soumettre. Ainsi, je
ferme les yeux à toute espérance. Puisse le Ciel récompenser votre générosité ! Adieu, je vais aider mon
mauvais sort à consommer ma ruine, en y courant moi-
15 même volontairement.

Il fit inutilement ses efforts pour m'engager à
retourner à Paris. Je le priai de me laisser suivre mes
résolutions et de me quitter sur-le-champ, de peur que
les archers ne continuassent de croire que notre dessein
20 était de les attaquer. J'allai seul vers eux, d'un pas
lent, et le visage si consterné qu'ils ne durent rien
trouver d'effrayant dans mes approches. Ils se te-
naient néanmoins en défense.

— Rassurez-vous, Messieurs, leur dis-je en les
25 abordant; je ne vous apporte point la guerre, je viens
vous demander des grâces.

Je les priai de continuer leur chemin sans défiance, et
je leur appris, en marchant, les faveurs que j'attendais
d'eux. Ils consultèrent ensemble de quelle manière ils

devaient recevoir cette ouverture. Le chef de la bande
prit la parole pour les autres. Il me répondit que les
ordres qu'ils avaient de veiller sur leurs captives étaient
d'une extrême rigueur; que je lui paraissais néanmoins si joli homme, que lui et ses compagnons se 5
relâcheraient un peu de leur devoir; mais que je devais
comprendre qu'il fallait qu'il m'en coûtât quelque
chose. Il me restait environ quinze pistoles; je leur
dis naturellement en quoi consistait le fond de ma
bourse.   10

— Hé bien ! me dit l'archer, nous en userons généreusement. Il ne vous coûtera qu'un écu par heure,
pour entretenir celle de nos filles qui vous plaira le
plus; c'est le prix courant de Paris.

Je ne leur avais pas parlé de Manon en particulier, 15
parce que je n'avais pas dessein qu'ils connussent ma
passion. Ils s'imaginèrent d'abord que ce n'était
qu'une fantaisie de jeune homme, qui me faisait chercher un peu de passe-temps avec ces créatures; mais
lorsqu'ils crurent s'être aperçus que j'étais amoureux, 20
ils augmentèrent tellement le tribut, que ma bourse se
trouva épuisée en partant de Mantes,* où nous avions
couché, le jour que nous arrivâmes à Pacy.

Vous dirai-je quel fut le déplorable sujet de mes
entretiens avec Manon pendant cette route, ou quelle 25
impression sa vue fit sur moi lorsque j'eus obtenu des
gardes la liberté d'approcher de son chariot ? Ah ! les
expressions ne rendent jamais qu'à demi les sentiments
du cœur. Mais figurez-vous ma pauvre maîtresse

enchaînée par le milieu du corps, assise sur quelques
poignées de paille, la tête appuyée languissamment
sur un côté de la voiture, le visage pâle et mouillé d'un
ruisseau de larmes, qui se faisaient un passage au
5 travers de ses paupières quoiqu'elle eût continuellement les yeux fermés. Elle n'avait pas même eu la
curiosité de les ouvrir, lorsqu'elle avait entendu le
bruit de ses gardes, qui craignaient d'être attaqués.
Son linge était sale et dérangé, ses mains délicates
10 exposées à l'injure de l'air; enfin, tout ce composé
charmant, cette figure capable de ramener l'univers à
l'idolâtrie, paraissait dans un désordre et un abattement* inexprimables. J'employai quelque temps à la
considérer, en allant à cheval à côté du chariot. J'étais
15 si peu à moi-même que je fus sur le point plusieurs fois
de tomber dangereusement. Mes soupirs et mes
exclamations fréquentes m'attirèrent d'elle quelques
regards. Elle me reconnut, et je remarquai que, dans
le premier mouvement, elle tenta de se précipiter hors
20 de la voiture pour venir à moi; mais, étant retenue par
sa chaîne, elle retomba dans sa première attitude.*

Je priai les archers d'arrêter un moment par compassion; ils y consentirent par avarice. Je quittai
mon cheval pour m'asseoir auprès d'elle. Elle était si
25 languissante et si affaiblie, qu'elle fut longtemps sans
pouvoir se servir de sa langue, ni remuer ses mains.
Je les mouillais pendant ce temps-là de mes pleurs, et,
ne pouvant proférer moi-même une seule parole, nous
étions l'un et l'autre dans une des plus tristes situations

dont il y ait jamais eu d'exemple. Nos expressions ne le furent pas moins, lorsque nous eûmes retrouvé la liberté de parler.

Manon parla peu. Il semblait que la honte et la douleur eussent altéré les organes de sa voix; le son en était faible et tremblant. Elle me remercia de ne l'avoir pas oubliée, et de la satisfaction que je lui accordais, dit-elle en soupirant, de me voir du moins encore une fois et de me dire le dernier adieu. Mais lorsque je l'eus assurée que rien n'était capable de me séparer d'elle, et que j'étais disposé à la suivre jusqu'à l'extrémité du monde pour prendre soin d'elle, pour la servir, pour l'aimer et pour attacher inséparablement ma misérable destinée à la sienne, cette pauvre fille se livra à des sentiments si tendres et si douloureux, que j'appréhendai quelque chose pour sa vie d'une si violente émotion. Tous les mouvements de son âme semblaient se réunir dans ses yeux. Elle les tenait fixés sur moi. Quelquefois elle ouvrait la bouche, sans avoir la force d'achever quelques mots qu'elle commençait; il lui en échappait néanmoins quelques-uns. C'étaient des marques d'admiration sur mon amour, de tendres plaintes de son excès, des doutes qu'elle pût être assez heureuse pour m'avoir inspiré une passion si parfaite, des instances pour me faire renoncer au dessein de la suivre et chercher ailleurs un bonheur digne de moi, qu'elle me disait que je ne pouvais espérer avec elle.

En dépit du plus cruel de tous les sorts, je trouvais

ma félicité dans ses regards et dans la certitude que
j'avais de son affection. J'avais perdu, à la vérité,
tout ce que le reste des hommes estime; mais j'étais
maître du cœur de Manon, le seul bien que j'estimais.
5 Vivre en Europe, vivre en Amérique, que m'importait-
il en quel endroit vivre, si j'étais sûr d'y être heureux
en y vivant avec ma maîtresse ? Tout l'univers n'est-il
pas la patrie de deux amants fidèles ? Ne trouvent-ils
pas l'un dans l'autre, père, mère, parents, amis, ri-
10 chesses et félicité ? Si quelque chose me causait de
l'inquiétude c'était la crainte de voir Manon exposée
aux besoins de l'indigence. Je me supposais déjà, avec
elle, dans une région inculte et habitée par des sauvages.

15   — Je suis bien sûr, disais-je, qu'il ne saurait y en
avoir d'aussi cruels que G . . . M . . . et mon père. Ils
nous laisseront du moins vivre en paix. Si les relations
qu'on en fait sont fidèles, ils suivent les lois de la
nature. Ils ne connaissent ni les fureurs de l'avarice,
20 qui possèdent G . . . M . . . , ni les idées fantastiques
de l'honneur, qui m'ont fait un ennemi de mon père.
Ils ne troubleront point deux amants qu'ils verront
vivre avec autant de simplicité qu'eux.

J'étais donc tranquille de ce côté-là. Mais je ne me
25 formais point des idées romanesques par rapport aux
besoins communs de la vie. J'avais éprouvé trop souvent qu'il y a des nécessités insupportables, surtout
pour une fille délicate, qui est accoutumée à une vie
commode et abondante. J'étais au désespoir d'avoir

épuisé inutilement ma bourse, et que le peu d'argent
qui me restait fût encore sur le point de m'être ravi par
la friponnerie des archers. Je concevais qu'avec une
petite somme j'aurais pu espérer non seulement de me
soutenir quelque temps contre la misère en Amérique, 5
où l'argent était rare, mais d'y former même quelque
entreprise pour un établissement durable. Cette
considération me fit naître la pensée d'écrire à Tiberge,
que j'avais toujours trouvé si prompt à m'offrir les
secours de l'amitié. J'écrivis, dès la première ville où 10
nous passâmes. Je ne lui apportai point d'autre motif,
que le pressant besoin dans lequel je prévoyais que je
me trouverais au Havre-de-Grâce, où je lui confessais
que j'étais allé conduire Manon; je lui demandais cent
pistoles. 15

— Faites-les-moi tenir au Havre, lui disais-je, par
le maître de la poste. Vous voyez bien que c'est la
dernière fois que j'importune votre affection, et que,
ma malheureuse maîtresse m'étant enlevée pour
toujours, je ne puis la laisser partir sans quelques 20
soulagements, qui adoucissent son sort et mes mortels
regrets.

Les archers devinrent si intraitables, lorsqu'ils
eurent découvert la violence de ma passion, que,
redoublant continuellement le prix de leurs moindres 25
faveurs, ils me réduisirent bientôt à la dernière indigence. L'amour, d'ailleurs, ne me permettait guère de
ménager ma bourse. Je m'oubliais du matin au soir
près de Manon; et ce n'était plus par heure que le

temps m'était mesuré, c'était par la longueur entière
des jours. Enfin, ma bourse étant tout à fait vide, je
me trouvai exposé aux caprices et à la brutalité de six
misérables, qui me traitaient avec une hauteur insup-
5 portable. Vous en fûtes témoin à Pacy. Votre rencontre fut un heureux moment de relâche, qui me fut
accordé par la Fortune. Votre pitié, à la vue de mes
peines, fut ma seule recommandation auprès de votre
cœur généreux. Le secours, que vous m'accordâtes
10 libéralement, servit à me faire gagner le Havre, et les
archers tinrent leur promesse, avec plus de fidélité que
je ne l'espérais.

Nous arrivâmes au Havre. J'allai d'abord à la
poste. Tiberge n'avait point encore eu le temps de me
15 répondre. Je m'informai exactement quel jour je
pouvais attendre sa lettre. Elle ne pouvait arriver que
deux jours après; et, par une étrange disposition de
mon mauvais sort, il se trouva que notre vaisseau
devait partir le matin de celui auquel j'attendais l'or-
20 dinaire.* Je ne puis vous représenter mon désespoir.

— Quoi ! m'écriai-je, dans le malheur même, il
faudra toujours que je sois distingué par des excès ?

Manon répondit :

— Hélas ! une vie si malheureuse mérite-t-elle le
25 soin que nous en prenons ? Mourons au Havre, mon
cher Chevalier. Que la mort finisse tout d'un coup nos
misères ! Irons-nous les traîner dans un pays inconnu,
où nous devons nous attendre sans doute à d'horribles
extrémités, puisqu'on a voulu m'en faire un supplice ?

Mourons, me répéta-t-elle; ou, du moins, donne-moi la mort, et va chercher un autre sort dans les bras d'une amante plus heureuse.

— Non, non, lui dis-je, c'est pour moi un sort digne d'envie que d'être malheureux avec vous.

Son discours me fit trembler. Je jugeai qu'elle était accablée de ses maux. Je m'efforçai de prendre un air plus tranquille, pour lui ôter ces funestes pensées de mort et de désespoir. Je résolus de tenir la même conduite à l'avenir; et j'ai éprouvé, dans la suite, que rien n'est plus capable d'inspirer du courage à une femme que l'intrépidité d'un homme qu'elle aime.

Lorsque j'eus perdu l'espérance de recevoir du secours de Tiberge, je vendis mon cheval. L'argent que j'en tirai, joint à ce qui me restait encore de vos libéralités, me composa la petite somme de dix-sept pistoles. J'en employai sept à l'achat de quelques soulagements nécessaires à Manon; et je serrai les dix autres avec soin, comme le fondement de notre fortune et de nos espérances en Amérique. Je n'eus point de peine à me faire recevoir dans le vaisseau. On cherchait alors des jeunes gens qui fussent disposés à se joindre volontairement à la colonie. Le passage et la nourriture me furent accordés gratis. La poste de Paris devant partir le lendemain, j'y laissai une lettre pour Tiberge. Elle était touchante et capable de l'attendrir, sans doute, au dernier point, puisqu'elle lui fit prendre une résolution qui ne pouvait venir que d'un fond infini de tendresse et de générosité pour un ami malheureux.

Nous mîmes à la voile. Le vent ne cessa point de
nous être favorable. J'obtins du capitaine un lieu à
part, pour Manon et pour moi. Il eut la bonté de nous
regarder d'un autre œil que le commun de nos misé-
5 rables associés. Je l'avais pris en particulier dès le
premier jour, et, pour m'attirer de lui quelque considération, je lui avais découvert une partie de mes
infortunes. Je ne crus pas me rendre coupable d'un
mensonge honteux, en lui disant que j'étais marié à
10 Manon. Il feignit de le croire, et il m'accorda sa
protection. Nous en reçûmes des marques pendant
toute la navigation. Il eut soin de nous faire nourrir
honnêtement; et les égards qu'il eut pour nous servirent à nous faire respecter des compagnons de notre
15 misère. J'avais une attention continuelle à ne pas
laisser souffrir la moindre incommodité à Manon. Elle
le remarquait bien; et cette vue, jointe au vif ressentiment de l'étrange extrémité où je m'étais réduit pour
elle, la rendait si tendre et si passionnée, si attentive
20 aussi à mes plus légers besoins, que c'était, entre elle et
moi, une perpétuelle émulation de services et d'amour.
Je ne regrettais point l'Europe. Au contraire, plus
nous avancions vers l'Amérique, plus je sentais mon
cœur s'élargir et devenir tranquille. Si j'eusse pu
25 m'assurer de n'y pas manquer des nécessités absolues
de la vie, j'aurais remercié la Fortune d'avoir donné un
tour si favorable à nos malheurs.

Après une navigation de deux mois,* nous abor-
dâmes enfin au rivage désiré. Le pays ne nous offrit

rien d'agréable à la première vue. C'étaient des campagnes stériles* et inhabitées, où l'on voyait à peine quelques roseaux et quelques arbres dépouillés par le vent. Nulle trace d'hommes, ni d'animaux. Cependant, le capitaine ayant fait tirer quelques pièces de 5 notre artillerie, nous ne fûmes pas longtemps sans apercevoir une troupe de citoyens du Nouvel-Orléans,* qui s'approchèrent de nous avec de vives marques de joie. Nous n'avions pas découvert la ville: elle est cachée, de ce côté-là, par une petite colline. Nous 10 fûmes reçus commes des gens descendus du Ciel. Ces pauvres habitants s'empressaient pour nous faire mille questions sur l'état de la France et sur les différentes provinces où ils étaient nés. Ils nous embrassaient comme leurs frères, et comme de chers compagnons 15 qui venaient partager leur misère et leur solitude. Nous prîmes le chemin de la ville avec eux; mais nous fûmes surpris de découvrir, en avançant, que ce qu'on nous avait vanté jusqu'alors comme une bonne ville n'était qu'un assemblage de quelques pauvres cabanes. 20 Elles étaient habitées par cinq ou six cents personnes. La maison du Gouverneur nous parut un peu distinguée par sa hauteur et par sa situation; elle est défendue par quelques ouvrages de terre, autour desquels règne un large fossé.   25

Nous fûmes d'abord présentés à lui. Il s'entretint longtemps en secret avec le capitaine; et, revenant ensuite à nous, il considéra, l'une après l'autre, toutes les filles qui étaient arrivées par le vaisseau. Elles

étaient au nombre de trente; car nous en avions trouvé
au Havre une autre bande, qui s'était jointe à la nôtre.
Le Gouverneur,* les ayant longtemps examinées, fit
appeler divers jeunes gens de la ville qui languissaient
5 dans l'attente d'une épouse.   Il donna les plus jolies
aux principaux, et le reste fut tiré au sort.*   Il n'avait
point encore parlé à Manon; mais, lorsqu'il eut ordonné aux autres de se retirer, il nous fit demeurer,
elle et moi.

10   — J'apprends du capitaine, nous dit-il, que vous
êtes mariés, et qu'il vous a reconnus sur la route pour
deux personnes d'esprit et de mérite.   Je n'entre point
dans les raisons qui ont causé votre malheur; mais s'il
est vrai que vous ayez autant de savoir-vivre que votre
15 figure me le promet, je n'épargnerai rien pour adoucir
votre sort, et vous contribuerez vous-mêmes à me faire
trouver quelque agrément dans ce lieu sauvage et
désert.

Je lui répondis de la manière que je crus la plus
20 propre à confirmer l'idée qu'il avait de nous.   Il donna
quelques ordres pour nous faire préparer un logement
dans la ville, et il nous retint à souper avec lui.   Je lui
trouvai beaucoup de politesse pour un chef de malheureux bannis.   Il ne nous fit point de questions en
25 public, sur le fond de nos aventures.   La conversation
fut générale, et, malgré notre tristesse, nous nous
efforçâmes, Manon et moi, de contribuer à la rendre
agréable.

Le soir, il nous fit conduire au logement qu'on nous

avait préparé. Nous trouvâmes une misérable cabane, composée de planches et de boue, qui consistait en deux ou trois chambres de plain-pied, avec un grenier au-dessus. Il y avait fait mettre cinq ou six chaises et quelques commodités nécessaires à la vie. Manon parut effrayée, à la vue d'une si triste demeure. C'était pour moi qu'elle s'affligeait beaucoup plus que pour elle-même. Elle s'assit lorsque nous fûmes seuls, et elle se mit à pleurer amèrement. J'entrepris d'abord de la consoler; mais, lorsqu'elle m'eut fait entendre que c'était moi seul qu'elle plaignait, et qu'elle ne considérait dans nos malheurs communs que ce que j'avais à souffrir, j'affectai de montrer assez de courage et même assez de joie pour lui en inspirer.

— De quoi me plaindrais-je ? lui dis-je. Je possède tout ce que je désire. Vous m'aimez, n'est-ce pas ? Quel autre bonheur me suis-je jamais proposé ? Laissons au Ciel le soin de notre fortune; je ne la trouve pas si désespérée. Le Gouverneur est un homme civil; il nous a marqué de la considération, il ne permettra pas que nous manquions du nécessaire. Pour ce qui regarde la pauvreté de notre cabane et la grossièreté de nos meubles, vous avez pu remarquer qu'il y a peu de personnes ici qui paraissent mieux logées et mieux meublées que nous. Et puis, tu es une chimiste admirable, ajoutai-je en l'embrassant; tu transformes tout en or.

— Vous serez donc la plus riche personne de l'univers, me répondit-elle; car s'il n'y eut jamais d'amour

tel que le vôtre, il est impossible aussi d'être aimé plus
tendrement que vous l'êtes. Je me rends justice,
continua-t-elle. Je sens bien que je n'ai jamais mérité
ce prodigieux attachement que vous avez pour moi.
5 Je vous ai causé des chagrins, que vous n'avez pu me
pardonner sans une bonté extrême. J'ai été légère et
volage; et même en vous aimant éperdument, comme
j'ai toujours fait, je n'étais qu'une ingrate. Mais vous
ne sauriez croire combien je suis changée. Mes
10 larmes, que vous avez vues couler si souvent depuis
notre départ de France, n'ont pas eu une seule fois mes
malheurs pour objet. J'ai cessé de les sentir aussitôt
que vous avez commencé à les partager; je n'ai pleuré
que de tendresse et de compassion pour vous. Je ne
15 me console point d'avoir pu vous chagriner un moment dans ma vie; je ne cesse point de me reprocher
mes inconstances et de m'attendrir, en admirant de
quoi l'amour vous a rendu capable pour une malheureuse qui n'en était pas digne, et qui ne payerait pas
20 bien de tout son sang, ajouta-t-elle avec une abondance
de larmes, la moitié des peines qu'elle vous a causées.

Ses pleurs, son discours et le ton dont elle le pro-
nonça firent sur moi une impression si étonnante, que
je crus sentir une espèce de division dans mon âme.
25 — Prends garde, lui dis-je, prends garde, ma chère
Manon. Je n'ai point assez de force pour supporter
des marques si vives de ton affection; je ne suis point
accoutumé à ces excès de joie. O Dieu ! m'écriai-je, je
ne vous demande plus rien. Je suis assuré du cœur de

Manon. Il est tel que je l'ai souhaité pour être heureux; je ne puis plus cesser de l'être à présent. Voilà
ma félicité bien établie.

— Elle l'est, reprit-elle, si vous la faites dépendre
de moi, et je sais bien où je puis compter aussi de 5
trouver toujours la mienne.

Je me couchai avec ces charmantes idées, qui
changèrent ma cabane en un palais digne du premier
roi du monde. L'Amérique me parut un lieu de délices
après cela.   10

— C'est au Nouvel-Orléans qu'il faut venir, disais-je
souvent à Manon, quand on veut goûter les vraies
douceurs de l'amour.* C'est ici qu'on s'aime sans
intérêt, sans jalousie, sans inconstance. Nos com-
patriotes y viennent chercher de l'or; ils ne s'imaginent 15
pas que nous y avons trouvé des trésors bien plus
estimables.

Nous cultivâmes soigneusement l'amitié du Gouverneur. Il eut la bonté, quelques semaines après
notre arrivée, de me donner un petit emploi qui vint à 20
vaquer dans le fort. Quoiqu'il ne fût pas bien distingué, je l'acceptai comme une faveur du Ciel. Il me
mettait en état de vivre, sans être à charge à personne.
Je pris un valet* pour moi, et une servante pour
Manon. Notre petite fortune s'arrangea. J'étais 25
réglé dans ma conduite, Manon ne l'était pas moins.
Nous ne laissions point échapper l'occasion de rendre
service et de faire du bien à nos voisins. Cette disposition officieuse et la douceur de nos manières nous

attirèrent la confiance et l'affection de toute la colonie.
Nous fûmes en peu de temps si considérés, que nous
passions pour les premières personnes de la ville après
le Gouverneur.

5   L'innocence de nos occupations, et la tranquillité
où nous étions continuellement, servirent à nous
faire rappeler insensiblement des idées de religion.
Manon n'avait jamais été une fille impie; je n'étais
pas non plus de ces libertins outrés, qui font gloire
10 d'ajouter l'irréligion à la dépravation des mœurs.
L'amour et la jeunesse avaient causé tous nos désordres. L'expérience commençait à nous tenir lieu
d'âge; elle fit sur nous le même effet que les années.
Nos conversations, qui étaient toujours réfléchies,
15 nous mirent insensiblement dans le goût d'un amour
vertueux. Je fus le premier qui proposai ce changement à Manon. Je connaissais les principes de son
cœur; elle était droite et naturelle dans tous ses
sentiments, qualité qui dispose toujours à la vertu.
20 Je lui fis comprendre qu'il manquait une chose à notre
bonheur.

— C'est, lui dis-je, de le faire approuver du Ciel.
Nous avons l'âme trop belle, et le cœur trop bien fait
l'un et l'autre, pour vivre volontairement dans l'oubli
25 du devoir. Passe d'y avoir vécu en France, où il nous
était également impossible de cesser de nous aimer et
de nous satisfaire par une voie légitime; mais en
Amérique, où nous ne dépendons que de nous-mêmes,
où nous n'avons plus à ménager les lois arbitraires du

rang et de la bienséance, où l'on nous croit même mariés, qui empêche que nous ne le soyons bientôt effectivement et que nous n'annoblissions notre amour par des serments que la religion autorise ? Pour moi, ajoutai-je, je ne vous offre rien de nouveau, en vous offrant mon cœur et ma main; mais je suis prêt à vous en renouveler le don au pied d'un autel.

Il me parut que ce discours la pénétrait de joie.

— Croiriez-vous, me répondit-elle, que j'y ai pensé mille fois, depuis que nous sommes en Amérique ? La crainte de vous déplaire m'a fait renfermer ce désir dans mon cœur. Je n'ai point la présomption d'aspirer à la qualité de votre épouse.

— Ah ! Manon, répliquai-je, tu serais bientôt celle d'un roi, si le Ciel m'avait fait naître avec une couronne. Ne balançons plus; nous n'avons nul obstacle à redouter. J'en veux parler dès aujourd'hui au Gouverneur et lui avouer que nous l'avons trompé jusqu'à ce jour. Laissons craindre aux amants vulgaires, ajoutai-je, les chaînes indissolubles du mariage. Ils ne les craindraient pas, s'ils étaient sûrs, comme nous, de porter toujours celles de l'amour.

Je laissai Manon au comble de la joie, après cette résolution.

Je suis persuadé qu'il n'y a point d'honnête homme au monde, qui n'eût approuvé mes vues dans les circonstances où j'étais; c'est-à-dire asservi fatalement à une passion que je ne pouvais vaincre, et combattu par des remords que je ne devais point étouffer. Mais

se trouvera-t-il quelqu'un qui accuse mes plaintes
d'injustice, si je gémis de la rigueur du Ciel à rejeter un
dessein que je n'avais formé que pour lui plaire?
Hélas! que dis-je, à le rejeter? Il l'a puni comme un
5 crime. Il m'avait souffert avec patience tandis que je
marchais aveuglément dans la route du vice; et ses
plus rudes châtiments m'étaient réservés lorsque je
commencerais à retourner à la vertu. Je crains de
manquer de force pour achever le récit du plus funeste
10 événement qui fût jamais.

J'allai chez le Gouverneur, comme j'en étais convenu
avec Manon, pour le prier de consentir à la cérémonie
de notre mariage. Je me serais bien gardé d'en parler,
à lui ni à personne, si j'eusse pu me promettre que son
15 aumônier, qui était alors le seul prêtre de la ville,
m'eût rendu ce service sans sa participation; mais
n'osant espérer qu'il voulût s'engager au silence, j'avais
pris le parti d'agir ouvertement. Le Gouverneur avait
un neveu, nommé Synnelet, qui lui était extrêmement
20 cher. C'était un homme de trente ans, brave, mais
emporté et violent. Il n'était point marié. La beauté
de Manon l'avait touché dès le jour de notre arrivée;
et les occasions sans nombre qu'il avait eues de la voir,
pendant neuf ou dix mois, avaient tellement enflammé
25 sa passion, qu'il se consumait en secret pour elle.
Cependant, comme il était persuadé, avec son oncle
et toute la ville, que j'étais réellement marié, il
s'était rendu maître de son amour jusqu'au point de
n'en laisser rien éclater; et son zèle s'était même

déclaré pour moi, dans plusieurs occasions de me
rendre service. Je le trouvai avec son oncle, lorsque
j'arrivai au fort. Je n'avais nulle raison qui m'obligeât
de lui faire un secret de mon dessein, de sorte que je ne
fis point difficulté de m'expliquer en sa présence. Le 5
Gouverneur m'écouta avec sa bonté ordinaire; je lui
racontai une partie de mon histoire, qu'il entendit
avec plaisir, et, lorsque je le priai d'assister à la cérémonie que je méditais, il eut la générosité de s'engager
à faire toute la dépense de la fête. Je me retirai fort 10
content.

Une heure après, je vis entrer l'aumônier chez moi.
Je m'imaginai qu'il venait me donner quelques instructions sur mon mariage; mais, après m'avoir
salué froidement, il me déclara, en deux mots, que M. 15
le Gouverneur me défendait d'y penser, et qu'il avait
d'autres vues sur Manon.

— D'autres vues sur Manon ! lui dis-je avec un mortel saisissement de cœur, et quelles vues donc, Monsieur l'Aumônier ?   20

Il me répondit que je n'ignorais pas que M. le
Gouverneur était le maître; que, Manon ayant été
envoyée de France pour la colonie, c'était à lui à
disposer d'elle; qu'il ne l'avait pas fait jusqu'alors,
parce qu'il la croyait mariée; mais qu'ayant appris de 25
moi-même qu'elle ne l'était point, il jugeait à propos
de la donner à M. Synnelet, qui en était amoureux.
Ma vivacité l'emporta sur ma prudence. J'ordonnai
fièrement à l'aumônier de sortir de ma maison, en

jurant que le Gouverneur, Synnelet et toute la ville
ensemble n'oseraient porter la main sur ma femme, ou
ma maîtresse, comme ils voudraient l'appeler.

Je fis part aussitôt à Manon du funeste message que
je venais de recevoir. Nous jugeâmes que Synnelet
avait séduit l'esprit de son oncle depuis mon retour, et
que c'était l'effet de quelque dessein médité depuis
longtemps. Ils étaient les plus forts. Nous nous
trouvions dans le Nouvel-Orléans comme au milieu
de la mer, c'est-à-dire séparés du reste du monde par
des espaces immenses. Où fuir ? dans un pays inconnu,
désert, ou habité par des bêtes féroces, et par de
sauvages aussi barbares qu'elles ? J'étais estimé dans
la ville; mais je ne pouvais espérer d'émouvoir assez le
peuple en ma faveur, pour en espérer un secours proportionné au mal. Il eût fallu de l'argent; j'étais
pauvre. D'ailleurs, le succès d'une émotion populaire
était incertain; et, si la fortune nous eût manqué,
notre malheur serait devenu sans remède. Je roulais
toutes ces pensées dans ma tête; j'en communiquais
une partie à Manon, j'en formais de nouvelles sans
écouter sa réponse. Je prenais un parti, je le rejetais
pour en prendre un autre. Je parlais seul, je répondais
tout haut à mes pensées; enfin j'étais dans une agitation que je ne saurais comparer à rien, parce qu'il n'y
en eût jamais d'égale. Manon avait les yeux sur moi;
elle jugeait, par mon trouble, de la grandeur du péril;
et, tremblant pour moi plus que pour elle-même,
cette tendre fille n'osait pas même ouvrir la bouche
pour m'exprimer ses craintes.

Après une infinité de réflexions, je m'arrêtai à la résolution d'aller trouver le Gouverneur, pour m'efforcer de le toucher par des considérations d'honneur et par le souvenir de mon respect et de son affection. Manon voulut s'opposer à ma sortie. Elle me disait, 5 les larmes aux yeux:

— Vous allez à la mort. Ils vont vous tuer. Je ne vous reverrai plus. Je veux mourir avant vous.

Il fallut beaucoup d'efforts pour la persuader de la nécessité où j'étais de sortir, et de celle qu'il y avait 10 pour elle de demeurer au logis. Je lui promis qu'elle me reverrait dans un instant. Elle ignorait, et moi aussi, que c'était sur elle-même que devait tomber toute la colère du Ciel et la rage de nos ennemis.

Je me rendis au fort. Le Gouverneur était avec son 15 aumônier. Je m'abaissai, pour le toucher, à des soumissions qui m'auraient fait mourir de honte, si je les eusse faites pour toute autre cause. Je le pris par tous les motifs qui doivent faire une impression certaine sur un cœur qui n'est pas celui d'un tigre féroce et 20 cruel. Ce barbare ne fit à mes plaintes que deux réponses, qu'il répéta cent fois: Manon, me dit-il, dépendait de lui. Il avait donné sa parole à son neveu.

J'étais résolu de me modérer jusqu'à l'extrémité. Je me contentai de lui dire que je le croyais trop de mes 25 amis pour vouloir ma mort, à laquelle je consentirais plutôt qu'à la perte de ma maîtresse.

Je fus trop persuadé, en sortant, que je n'avais rien à espérer de cet opiniâtre vieillard, qui se serait damné

mille fois pour son neveu. Cependant, je persistai dans
le dessein de conserver jusqu'à la fin un air de modération, résolu, si l'on en venait aux excès d'injustice, de
donner à l'Amérique une des plus sanglantes et des
5 plus horribles scènes que l'amour ait jamais produites.
Je retournais chez moi, en méditant sur ce projet,
lorsque le sort, qui voulait hâter ma ruine, me fit
rencontrer Synnelet. Il lut dans mes yeux une partie
de mes pensées. J'ai dit qu'il était brave; il vint à
10 moi.

— Ne me cherchez-vous pas ? me dit-il. Je connais
que mes desseins vous offensent, et j'ai bien prévu
qu'il faudrait se couper la gorge avec vous. Allons
voir qui sera le plus heureux.

15 Je lui répondis qu'il avait raison, et qu'il n'y avait
que ma mort qui pût finir nos différends. Nous nous
écartâmes d'une centaine de pas hors de la ville. Nos
épées se croisèrent; je le blessai et je le désarmai
presque en même temps. Il fut si enragé de son mal-
20 heur, qu'il refusa de me demander la vie et de renoncer
à Manon. J'avais peut-être droit de lui ôter tout d'un
coup l'un et l'autre; mais un sang généreux ne se
dément jamais. Je lui jetai son épée.

— Recommençons, lui dis-je, et songez que c'est
25 sans quartier.

Il m'attaqua avec une furie inexprimable. Je dois
confesser que je n'étais pas fort dans les armes, n'ayant
eu que trois mois de salle à Paris. L'amour conduisait
mon épée. Synnelet ne laissa pas de me percer le bras

d'outre en outre; mais je le pris sur le temps, et je lui fournis un coup si vigoureux, qu'il tomba à mes pieds sans mouvement.

Malgré la joie que donne la victoire après un combat mortel, je réfléchis aussitôt sur les conséquences de cette mort. Il n'y avait pour moi, ni grâce, ni délai de supplice à espérer. Connaissant, comme je faisais, la passion du Gouverneur pour son neveu, j'étais certain que ma mort ne serait pas différée d'une heure après la connaissance de la sienne. Quelque pressante que fût cette crainte, elle n'était pas la plus forte cause de mon inquiétude. Manon, l'intérêt de Manon, son péril et la nécessité de la perdre, me troublaient jusqu'à répandre de l'obscurité sur mes yeux et à m'empêcher de reconnaître le lieu où j'étais. Je regrettai le sort de Synnelet. Une prompte mort me semblait le seul remède de mes peines. Cependant, ce fut cette pensée même qui me fit rappeler vivement mes esprits, et qui me rendit capable de prendre une résolution.*

— Quoi! je veux mourir, m'écriai-je, pour finir mes peines? Il y en a donc, que j'appréhende plus que la perte de ce que j'aime? Ah! souffrons jusqu'aux plus cruelles extrémités pour secourir ma maîtresse, et remettons à mourir, après les avoir souffertes inutilement.

Je repris le chemin de la ville. J'entrai chez moi; j'y trouvai Manon à demi-morte de frayeur et d'inquiétude. Ma présence la ranima. Je ne pouvais lui déguiser le terrible accident qui venait de m'arriver.

Elle tomba sans connaissance entre mes bras, au récit
de la mort de Synnelet et de ma blessure. J'employai
plus d'un quart d'heure à lui faire retrouver le sentiment. J'étais à demi-mort moi-même. Je ne voyais
5 pas le moindre jour à sa sûreté, ni à la mienne.

— Manon, que ferons-nous ? lui dis-je lorsqu'elle
eut repris un peu de force. Hélas ! qu'allons-nous
faire ? Il faut nécessairement que je m'éloigne.
Voulez-vous demeurer dans la ville ? Oui, demeurez-y.
10 Vous pouvez encore y être heureuse; et moi, je vais,
loin de vous, chercher la mort parmi les sauvages, ou
entre les griffes des bêtes féroces.

Elle se leva malgré sa faiblesse; elle me prit par la
main, pour me conduire vers la porte.

15 — Fuyons ensemble, me dit-elle, ne perdons pas un
instant. Le corps de Synnelet peut avoir été trouvé
par hasard, et nous n'aurions pas le temps de nous
éloigner.

— Mais, chère Manon ! repris-je tout éperdu, dites-
20 moi donc où nous pouvons aller. Voyez-vous quelque
ressource ? Ne vaut-il pas mieux que vous tâchiez de
vivre ici sans moi, et que je porte volontairement ma
tête au Gouverneur ?

Cette proposition ne fit qu'augmenter son ardeur à
25 partir. Il fallut la suivre. J'eus encore assez de présence d'esprit, en sortant, pour prendre quelques
liqueurs fortes que j'avais dans ma chambre et toutes
les provisions que je pus faire entrer dans mes poches.
Nous dîmes à nos domestiques, qui étaient dans la

chambre voisine, que nous partions pour la promenade du soir (nous avions cette coutume tous les jours); et nous nous éloignâmes de la ville, plus promptement que la délicatesse de Manon ne semblait le permettre.

Quoique je ne fusse pas sorti de mon irrésolution sur le lieu de notre retraite, je ne laissais pas d'avoir deux espérances, sans lesquelles j'aurais préféré la mort à l'incertitude de ce qui pouvait arriver à Manon.

J'avais acquis assez de connaissance du pays, depuis près de dix mois que j'étais en Amérique, pour ne pas ignorer de quelle manière on apprivoisait les sauvages. On pouvait se mettre entre leurs mains, sans courir à une mort certaine; j'avais même appris quelques mots de leur langue et quelques-unes de leurs coutumes dans les diverses occasions que j'avais eues de les voir.

Avec cette triste ressource, j'en avais une autre du côté des Anglais, qui ont, comme nous, des établissements dans cette partie du nouveau monde; mais j'étais effrayé de l'éloignement. Nous avions à traverser, jusqu'à leurs colonies, de stériles campagnes de plusieurs journées de largeur, et quelques montagnes si hautes et si escarpées, que le chemin en paraissait difficile aux hommes les plus grossiers et les plus vigoureux. Je me flattais, néanmoins, que nous pourrions tirer parti de ces deux ressources: des sauvages pour aider à nous conduire, et des Anglais pour nous recevoir dans leurs habitations.

Nous marchâmes aussi longtemps que le courage de Manon put la soutenir, c'est-à-dire environ deux

lieues; car cette amante incomparable refusa constamment de s'arrêter plus tôt. Accablée enfin de
lassitude, elle me confessa qu'il lui était impossible
d'avancer davantage. Il était déjà nuit. Nous nous
5 assîmes au milieu d'une vaste plaine, sans avoir pu
trouver un arbre pour nous mettre à couvert. Son
premier soin fut de changer le linge de ma blessure,
qu'elle avait pansée elle-même avant notre départ.
Je m'opposai en vain à ses volontés. J'aurais achevé
10 de l'accabler mortellement, si je lui eusse refusé la
satisfaction de me croire à mon aise et sans danger,
avant que de penser à sa propre conservation. Je me
soumis durant quelques moments à ses désirs; je
reçus ses soins en silence et avec honte.

15   Mais, lorsqu'elle eut satisfait sa tendresse, avec
quelle ardeur la mienne ne prit-elle pas son tour !
Je me dépouillai de tous mes habits, pour lui faire
trouver la terre moins dure, en les étendant sous elle.
Je la fis consentir, malgré elle, à me voir employer à
20 son usage tout ce que je pus imaginer de moins incommode. J'échauffai ses mains par mes baisers
ardents et par la chaleur de mes soupirs. Je passai la
nuit entière à veiller près d'elle, et à prier le Ciel de lui
accorder un sommeil doux et paisible. O Dieu !
25 que mes vœux étaient vifs et sincères ! et par quel rigoureux jugement aviez-vous résolu de ne les pas
exaucer !

Pardonnez, si j'achève en peu de mots un récit qui
me tue. Je vous raconte un malheur qui n'eut jamais

d'exemple. Toute ma vie est destinée à le pleurer. Mais, quoique je le porte sans cesse dans ma mémoire, mon âme semble reculer d'horreur, chaque fois que j'entreprends de l'exprimer.

Nous avions passé tranquillement une partie de la nuit. Je croyais ma chère maîtresse endormie, et je n'osai pousser le moindre souffle, dans la crainte de troubler son sommeil. Je m'aperçus dès le point du jour, en touchant ses mains, qu'elle les avait froides et tremblantes; je les approchai de mon sein, pour les échauffer. Elle sentit ce mouvement, et, faisant un effort pour saisir les miennes, elle me dit, d'une voix faible, qu'elle se croyait à sa dernière heure. Je ne pris d'abord ce discours que pour un langage ordinaire dans l'infortune, et je n'y répondis que par les tendres consolations de l'amour. Mais ses soupirs fréquents, son silence à mes interrogations, le serrement de ses mains, dans lesquelles elle continuait de tenir les miennes, me firent connaître que la fin de ses malheurs approchait.

N'exigez point de moi que je vous décrive mes sentiments, ni que je vous rapporte ses dernières expressions. Je la perdis; je reçus d'elle des marques d'amour, au moment même qu'elle expirait. C'est tout ce que j'ai la force de vous apprendre de ce fatal et déplorable événement.

Mon âme ne suivit pas la sienne. Le Ciel ne me trouva point sans doute assez rigoureusement puni. Il a voulu que j'aie traîné, depuis, une vie languissante et misérable. Je renonce volontairement à la mener jamais plus heureuse.

Je demeurai, plus de vingt-quatre heures, la bouche attachée sur le visage et sur les mains de ma chère Manon. Mon dessein était d'y mourir; mais je fis réflexion, au commencement du second jour, que son corps serait exposé, après mon trépas, à devenir la pâture des bêtes sauvages. Je formai la résolution de l'enterrer et d'attendre la mort sur sa fosse. J'étais déjà si proche de ma fin, par l'affaiblissement que le jeûne et la douleur m'avaient causé, que j'eus besoin de quantité d'efforts pour me tenir debout. Je fus obligé de recourir aux liqueurs que j'avais apportées; elles me rendirent autant de force qu'il en fallait pour le triste office que j'allais exécuter. Il ne m'était pas difficile d'ouvrir la terre, dans le lieu où je me trouvais: c'était une campagne couverte de sable. Je rompis mon épée, pour m'en servir à creuser; mais j'en tirai moins de secours que de mes mains. J'ouvris une large fosse. J'y plaçai l'idole de mon cœur, après avoir pris soin de l'envelopper de tous mes habits, pour empêcher le sable de la toucher. Je ne la mis dans cet état, qu'après l'avoir embrassée mille fois, avec toute l'ardeur du plus parfait amour. Je m'assis encore près d'elle. Je la considérai longtemps. Je ne pouvais me résoudre à fermer la fosse. Enfin, mes forces recommençant à s'affaiblir, et craignant d'en manquer tout à fait avant la fin de mon entreprise, j'ensevelis pour toujours, dans le sein de la terre, ce qu'elle avait porté de plus parfait et de plus aimable. Je me couchai ensuite sur la fosse, le visage tourné vers le sable; et fermant les yeux, avec le dessein de ne les ouvrir jamais, j'invoquai le secours du Ciel et j'attendis la mort* avec impatience.

Ce qui vous paraîtra difficile à croire, c'est que, pendant tout l'exercice de ce lugubre ministère, il ne sortit point une larme de mes yeux, ni un soupir de ma bouche. La consternation profonde où j'étais, et le dessein déterminé de mourir, avaient coupé le cours à toutes les expressions du désespoir et de la douleur. Aussi, ne demeurai-je pas longtemps dans la posture où j'étais sur la fosse, sans perdre le peu de connaissance et de sentiment qui me restait.

Après ce que vous venez d'entendre, la conclusion de mon histoire est de si peu d'importance, qu'elle ne mérite pas la peine que vous voulez bien prendre à l'écouter. Le corps de Synnelet ayant été rapporté à la ville et ses plaies visitées avec soin, il se trouva, non seulement qu'il n'était pas mort, mais qu'il n'avait pas même reçu de blessure dangereuse. Il apprit à son oncle de quelle manière les choses s'étaient passées entre nous, et sa générosité* le porta sur-le-champ à publier les effets de la mienne. On me fit chercher; et mon absence, avec Manon, me fit soupçonner d'avoir pris le parti de la fuite. Il était trop tard pour envoyer sur mes traces; mais le lendemain et le jour suivant furent employés à me poursuivre. On me trouva, sans apparence de vie, sur la fosse de Manon;

et ceux qui me découvrirent en cet état, me voyant
presque nu et sanglant de ma blessure, ne doutèrent
point que je n'eusse été volé et assassiné. Ils me
portèrent à la ville. Le mouvement du transport ré-
5 veilla mes sens. Les soupirs que je poussai, en ouvrant
les yeux et en gémissant de me retrouver parmi les
vivants, firent connaître que j'étais encore en état de
recevoir du secours. On m'en donna de trop heureux.

Je ne laissai pas d'être renfermé dans une étroite
10 prison. Mon procès fut instruit; et, comme Manon
ne paraissait point, on m'accusa de m'être défait d'elle
par un mouvement de rage et de jalousie. Je racontai
naturellement ma pitoyable aventure. Synnelet,
malgré les transports de douleur où ce récit le jeta, eut
15 la générosité de solliciter ma grâce; il l'obtint. J'étais
si faible, qu'on fut obligé de me transporter de la
prison dans mon lit, où je fus retenu pendant trois
mois par une violente maladie.

Ma haine pour la vie ne diminuait point. J'invo-
20 quais continuellement la mort, et je m'obstinai longtemps à rejeter tous les remèdes. Mais le Ciel, après
m'avoir puni avec tant de rigueur, avait dessein de me
rendre utiles mes malheurs et ses châtiments. Il
m'éclaira de ses lumières, qui me firent rappeler des
25 idées dignes de ma naissance et de mon éducation. La
tranquillité ayant commencé à renaître un peu dans
mon âme, ce changement fut suivi de près par ma
guérison. Je me livrai entièrement aux inspirations
de l'honneur, et je continuai de remplir mon petit

emploi, en attendant les vaisseaux de France, qui vont une fois chaque année dans cette partie de l'Amérique. J'étais résolu de retourner dans ma patrie, pour y réparer, par une vie sage et réglée, le scandale de ma conduite. Synnelet avait pris soin de faire transporter 5 le corps de ma chère maîtresse dans un lieu honorable.

Ce fut environ six semaines après mon rétablissement que, me promenant seul un jour sur le rivage, je vis arriver un vaisseau, que des affaires de commerce amenaient au Nouvel-Orléans. J'étais attentif au 10 débarquement de l'équipage. Je fus frappé d'une surprise extrême, en reconnaissant Tiberge parmi ceux qui s'avançaient vers la ville. Ce fidèle ami me remit de loin, malgré les changements que la tristesse avait faits sur mon visage. Il m'apprit que l'unique motif 15 de son voyage avait été le désir de me voir et de m'engager à retourner en France; qu'ayant reçu la lettre que je lui avais écrite du Havre, il s'y était rendu en personne pour me porter les secours que je lui demandais; qu'il avait ressenti la plus vive douleur en ap- 20 prenant mon départ, et qu'il serait parti sur-le-champ pour me suivre, s'il eût trouvé un vaisseau prêt à faire voile; qu'il en avait cherché pendant plusieurs mois dans divers ports, et qu'en ayant enfin rencontré un, à Saint-Malo,* qui levait l'ancre pour la Mar- 25 tinique, il s'y était embarqué, dans l'espérance de se procurer de là un passage facile au Nouvel-Orléans; que, le vaisseau malouin ayant été pris en chemin par des corsaires espagnols et conduit dans une de leurs îles, il s'était échappé par adresse; et qu'après diverses courses, il avait trouvé l'occasion du petit bâtiment qui venait d'arriver, pour se rendre heureusement près de moi.

5   Je ne pouvais marquer trop de reconnaissance pour un ami si généreux et si constant. Je le conduisis chez moi; je le rendis le maître de tout ce que je possédais. Je lui appris tout ce qui m'était arrivé depuis mon départ de France, et, pour lui causer une
10 joie à laquelle il ne s'attendait pas, je lui déclarai que les semences de vertu, qu'il avait jetées autrefois dans mon cœur, commençaient à produire des fruits dont il allait être satisfait. Il me protesta qu'une si douce assurance le dédommageait de toutes les fatigues de son
15 voyage.

Nous avons passé deux mois ensemble au Nouvel-Orléans, pour attendre l'arrivée des vaisseaux de France; et, nous étant enfin mis en mer, nous prîmes terre, il y a quinze jours, au Havre-de-Grâce. J'écrivis
20 à ma famille, en arrivant. J'ai appris, par la réponse de mon frère aîné, la triste nouvelle de la mort de mon père, à laquelle je tremble, avec trop de raison, que mes égarements n'aient contribué. Le vent étant favorable pour Calais, je me suis embarqué aussitôt, dans le
25 dessein de me rendre à quelques lieues de cette ville, chez un gentilhomme de mes parents, où mon frère m'écrit qu'il doit attendre mon arrivée.

FIN DE LA SECONDE PARTIE

NOTES EXPLICATIVES

Page 1. — 12. **in tempus omittat:** Horace, *Ars Poetica*, l. 44:
Trad. Qu'il dise de suite les choses qui doivent être dites tout de suite,
Qu'il laisse aller tout le reste et qu'il le supprime pour le moment.

2. — 17. **en l'amusant:** Remarquez que le nom de Manon ne se
trouve pas dans cet avis au lecteur et que l'auteur ne semble pas même
penser à elle dans cet éclaircissement de ses intentions dans le roman.
Contrastez avec cette déclaration une autre faite par l'auteur trois ans
plus tard quand la vogue de *Manon* avait déjà augmenté. Ce passage est cité ici, page 275.

5. — 13. **Evreux:** chef-lieu du dép. de l'Eure, à 108 kilom. de
Paris, 17.776 hab. Cette ville se trouve à 50 kilom. au sud de Rouen.
Prévost y avait passé une année chez les Bénédictins.

15. **Pacy:** sur l'Eure, à 16 kilom. à l'est d'Evreux, 2.021 hab. Dans
les éditions de 1731 et de 1733, le nom est épelé Passy.

6. — 12. **Havre de Grâce:** le grand port aujourd'hui nommé Le
Havre (havre, du bas allemand = port). Pendant la Révolution, il
fut connu sous le nom de Havre-Marat.

16. **passé:** (sous-entendu) poursuivi mon chemin. Variante du
texte de 1731: j'aurais passé outre.

7. — 1. **condition:** il faut distinguer entre ce mot et le mot *état* qui
le suit de près. Condition = position sociale relativement à la naissance
ou à la profession exercée.

15. **l'Hôpital:** voir la note, p. 84, l. 14.

11. — 20. **Lion d'Or:** un guide récent ne donne pas ce nom parmi
les hôtels de cette ville. Il y a pourtant une auberge à Pacy connu
sous le nom du Lion d'Or (p. 5), ce qui amènerait à la conclusion que
Prévost se souvenait du nom mais non pas du lieu. Il s'aperçoit de
ce manque de mémoire, puisqu'il emploie dans son texte l'expression
« si je m'en souviens bien ».

13. — 19. **exercices publics:** discussions publiques qui avaient
lieu dans les écoles de théologie et de droit. L'étudiant prouvait ses
aptitudes par la façon dont il recevait l'attaque des contradicteurs.

23. **l'ordre de Malte:** un ordre militaire et religieux dont l'origine remonte au onzième siècle. Les membres prirent le titre de Chevalier de Malte en 1530, quand Charles-Quint leur assigna cette île comme résidence, domaine qu'ils gardèrent en leur pouvoir jusqu'à la Révolution Française. Les Chevaliers portaient sur le cœur la fameuse Croix de Malte avec ses bras d'égale longueur, autrefois en tissu cousu sur la tunique, aujourd'hui un médaillon en or et émail épinglé à la poitrine. Quand les Anglais prirent Malte en 1800 et dépossédèrent les Chevaliers, ceux-ci établirent leur siège à Rome, où l'ordre existe encore en état purement honorifique.

25. **Chevalier des Grieux:** Schroeder (3, p. 288) a découvert dans le registre de la paroisse de Notre-Dame, à Montreuil-sur-mer (ville voisine d'Hesdin) l'acte de décès de Charles des Grieux, écuyer, chevalier de Saint-Louis et lieutenant de carabiniers, mort en 1723. Il y a aussi un nommé Louis Tiberge, prêtre du diocèse de Rouen, abbé d'Andres (près de Boulogne-sur-mer), qui dans la suite était supérieur du séminaire des missions étrangères à Paris, rue du Bac, mort en 1730. (Pour le numéro 3, ci-dessus, consulter la Bibliographie A.)

28. **l'Académie:** s'emploie ici comme synonyme d'Université. Aujourd'hui un étudiant d'Amiens continuerait naturellement ses études à l'Université de Lille dont le recteur préside toute cette circonscription académique. On dit encore Académie de Musique, de Danse, etc.

15. — 11. **mon cœur:** rien de plus simple ni de plus parfait ne pourrait être inventé pour donner l'impression de la fatalité de ce coup de foudre. Prévost d'ailleurs en raffole pour ses amants. Voyez encore ceci : « Il l'aborda ; et si ses premiers regards lui firent une conquête de la fille du chevalier, il devint lui-même la sienne en un instant. Jamais passion ne fit de plus prompts progrès dans une âme. » (*Mémoires d'un homme de qualité*, Vol. I, p. 560.)

16. — 3. **la volonté du Ciel:** (5, p. 12) « Le roman a tout dénaturé, tout travesti ; après avoir peuplé par des vœux forcés le couvent du 18e siècle . . . le roman le remplit de scandales. Ce ne sont qu'histoires, ce ne sont qu'estampes où l'on voit une chaise de poste en arrêt la nuit au pied d'un jardin de couvent, ou bien une pensionnaire descendant une échelle au bas de laquelle l'attend l'amant, tandis que la femme de chambre est encore là-haut à cheval sur la crête du mur . . . Rien de plus faux, rien de plus contraire à la réalité des choses que ce point de vue; on compte au 18ᵉ siècle les scandales des pensionnaires de couvent et la liste n'a que quelques noms. Dans ce temps . . . la faute d'une jeune fille, et surtout d'une jeune fille bien née, est une rareté extraordinaire . . . »

18. **quelque jour:** (figuratif et par extension) un moyen pour venir à bout de quelque chose. Ex.: Je ne vois point de jour à cette affaire.

17. — 1. **son cousin:** (10, p. 14) « la voici qui arrive au grand trot du coche d'Arras. Comme elle est déjà rouée, bien elle-même dès le début ! Du premier coup elle sait mentir tout naturellement, en appelant des Grieux son cousin, et c'est elle qui lui donne les moyens de fuir. C'est qu'il y a de son avenir, de toute sa vie. Que veut-elle en somme ? Ne pas aller au couvent, jouir. Peu lui importe son libérateur, c'est la liberté qu'il lui faut. Elle n'aime donc pas des Grieux ? Si, mais comme aiment les créatures de sa sorte . . . »

18. — 4. **d'une naissance commune:** le texte de 1731 donne à Manon un rang beaucoup plus élevé dans l'ordre social, car il disait « parce que n'étant point de qualité, quoique d'une assez bonne naissance ». Cette correction nécessite une attention toute spéciale.

12. **Une chaise de poste:** ou simplement chaise. Voiture légère, dont on se servait avant les chemins de fer, lorsqu'on voulait voyager rapidement. Elle avait la forme d'une chaise à porteurs, mais était tirée par un cheval.

21. 13. **Saint-Denis:** chef-lieu d'arrondissement de la Seine, à 5 kilom. de Paris, sur la Seine, 60.808 hab. Dans la basilique se trouvent les tombeaux des familles royales de France.

22. — 15. **fermier-général:** ou fermier du roi, noms qu'on donnait autrefois à ceux qui prenaient à ferme le recouvrement des impôts. Très puissants au 18ᵉ siècle, ces 40, plus tard augmentés à 60, fermiers-généraux, avançaient à l'État de fortes sommes qu'ils se remboursaient à des taux usuriers par les impôts écrasants qu'ils imposaient au peuple. Il faut avouer que parmi ces financiers peu scrupuleux dont le nom est exécré aujourd'hui, il y en avait quelques uns qui étaient justes et honnêtes. Ce sont les moins connus.

30. — 4. **il y a six semaines:** comparez ce passage avec le calcul du père, p. 32. Prévost est généralement assez exact dans ces menus détails. Il faut supposer ici que l'aubergiste se trompe de deux semaines, vu le nombre de voyageurs qu'il a hébergés depuis la première arrivée du chevalier.

33. — 4. **sans vert:** au dépourvu.

7. **tes conquêtes:** (3, p. 260) « Prévost se plaît aux contrastes ... il met ici plus vivement en lumière les douleurs du jeune homme par les consolations que lui apporte son père, avec une sceptique bonhomie. »

35. — 5. **je le sentais bien:** (3, p. 258) « Prévost a dépeint avec une rare sincérité d'expression et un natural achevé, le désespoir de des Grieux en face ce cette trahison inopinée ... Des Grieux a été éclairé par son père sur la conduite de sa maîtresse, et cependant ... il est plus amoureux que jamais ... La passion, comme on voit, continue à ravager cruellement cette âme inexpérimentée, le poison s'infiltre et se propage peu à peu. Il y a quelques jours encore aurait-il conçu l'amour sans estime ? et aujourd'hui il adore celle qu'il sait coupable. »

37. — 16. **le quatrième livre de l'Enéide:** Didon, reine de Carthage, s'est éprise d'Énée, prince troyen, qui l'a vivement émue par le récit qu'il lui a fait de ses malheurs. Mais elle ne peut le retenir auprès d'elle quand les dieux lui ordonnent de partir pour l'Italie où il doit remplir sa magnifique destinée en fondant Rome. Didon se donne la mort.

40. — 17. **une maison écartée:** c'était un des beaux rêves de Prévost qu'il a enfin réalisé. Il parle souvent de sa petite maison écartée. A M. L'Estang, Commissaire de la maison du Roi, il écrit: (2, p. 39) « A cinq cens pas des Thuileries s'élève une petite colline, aimée de la nature, favorisée des cieux, etc. C'est là que j'ai fixé ma demeure pour trois ans par un bail en bonne forme, avec la gentille veuve ma gouvernante, Loulou (peut-être un petit chien), une cuisinière et un laquais. Ma maison est jolie, quoique l'architecture et les meubles n'en soient pas riches. La vue est charmante, les jardins tels que je les aime: enfin j'y suis le plus content des hommes ... » En somme, Prévost était au fond un campagnard, tandis que les autres grands écrivains du 18e siècle, Rousseau excepté, n'ont commencé à produire qu'après avoir subi l'influence de Paris.

41. — 17. **Saint-Sulpice:** Ce séminaire sur la place du même nom, désaffecté aujourd'hui, recevait il y a trente ans encore des étudiants en théologie, même des deux Amériques, qui voulaient se préparer à la prêtrise. Les professeurs appartenaient à l'ordre de Saint-Sulpice, nom d'un évêque austère de Bourges qui vécut au 6e siècle. Une école subsidiaire de celle-ci existe à Issy-sur-Seine, et donne une instruction préparatoire en philosophie et en science. L'édifice du temps de Prévost n'existe plus.

42. — 3. **des bénéfices:** titre ou dignité écclésiastique, donc revenu attaché à ce titre. La feuille des bénéfices serait le registre sur lequel on inscrivait le nom de ceux qui devaient les recevoir à cause de leur mérite. Les exercices sont les pratiques de dévotion.

24. **Saint-Augustin:** Cette allusion est très à sa place ici, vu que ce saint fait un aveu bien sincère dans ses *Confessions* de ses erreurs de jeunesse. Pour un jeune des Grieux (Prévost), bouleversé et tourmenté par sa lutte intérieure, la solution augustinienne du conflit entre la foi et la raison ferait une lecture consolante et reposante.

43. — 21 **en Sorbonne:** au 18e siècle la Sorbonne se conformait encore au but dans lequel elle avait été instituée au 13e. C'était une école de théologie, et le siège des délibérations d'une faculté de théologiens. La question du jansénisme amena des discussions fort envénimées, même au temps de Prévost. A la Révolution la faculté de théologie fut supprimée et ses édifices attribués sans changement de nom à l'université de Paris. Ce fut Richelieu qui en 1626 entreprit la nouvelle construction aux galeries ou écoutes, d'où les femmes mêmes pouvaient assister aux soutenances de thèses.

46. — 16. **des choses si touchantes:** dans cette scène capitale Manon ne parle guère, ou plutôt, ses réponses sont résumées, tandis que des Grieux s'épanche en un flot de paroles débordant. Jamais on n'a vu dans un épisode si éloquent une héroïne si entièrement privée de paroles et pourtant si persuasive et si dominante.

22. **une créature:** femme galante, de mauvaise vie.

47. — 5. **un seul de tes regards:** Schroeder s'écrie (3, p. 269): « A ces accents chaleureux et convaincus, ne croirait-on pas entendre Prévost lui-même, et plus loin, lorsque le jeune homme avoue qu'il connaît son devoir, sans avoir assez de force pour le pratiquer . . ., n'avons-nous pas l'impression que le romancier fait ici sa propre confession ? » De l'abbaye de Saint-Ouen, peu après avoir prononcé ses vœux, il écrit (2, p. 15): « Je connais la faiblesse de mon cœur . . . Qu'on a de la peine, mon cher frère, à reprendre un peu de vigueur, quand on s'est fait une habitude de sa faiblesse, et qu'il en coûte à combattre pour la victoire, quand on a trouvé longtemps de la douceur à se laisser vaincre ! »

48. — 16. **où trouver un barbare:** (3, p. 261) « Et pourquoi cette entrevue de Saint-Sulpice nous émeut-elle, nous trouble-t-elle jusqu'au plus profond de nos entrailles ? C'est que des Grieux est ici comme un miroir fidèle de nous-mêmes ... jamais homme ne fut plus réellement humain. »

23. **toutes ses volontés:** (7, p. 157) « C'en est fait de lui; il faudra maintenant qu'il aille, en se traînant sur les genoux, jusqu'au bout de son chemin de croix; il est redevenu la proie de Manon, de l'aimable et inconsciente Manon; et au contacte de l'inconsciente Manon la conscience de des Grieux lui-même va s'obscurcir et sombrer. »

25. **un tempérament raisonnable:** adoucissement ou composition ou accomodement entre des choses extrêmes et opposées.

49. — 28. **Chaillot:** autrefois un village situé sur la rive droite de la Seine. En 1659, Chaillot fut érigé en faubourg de Paris. En 1786, il fut compris dans la ville même. (3, p. 288) « La petite maison de Chaillot qu'habitent les deux amants, devait se trouver au bout de l'avenue des Tuileries qui commençait ... à l'extrémité du jardin pour aboutir à l'Étoile ... On allait se divertir à Auteuil, à Boulogne, à Chaillot, villages renommés pour l'agrément des promenades, et la bonne chère. On s'y rendait en petits bateaux ... » D'ailleurs, c'était à Chaillot, à portée de Paris et de ses amis, que Prévost fit ses traductions de *Clarisse* et de *Grandisson*, en une sorte d'ermitage pittoresquement situé. Voir la note, p. 40, l. 17.

51. — 12. **passionnée pour le plaisir:** (5, p. 91) « Point de repos, point de silence, toujours du mouvement, une perpétuelle distraction de soi-même, voilà cette vie. La femme ne veut point avoir une heure de recueillement, un instant de solitude. »

56. — 14. **vingt pistoles:** on peut calculer que la pistole à l'époque de Prévost valait dix livres ou francs. Donc le petit capital de des Grieux s'élève à 200 francs.

57. — 4. **une fille comme elle:** (3, p. 298) « Le mot est d'une crudité telle que le naturalisme le plus avancé pourrait, je crois, s'en faire gloire. » Tout de même il ne faut rien exagérer. La nature chez Prévost n'est pas du naturalisme.

58. — 3. **je lui parlai du jeu:** le jeu était défendu à Paris par plusieurs ordonnances des rois et des parlements. On en trouve une datant de 1663 « interdisant les Académies de jeu, sous peine de prison et d'une amende de 3.000 livres. » Ces lois ne furent jamais appliquées puisque la Cour elle-même donnait l'exemple d'un amour effréné pour les jeux de hasard. Louis XIV, Louis XV, Marie Antoinette dépensaient follement des sommes immenses aux tables de jeu. Sous Louis XV, ce vice fut toléré ouvertement en dépit des lois et les maisons de jeu devinrent des lieux de rendez-vous à la mode où la noblesse se frottait à la basse crapule. Tout le monde trichait, même les aristocrates, et beaucoup d'aventuriers subsistaient fort heureusement par leur habileté dans l'industrie. Voir la note, p. 65, l. 19 et p. 66, l. 9.

60. — 25. **jardin du Palais Royal:** autrefois le palais de Richelieu, puis offert par lui à la famille royale, le Palais Royal eut sa période la plus brillante sous la Régence. Prévost a dû voir le défilé des invités aux fastueux bals qui s'y célébraient de son temps. Le jardin du palais était ouvert au public.

63. — 20. **un ami si vertueux:** (3, p. 266) « La conversation des deux amis . . . laisse dans l'esprit une impression saine et reposante. Quel contraste avec la scène de Saint-Sulpice. D'un côté la passion, dans toute sa fougue, avec son ardeur débordante et l'enivrement de ses caresses, de l'autre l'affection la plus tendre, la plus éclairée, et la plus profonde. »

65. — 19. **la Ligue de l'Industrie:** (*Dictionnaire Furetière*, à la Haye, 1701) Industrie: « On appelle Chevaliers d'industrie des gens qui n'ont point de bien, qui subsistent par leur adresse & leur industrie, comme des filoux, flatteurs, écornifleurs . . . » Mention est faite aussi de l'Ordre des Chevaliers de l'industrie.

66. — 9. **l'hôtel de Transylvanie:** (Note sur ces maisons de jeu, de Niemetz, *Séjour de Paris*, Leyde, 1727) « Les Français, et surtout le sexe, aiment fort le jeu. Aussi trouve-t-on certaines maisons où tout le monde peut aller jouer, sans être présenté. Ces maisons tirent annuellement un grand profit du jeu, et même quelques gens de condition n'ont pas honte de tenir de telles assemblées dans leurs maisons . . . » Le jeu était un vice très répandu et la tricherie très pratiquée. Le Chevalier de Grammont, idéal de l'aristocratie de l'époque, trichait au jeu de lansquenet. Mlle de Launay raconte dans ses mémoires qu'un jour elle a invité chez elle son boucher et son boulanger et en quelques heures de jeu leur a gagné ce qu'elle leur devait en provisions. « Je les triche, dit elle, mais c'est qu'ils me volent. » Beaucoup de ces maisons de jeu se sont établies dans ce même Palais-Royal qui devint, pour ainsi dire, le centre des amusements parisiens pendant la Révolution. Selon le *Nouveau Dictionnaire de Paris* de Pessard, l'Hôtel de Transylvanie se trouvait 3–5 quai Voltaire (autrefois Malaquais). « C'était précedemment l'hôtel de Transylvanie, à cause d'un ambassadeur d'Allemagne qui l'avait habité. » Consulter à ce sujet L. Mouton, *l'Hôtel de Transylvanie, d'après des documents inédits*, Paris, Daragon, 1907.

13. **Clagny:** Dans le village de Clagny, situé à l'est de Versailles, Louis XIV acheta en 1665 un domaine qui au 16e siècle avait appartenu à la famille de l'architecte Pierre Lescot. Il y fit construire par Mansard un château destiné à Mme de Montespan. Ce château fut démoli en 1769.

17. **faire une volte face:** changer ou convertir une carte, ou la façon de la retourner; **filer la carte** veut dire faire subtilement disparaître une de ses cartes pour en substituer une autre.

70. — 22. **M. le Grand Prévôt de Paris:** chef du Châtelet de Paris et juge ordinaire, civil et politique de la capitale (ancien régime). Le Châtelet était le siège de la justice royale de Paris jusqu'à la Révolution.

71. — 28. **dans ces termes:** (3, p. 267) « Tout dans cette lettre depuis les premiers mots jusqu'aux derniers est à retenir pour qui veut se faire une idée juste du caractère de Manon. »

74. — 13. **notre équipage:** suite de valets, ensemble de la toilette, les effets qu'on porte. Donc ici, le mot équipage signifierait le train de vie, le luxe, le confort.

76. — 25. **remplir votre projet:** (3, p. 267) « La première fois des Grieux ne se console qu'avec peine de l'infidélité de sa maîtresse. Maintenant il s'accommodera vite d'un partage avec G ... M ... L'auteur avec un art infini suit admirablement bien ... le développement graduel du vice dans l'âme du chevalier... Des Grieux essaie bien de lutter encore; la délicatesse, l'honnêteté, la loyauté qu'il tient de son éducation première, lui font entendre leur voix; et dans la peinture de ces sentiments contradictoires, Prévost ... a mis autant de sobriété que d'exactitude. »

78. — 11. **il t'est bien aisé:** L'on peut observer ici un des beaux traits, une des fines qualités du style instinctif de Prévost. Notez que Manon dans ce commencement de discours tutoie le chevalier, et que dans la suite elle lui parle plus sérieusement en le vousoyant.

81. — 1. **mille écus, beaux louis d'or, 2400 livres:** un écu à l'époque de Prévost était une pièce d'argent qui valait approximativement cinq francs. Donc les bijoux dont il s'agit ici ont coûté cinq mille francs. La fabrication du premier louis fut ordonné en 1640. Depuis cette époque, l'expression écu dont on se servait pour les espèces d'or et d'argent, a été réservée aux pièces de ce dernier métal. On peut fixer la valeur du louis d'or du temps de Prévost à 24 francs. Donc le vieux galant compte à Manon cent belles pièces sonnantes. La livre valait vingt sous en cuivre, donc les mots franc et livre sont synonymes.

83. — 25. **fieffés libertins:** fieffé (fam.) =qui a atteint au dernier degré du vice dont on parle; ex.: un fieffé menteur. Un libertin ici signifie une personne d'une conduite déréglée, sans discipline, qui est impatiente de tout frein.

84. — 4. **Saint-Lazare:** originellement une maison de lépreux, comme le nom l'indique, Saint-Lazare devint un monastère après 1515. Au 18e siècle, une partie en servit comme maison de correction pour hommes qui à cause de lettres de cachet ou pour d'autres raisons se virent sous le coup de détention arbitraire momentanée. C'est ici que fut emprisonné pendant trois jours Beaumarchais après la première présentation du *Mariage de Figaro*. André Chénier y écrivit la *Jeune Captive*. Voir aux chapitres XXIV–XXVIII du *Stello* de Vigny. Aujourd'hui les terrains immenses de l'ancien monastère ont été lotis et couverts de carrés de maisons. Tout ce qui reste, c'est la prison de Saint-Lazare, rue du Faubourg Saint-Denis, qui sert de lieu de détention pour les femmes.

14. **horreur de nommer:** dans le texte de 1731, il n'a pas peur d'en donner le nom, l'Hôpital Général. L'Hôpital fut fondé par édit royal en 1656 pour donner asile aux mendiants trop nombreux de Paris. Peu après, il demeura affecté aux femmes criminelles, débauchées, aliénées ou indigentes. Le régime auquel étaient soumises les pensionnaires avant la Révolution n'était pas seulement rigoureux, il était éminemment corrupteur. Les détenues, au nombre de trois mille, étaient logées dans quatre prisons distinctes: le com-

mun, destiné aux filles les plus dissolues, la correction, pour celles accessibles au repentir, la prison, réservée aux détenues de par le roi, et la grande force, pour les femmes flétries par arrêt. (5, p. 220) « A l'horizon de sa vie, au bout de ses pensées, la fille entretenue voyait toujours se dresser cette maison de la Salpêtrière (l'Hôpital) dont les portes s'ouvraient si facilement devant elle pour un bacchanal dont elle était innocente, pour l'amour d'un fils de famille qu'elle accueillait, parfois pour une bagatelle, souvent pour un soupçon. Par elle-même ou par les récits de ses compagnes, elle savait ce qu'était l'horrible Hôpital; elle savait la façon expéditive des sentences du tribunal de police ... L'Hôpital, c'étaient les rigueurs d'un autre siècle, une discipline presque barbare; la femme y était rasée, et, en cas de récidive, elle était soumise à des châtiments corporels. » On peut bien comprendre la cause de l'horreur du chevalier. Aujourd'hui cette prison est transformée en hospice pour la vieillesse. Cet asile est dénommé la Salpêtrière, ancien nom qu'on donnait à l'enclos où il se trouve, près de la Seine, où l'on fabriquait du salpêtre. Le Boulevard de l'Hôpital va de la Seine jusqu'à la Place d'Italie, en passant devant l'Hospice.

100. — 28. **Jansénistes:** c'est la question que vient de prononcer le chevalier: « L'action est-elle en mon pouvoir ? » qui suscite cette exclamation de Tiberge, la doctrine janséniste se fondant sur la croyance selon laquelle, par suite de la chute d'Adam, l'homme ne jouit plus d'une volonté libre, et ne peut être sauvé qu'à la condition d'être parmi les élus touchés par la grâce divine. De sa propre énergie il n'obtiendra donc rien et toutes ses luttes contre cette fatalité de la décision céleste ne lui apporteront pas le salut. Les disputes suscitées par ces théories morales, bien que commencées au 17e siècle, continuent pendant presque tout le siècle suivant. Pendant le noviciat de Prévost, le problème de l'autorité ecclésiastique et le droit de conscience que réclamaient les jansénistes venait de se rouvrir après une paix temporaire fondée sur des restrictions intérieures des deux partis.

117. — 8. **au bout du monde:** exclamation prophétique, puisqu'en effet, pour ne pas être séparé de sa Manon, des Grieux la suivra jusqu'au bout du monde.

122. — 3. **dans l'abondance:** (5, p. 232) « ... point de dévouement, point de sacrifices, point de catastrophes, mais seulement de petits malheurs, quelque lettre de cachet qui les enferme au couvent, où elles babillent à peu près comme Ververt (le fameux perroquet de Gresset, 1734), et dont elles sortent en embrassant les sœurs. Le soir même de leur sortie, elles ressuscitent au monde dans un gai souper, un verre de champagne à la main; elles recommencent à pleurer quand un amant les quitte, et à se consoler quand il ne revient pas. Puis ont-elles gagné quelques mille livres? elles épousent quelque marchand; elles s'attachent à leur commerce, à leur mari même. Entre leur fin et celle de Manon, il y a la distance des sables de la Nouvelle-Orléans au ruisseau de la rue Saint-Honoré. » On voit par cette citation que les Goncourt ne croient pas la fin de Manon très vraisemblable.

17. **au Cours-la-Reine:** la belle avenue de Paris qui s'étend de la Place de la Concorde à celle de l'Alma, parallèlement au Quai de la Conférence, doit son nom à Marie de Médicis qui en 1616 la fit tracer et planter de quatre rangées d'arbres. Le Cours-la-Reine fut replanté en 1723. Aujourd'hui de fort belles propriétés le bordent entre les ponts des Invalides et de l'Alma, mais cette partie du Cours a pris le nom d'Albert Ier depuis la Grande Guerre.

129. — 24. **Fin de la Première Partie:** (3, p. 271) « Prévost clôt ici la première partie de son récit. Est-ce à dire qu'il y ait là comme un arrêt dans les événements, une sorte de tournant dans la vie des deux héros, qu'une nouvelle ère commence dans leur orageuse existence? En aucune façon. Cette division est toute factice. »

130. — 10. **partisan:** on appelait partisans ceux qui affermaient certains impôts en en payant à l'avance une partie au Trésor de l'État.

144. — 11. **l'éblouir:** des Grieux sait très bien que « Manon lui reviendra quand elle sera lasse de son nouvel amant. Peu à peu il s'habitue à son odieuse ou ridicule situation, comme on voudra. » (3, p. 274)

146. — 23. **vers de Racine:** *Iphigénie*, Acte II, Scène 5.

148. — 21. **la Comédie:** Le Théâtre Français se transporta en 1687 dans une salle de jeu de paume, rue de Fossées-Saint-Germain-des-Prés, où il prit pour la première fois le nom de Comédie Française, d'où le nom actuel de Rue de l'Ancienne Comédie. La Comédie y resta jusqu'en 1770. Au numéro 13 de cette rue se trouvait le café Procope, fondé au 17e siècle par le Sicilien Procopio Cultelli, le premier café établi dans Paris où l'on mangeât des glaces. La rue du Faubourg Saint-Antoine est une des plus anciennes voies de Paris. Elle relie aujourd'hui la Place de la Bastille à la Place de la Nation. La rue Saint-André-des-Arts, près de la Place Saint-Michel, fut anciennement connue sous le nom de « André-des-Arcs ». Prévost ou son éditeur emploie *Arts* dans l'édition de 1731, et *Arcs* dans celle de 1753. Tous deux se disaient couramment, étant l'altération de Saint-André de Laas, nom attaché à cette place en 1210. Aujourd'hui on n'emploie que la forme Arts. Le café de Feré a dû exister sur la Place Saint-Michel où l'on faisait autrefois les ventes par autorité de justice. Nous n'en avons pu trouver nulle mention ailleurs.

177. — 5. au Châtelet: à la Place du Pont au Change actuel, le pont qui donnait accès à la cité était défendu par une forteresse qui s'appelait le grand Châtelet et qui jusqu'à la Révolution fut le siège de la justice royale. Du temps de Louis XIV, on y fit une prison pour les criminels de droit commun. Le Châtelet fut démoli en 1802. Il y avait aussi le petit Châtelet, une porte flanquée de deux tours, à la Place du Petit Pont, de l'autre côté de l'île de la Cité, où l'on envoyait au 18e siècle des détenus pour dettes.

183. — 25. la Grêve (Grève): à Paris, ancien nom de la Place de l'Hôtel de Ville. Là avaient lieu les principales fêtes populaires; là aussi se dressait le gibet, et les exécutions à mort de personnages marquants par leurs situations ou leurs crimes y furent nombreuses.

186. — 10. d'en avoir: (5, p. 233) « Pour retrouver la morale du 18e siècle à l'égard des filles, il faut dépouiller notre morale moderne, faire abstraction de tout ce que le 19e siècle a apporté aux mœurs générales de pudeur au moins apparente, et se replacer dans le milieu et au point de vue d'une société galante. La conscience publique d'alors mettait bien la fille hors la loi; mais elle ne la mettait pas hors l'humanité, elle la mettait à peine hors la société. La dureté de la police, qui chaque jour, du reste, s'adoucit dans le siècle, la flétrissure de l'Hospice général, étaient la seule dureté et la seule flétrissure auxquelles la fille était exposée; le monde n'y ajoutait ni l'injure ni même la honte. Il ne s'associait point à la répression de la prostitution; il la tolérait sans la provoquer . . . Une pitié presque caressante, voilà ce que rencontrait, dans toute sa vie et de tous côtés, la femme qui, aux yeux du temps, représentait le Plaisir, et à laquelle le plaisir donnait comme une consécration . . . »

188. — 1. **pour le Mississipi:** Heinrich (4, p. 38) commente ainsi l'expression « des gens sans aveu »: « en effet en les qualifiant de la sorte, Prévost ne forçait pas les termes. » Il dit aussi (p. VII): « Pour être un charmant conteur, il n'en a pas moins su faire parfois œuvre d'historien ... Son œuvre nous offre une image vivante de ce qu'a été la transportation des filles de mauvaise vie à la Louisiane sous le système de Law ... Et en confrontant le texte du romancier avec les faits dont nos vieilles archives gardent le souvenir, nous constaterons sans cesse la rigoureuse exactitude que Prévost a réussi à observer. » Heinrich a comparé la description par Prévost de ce triste défilé de femmes envoyées au Havre avec les dossiers de la police parisienne de l'époque qui se trouvent actuellement aux archives de la bibliothèque de l'Arsenal. Il décrit le premier convoi qui s'embarqua à Rochefort, non pas au Havre, ce qui expliquerait naturellement l'hésitation de des Grieux quant au chemin que doivent prendre les archers qui escortaient le malheureux troupeau. Une des prisonnières de ce premier convoi était nommée Manon Porcher, femme de 30 ans, marquée à l'épaule avec le fleur-de-lis. Elle avait 16 camarades aussi sages qu'elle. A plusieurs reprises Prévost put donc être témoin des scènes de la sorte, le défilé des charrettes dans les rues de la capitale, à travers une foule gouailleuse qui se pressait pour mieux voir les futures femmes des Mississipiens. Le *Journal de la Régence* (Vol. I, pp. 441–465) donne tous ces détails aussi bien que le nombre de malheureuses ainsi embarquées. En août 1719, 150 femmes furent envoyées, en octobre 300 femmes quittèrent la Salpêtrière en 30 charrettes, et en novembre encore 150. (4, p. 61) « Une statistique dressée par la Compagnie des Indes (Occidentales) nous montre que 1215 femmes s'embarquèrent pour la Louisiane d'octobre 1717 à mai 1721. Quelle était dans ce chiffre la proportion exacte des filles de joie, il est difficile de le dire. Mais d'après les renseignements que nous ont fourni ... et les dossiers de police, et le *Journal de la Régence*, et le *Mercure*, on peut être assuré qu'elles constituaient la grande majorité. » Une chanson du jour qui courait les rues terminait ainsi:

> Voilà ce que c'est d'écouter
> Un sexe qui veut nous tenter,
> Qui nous fait croire qu'il nous aime,
> Et puis nous perd comme lui-même.

> Alors toute personne sage
> Fera des vœux pour leur passage,
> Priera les flots, Neptune aussi,
> De les porter bien loin d'ici.

Une autre chanson pareille célébrait ces départs dans ces termes:

> Pour peupler le Mississipi
> L'illustre colonie
> Filous et p . . . de Paris
> Partent de compagnie.
> Voilà le plus solide fonds
> De la nouvelle banque;
> Achetons tous des actions,
> Jamais ce fonds ne manque.

200. — 2. **la Rochelle:** chef-lieu de la Charente-Inférieure, à 466 kilom. de Paris, 31.559 hab. Port très sûr, protégé encore par la digue que construisit Richelieu. La grand'route conduisant à ce port traversait Orléans, Tours, et Poitiers. L'hésitation de des Grieux au sujet de la route a été expliquée dans la note précédente.

6. **le chemin de Normandie:** (4, p. 51) « Au sortir de Paris, le convoi prenait le plus souvent cette route du Havre que connaissent bien tous les admirateurs de *Manon Lescaut*. Beaucoup moins éloigné de la capitale que Lorient et Rochefort, où l'on s'embarquait d'ordinaire pour la Louisiane, le Havre de Grâce présentait le grand avantage de pouvoir être bientôt atteint. »

9. **la Porte Saint-Honoré:** Au temps de Prévost, le faubourg Saint-Honoré comprenait un terrain assez vaste qui longeait le jardin des Tuileries. La Porte Saint-Honoré se trouvait à peu près à la Rue Royale, là où aujourd'hui la rue du Faubourg Saint-Honoré ne fait que commencer. Ce n'est qu'en 1847 que ce nom fut donné à cette rue dans toute sa longueur jusqu'à la Place des Ternes.

19. **notre attaque:** Un dossier résumé par Heinrich raconte une attaque pareille qui a pleinement réussi, la bande étant plus courageuse que celle de des Grieux. Le *Journal de la Régence* (Vol. I, p. 426) raconte aussi qu'un groupe de prisonnières attaquèrent leurs gardiens, contraignant ceux-ci à tuer plusieurs d'entr'elles à coups de crosse avant de pouvoir maîtriser la rébellion.

203. — 22. **Mantes:** chef-lieu de l'arrondissement de Seine-et-Oise, à 36 kilom. de Versailles, sur la rive gauche de la Seine, 8.015 hab.

204. — 12. **désordre et abattement:** comparez ce triste départ avec la description que font les Goncourt d'un convoi de 180 filles mariées avant de partir, le 18 septembre 1719, au même nombre de fripons choisis à cette fin dans les différentes prisons de la capitale. (5, p. 226) « Voyez ces centaines de couples qui descendent de l'église du Prieuré de Saint-Martin-des-Champs, cette file de charrettes emplies d'une grosse gaieté, ce troupeau de filles, toutes ces têtes qui rient sous les fontanges, au milieu de mille rubans et de mille faveurs jonquille: quel bruit ! quels éclats ! ... Point de remords, point de soucis dans toutes ces créatures: qu'elles sont loin de l'attitude de rêverie et de mélancolie que l'imagination de l'abbé Prévost donne au corps vaincu et désespéré de son héroïne sur la paille de la charrette qui va au Havre ! Elles défilent ainsi, précédées de leurs hommes qui portent leurs couleurs, la cocarde jonquille au chapeau; ou bien, liées à celui qu'elles ont choisi pour mari, elles s'en vont deux à deux, accouplées, le pied léger, essayant de danser, lançant des drôleries qui font rire le public et les soldats aux gardes, usant largement de la liberté qu'on laisse à la dernière récréation des condamnés. Voilà l'allure et le spectacle d'une exécution de police au 18e siècle: cela, c'est le départ des filles mariées aux voleurs, pour le Mississipi. »

21. **sa première attitude:** (3, p. 280) « Ce qui rend cette fin si belle, c'est la pureté, l'intégrité des sentiments. Rien d'apprêté, ni de faux. Cet élan spontané de Manon vers son chevalier, qu'il est touchant et naturel ! »

208. — 19. **l'ordinaire:** courrier de la poste qui partait et arrivait à jours fixes.

210. — 28. **une navigation de deux mois:** (3, p. 281) « Notons ici qu'un écrivain moderne n'eût pas manqué de donner libre carrière à son imagination, en dépeignant le spectacle imposant de la mer et du ciel, sans doute même celui d'une tempête: orage dans les cœurs, orage sur les flots ... » Lesage raccourcit de la même façon dans son *Bachelier de Salamanque* la traversée: « Pour épargner au lecteur un journal ennuyeux de mon passage aux Indes, je me contenterai de dire qu'après avoir couru quelque péril sur la mer, j'arrivai heureusement à ... Vera Cruz. » Ces voyages sur la mer dans les romans du 18e siècle feraient une étude assez intéressante. A consulter, G. Chinard, *l'Amérique et le rêve exotique dans la littérature au 17e et au 18e siècles*, Paris, Hachette, 1913.

211. — 1. **campagnes stériles:** (4, p. 70) « Parmi les filles de joie arrivées de France si nombreuses à la fin de 1719 et au courant de 1720, beaucoup sans aucun doute, comme la pauvre Manon dans la campagne déserte, étaient mortes des misères et des fièvres sur les grèves stériles et malsaines où elles avaient débarqué, généralement l'île Dauphine ou Biloxi, où faute de moyens de transport elles restèrent de longs mois à dépérir. Plus de 1200 étaient arrivées de 1717 à 1721; or, le recensement général du 1er janvier 1726 ne donne à la Louisiane tout entière que 2228 habitants. »

211. — 7. **du Nouvel-Orléans:** le nom s'emploie aujourd'hui au féminin. Cette ville, fondée en 1718, remplaça Mobile comme capitale de la Louisiane en 1723. Les indications que donne Prévost sur sa misère et petitesse sembleraient être à peu près justes, puisque la ville n'existait que depuis peu avant l'action de notre roman.

212. — 3. **le Gouverneur:** le gouverneur colonial de la Louisiane à cette époque était un Canadien nommé Jean Baptiste Bienville (1680–1765). Il fonda la ville de la Nouvelle-Orléans, et après avoir conquis la Pensacola, aux Espagnols, établit dans la nouvelle ville le siège de son gouvernement (1723). A consulter, De Villiers, Baron M. *Histoire de la fondation de la Nouvelle Orléans*, Paris, Imprimerie Nationale, 1917.

6. **tiré au sort:** Lesage a inventé une petite comédie à ce sujet, *Les Mariages du Canada*, 1734. Voir aussi ses *Aventures du Flibustier Beauchêne*, 1731, livre IV. Prévost aussi bien que Lesage ont pu trouver des renseignements sur ces mariages dans la deuxième lettre des *Voyages du Baron Lahontan dans l'Amérique Septentrionale*, 3 vol. Paris, 1703–4.

215. — 13. **douceurs de l'amour:** (3, p. 281) « Disons-le franchement: ce qui suit est froid et languissant auprès de ce que nous venons de lire: l'installation du couple à la Nouvelle-Orléans, la vie bourgeoise qu'il y mène quelque temps, les scrupules religieux de des Grieux . . . » A vrai dire, la raison pour laquelle on a cessé d'envoyer à la colonie des filles galantes (décret du 9 mai 1720), c'est qu'elles apportaient partout avec elles désordres et dissensions. Prévost est ici très loin de la réalité quand il trace ce tableau douceureux et idyllique de l'amour colonial.

24. **un valet ... une servante:** Ici, aussi bien que dans son compte-rendu des relations entre le Gouverneur et un colon nouvellement débarqué, Prévost évidemment laisse la bride à son imagination. Les domestiques seraient un luxe inouï dans un « assemblage de quelques pauvres cabanes ». La sinécure dans le fort que décroche le Chevalier est assez peu probable.

223. — 19. **prendre une résolution:** (3, p. 282) « Heureusement qu'ici Prévost ne tarde pas à reprendre pied et que les dix pages finales rachètent la médiocrité de celles qui précèdent. »

229. — 4. **j'attendis la mort:** (7, p. 165) « Personne, ce me semble, n'a dit pourquoi son récit de la mort de Manon nous émeut jusqu'au fond de l'âme et s'imprime à jamais dans notre souvenir. C'est qu'il a le premier formulé un rêve que nous faisons tous aux heures funèbres où la mort frappe à nos côtés; c'est que toute l'horreur dont la mort est entourée dans la réalité vulgaire, est absente de l'agonie et des funérailles de Manon. Point de chambre close qu'éclaire lugubrement la lueur jaune des bougies et où l'atmosphère s'alourdisse d'heure en heure; point de suaire, point de cercueil sur lequel grince le tourne-vis; point de badauds qui s'ameutent, de pitié banale qui larmoie; point de convoi où derrière une douleur vraie marchent l'indifférence et peut-être l'ironie; point de mise en terre au fond d'un caveau ou dans le sol gras des sépultures anciennes. Manon meurt aux bras de son ami, dans la savane, au sein de la nature vierge; il l'ensevelit lui-même, sans qu'aucune main mercenaire vienne profaner ce corps frêle, maintenant rigide et glacé. Et ceci répond à un si douloureux besoin de nos cœurs que cette page eût suffi à éterniser le nom de Prévost. »

23. **sa générosité:** (7, p. 164) « ... comme elle est triste, l'histoire de des Grieux ! Comme elle nous force à sentir tout ce qu'il y a de fatal dans nos destinées ! S'il avait quitté Arras un jour plus tôt, il n'eût jamais connu Manon ... S'il n'avait pas résolu, à la Nouvelle-Orléans, d'épouser Manon ... il n'eût pas eu à fuir avec elle dans le désert où elle trouve la mort: un scrupule d'honneur et de vertu est la cause de sa pire infortune. Et l'ironique destin veut encore que sa grâce lui arrive quelques heures après qu'elle lui est devenue inutile, quelques heures après la mort de Manon. » (13, chap. III) « Comme on diviserait sans peine le roman en cinq actes, on le diviserait de même en cinq épisodes, dont les quatre premiers

montrent le triomphe de la passion; mais il s'agit d'un triomphe honteux. Le cinquième, qui nous fait voir la conversion de Manon et son repentir, est moins un revirement, que la victoire décisive et logique d'un principe qui n'a jamais été oublié. Le mal que nous faisons comporte des conséquences tragiques; la punition est inévitable; il faut que la justice du Ciel triomphe en fin de compte...

231. — 25. **Saint-Malo:** chef-lieu de l'arrondissement d'Ille-et-Vilaine, à 80 kilom. de Rennes, 11. 486 hab. Martinique est une île des Antilles Françaises.

EXPLICATION LITTÉRAIRE

Cette leçon expliquée est très modestement offerte ici, sinon comme modèle parfait de cet exercice si connu en France, au moins pour suggérer une méthode d'étude littéraire qui donne de si bons résultats dans les universités françaises. L'étudiant est invité à lire et à relire avec une attention toute particulière ces quelques pages. Il comprendra l'utilité d'une analyse détaillée d'un morceau analogue et sera en état de préparer soigneusement une leçon pareille sur n'importe quelle page de ce roman. Nous indiquons plus loin certains morceaux qui se prêtent à cette méthode d'explication littéraire.

Le morceau à expliquer se trouve dans cette édition, aux pages 54, 55, 56.

« Je tremblai pour notre argent, qui etait renfermé dans une petite caisse . . . et de quelque façon qu'on le prenne, c'est un fonds excellent de revenu pour les Petits, que la sottise des Riches et des Grands.»

Ce n'est pas le lieu de raconter le roman; il suffira d'éclaircir chemin faisant les allusions qui se recontreront à des événements antérieurs au morceau qui va etre expliqué. Ce morceau prend place après l'incendie de la maison de Chaillot.

Il comporte deux parties fort inégales: un très court récit et une longue analyse psychologique qui porte successivement sur des notions affectives et intellectuelles, et parmi ces dernières sur des idées particulières, puis générales.

Voici le texte. (Lecture du morceau).

Plan du morceau

Comme on le voit, les divisions suivantes s'imposent à l'esprit du lecteur.

Court récit suivi de longues réflexions.

Récit. — Depuis « Je tremblai . . . (jusqu'à) disparu.»

Réflexions. — Deux parties.

(A) *Émotion et désespoir* au spectacle de la perte d'argent et pensée de la perte de Manon. — depuis « J'éprouvai alors . . . (jusqu'à) mort.»

(B) *Projets*. — depuis « Cependant » . . . jusqu'à la fin.

    (*a*) examen d'une situation particulière, jusqu'à « aujourd-hui ».

    (*b*) considérations générales appliquées à une situation particulière. — depuis « Combien de personnes » . . . jusqu'à la fin.

En somme, belle ordonnance avec une excessive propension aux réflexions. Voilà l'impression générale et première.

Explication verbale

L'explication de détail peut être abordée immédiatement. Elle sera traitée en suivant les divisions du plan et portera sur la langue et les idées.

Récit

C'est un morceau très court. Il s'étend des mots « Je tremblai » aux mots « déjà disparu ». — Encore, des quatre verbes qu'il comporte: trembler, être renfermé, se rendre à, avoir disparu, le troisième exprime-t-il seul une idée active, le premier marquant déjà un état d'âme.

(1) *Notre argent*. — Il a déjà été fait mention de leur argent. Nous aurons à reparler plus loin de cet argent. Manon le tenait de son précédent amant à qui elle venait de se soustraire. Cette circonstance, plus encore que la situation socialement fausse de Manon et de des Grieux, rendait toute plainte judiciaire impossible.

(2) *Renfermer*. — Le mot appelle une explication de langue. Le préfixe re-, r devant voyelle, exprime d'ordinaire soit la répétition, soit le retour en arrière. Mais dans plusieurs mots il a cessé d'avoir un sens. Le mot à préfixe s'est substitué au mot simple, et l'on dit communément remplir pour emplir, réveiller pour éveiller, rentrer pour entrer, de même ici « renfermer » pour « enfermer ». (Nyrop, G. H. F. — III — pp. 226–228, par. 4958.)

(3) *Petite caisse*. — Il n'a été fait antérieurement aucune mention de cette caisse; d'où l'article indéfini « une ». Il s'agit d'une cassette dont le vol fait la ruine du Chevalier et de Manon.

(4) *Chaillot*. — Au début de leur seconde union, le Chevalier et Manon ont loué une maison à Chaillot pour éviter les importunités éventuelles de M. de B . . . de qui il sera reparlé, et dans l'espoir de vivre plus modestement qu'à Paris, sans perdre entièrement les plaisirs de la grande ville, sacrifice impossible à Manon. Chaillot: ancien village des environs immédiats de Paris, situé sur la rive droite de la Seine, un peu au S. O. de Paris. En 1659, Chaillot fut érigé en faubourg de Paris, et reçut le nom de faubourg de la Conférence, en mémoire des conférences où fut décidée la paix des Pyrénées. En 1786, lors de la construction du mur d'octroi de Paris, il fut compris dans l'enceinte de la ville. (Larousse — T. II.)

Le territoire de l'ancienne commune de Chaillot forme aujourd'hui le 8e arrondissement de Paris, c'est-à-dire la région des Champs Élysées et au delà. Limitée par la Muette et le Bois actuel de Boulogne, cette région, cette région, demeurée l'une des plus opulentes de la capitale, vit s'élever dès le 18e siècle de somptueux hôtels avec jardins et parcs. En un temps où l'on allait peu communément à la mer et à la montagne, Chaillot était la villégiature proche où se rendaient l'été les riches Parisiens.

On comprend le choix du Chevalier qui n'aurait su trouver un endroit plus convenable pour plaire à Manon.

(5) *Diligence inutile*. — Le tour serre la pensée et abrège le discours en faisant l'économie au moins d'un adjectif possessif et d'un verbe. La parole court aussi vite que la pensée, elle fait diligence comme des Grieux. La rapidité du style est un des heureux traits distinctifs des meilleures pages de l'abbé Prévost.

(6) *Avait déjà disparu*. — Le Chevalier avait raison de trembler. La servante de Manon et de des Grieux, restée seule à Chaillot, avait fui le feu qui avait pris pendant la nuit. Le matin, elle ne pouvait rien dire sur l'état des lieux et des choses, elle savait seulement que l'incendie avait attiré une grande foule, comme c'est l'usage. Évidemment le contenu de la caisse n'était pas perdu pour tout le monde.

(7) Tel est ce squelette de récit, court en dimension mais grand par les conséquences que va en tirer tout de suite l'esprit de des Grieux; il se recommande par sa concision et sa sobriété, deux qualités classiques. Nous ignorons tout de la maison de Chaillot

et de son état après l'incendie.   Point de description; on ne nous instruit que du seul objet intéressant: la cassette.

Réflexions

(A.) Émotion et Désespoir

(8) Mais voici la partie capitale du morceau: les réflexions.   Au 18e siècle comme au 17e, les paysages de l'âme tiennent la plus grande place.   Ce qui s'y passe reste l'objet essentiel de la littérature; de là, le long examen auquel se livre des Grieux.   En bon classique il l'ordonne sagement, en deux parties dont la seconde forme un diptyque.

(9) Mais en homme sensible, en homme tout court, il nous fait part d'abord de ses émotions, depuis « J'éprouvai alors (jusqu'à) mort ».   Même chez les plus forts une réaction immédiate de la sensibilité est inévitable devant les grandes catastrophes de la vie. Le sang-froid consiste à la dompter.   Des Grieux est donc au comble de l'émoi et de la prostration.   Noter pourtant qu'il commence par une idée abstraite, une sentence.   S'il est sur le point de perdre la raison, il n'a point perdu la faculté de faire de l'esprit.   On croit communément que les avares sont seuls à aimer l'argent.   Des Grieux, abîmé dans sa désolation, raisonne agréablement sur l'erreur de cette opinion générale.   Il y a là une légère faute de psychologie, partiellement caractéristique du temps, et partiellement inhérente au roman comme au théâtre.

(10) *J'en pensai perdre.* —

Mais bientôt l'homme sensible reparaît, l'homme sensible avant Rousseau, le vrai citoyen de tout le 18e siècle.   Nous le retrouverons plus loin, bornons-nous à étudier ici la manière dont il s'exprime.

en. — Ordre moderne normal: je pensai en perdre; ordre classique: j'en pensai perdre. — Dès le 17e siècle les deux ordres se font concurrence, cet état de choses durant tout le 18e siècle.   Et on lit quelques lignes plus bas: j'allais me trouver exposé, et non: je m'allais trouver exposé.   Dans la langue naturelle l'ordre moderne a triomphé au début du 19e siècle, mais par affectation, goût d'archaïsme, influence littéraire, on trouve encore aujourd'hui des exemples de l'ordre ancien dans la langue écrite.   Ils sont extrêmement rares dans la langue parlée, où ils provoquent un léger sourire de l'auditeur.   Parfois le sujet parlant emploie cet ordre ancien comme un moyen comique.   (Darmesteter, G. H. F. — IV — p. 229, par. 495 (5))

(11) *Je n'avais déjà que trop éprouvé . . . misère.* —

Il est fait ici allusion à la conduite de Manon avec M. de B . . . , fermier général.   Le Chevalier et Manon, lors de leur premier séjour à Paris, logent dans la même rue que M. de B . . . Nous apprenons ce détail à sa place chronologique, page 22. — M. de B . . . voit Manon à sa fenêtre et devient amoureux d'elle; il lui fait une déclaration écrite avec offre d'argent.   Manon accepte l'argent et les assiduités, sous le prétexte qu'elle se donne à elle-même de pouvoir continuer à vivre avec des Grieux.   Mais, rapidement séduite par l'opulence des présents de M. de B . . . qui, disait-il, devaient être proportionnés aux faveurs de Manon, elle prend la résolution d'éloigner des Grieux.   Manon est entretenue deux ans par M. de B . . . , de qui elle reçoit un appartement, des meubles, des bijoux et de grosses sommes d'argent.   Nous apprenons ces faits dans l'entrevue de Manon et de des Grieux au séminaire de Saint-Sulpice (p. 47). —

Le désir du luxe a donc été le mobile qui a déterminé Manon à donner à M. de B . . . les renseignements qui ont permis à Messieurs des Grieux, père et fils, de ramener au logis familial le Chevalier, leur fils et frère.   Le Chevalier reçoit cette explication peu après l'accomplissement des faits, et de la bouche de son père.   (p. 32).

Lors du « raccommodement » avec des Grieux, Manon, par suite des libéralités de M. de B . . . possède 60.000 francs et un riche vestiaire.   Elle est habituée à fréquenter le théâtre, les divertissements de tout genre, elle aime le jeu et les plaisirs.   En outre, le Chevalier fait ici allusion à ce que lui a appris sa seconde union avec Manon. — « La première vertu de Manon, non plus que la mienne, n'était pas l'économie » dit-il au début ce dette union (p. 50).   Les plans de vie simple que tous deux ont fait alors ont été déjoués par l'humeur dépensière de Manon, avec la complicité de la faiblesse du Chevalier: jeu, opéra, carrosse, appartement de ville et maison de campagne, voilà le pain quotidien sans lequel Manon ne peut pas vivre; ajoutez-y les libéralités au terrible Lescaut et vous comprendrez l'anxiété du Chevalier.   Certes Manon n'aime pas l'argent pour l'argent, Manon aime le Chevalier, mais le

Chevalier comprend qu'elle préfère le luxe à son amant et l'argent à tout, parce qu'il est le moyen de se procurer le luxe.

(12) Le pauvre Chevalier ! S'il a failli perdre la raison, il n'a jamais perdu la parole. Écoutez comme il insiste sur cette idée cruelle de la perte de Manon: il commence par en avoir la notion intellectuelle, puis il l'énonce comme une action imminente; enfin lui-même se dédouble, se plaint, s'apostrophe en trois mots essentiels: malheureux, perdre, aimer. Tout cela est sobre, vrai, dramatique, plein de mouvement.

(13) Telle est la partie émotive des réflexions de des Grieux. Point de désordre, point de cris. La pensée reste discursive et bien ordonnée: une belle apostrophe et la crainte de perdre la raison, voilà les deux termes du paroxysme de cette émotion. Elle est faite d'une fusion du classicisme raisonneur et des effusions de l'homme sensible du 18e siècle. Au reste, l'élément rationnel domine et c'est lui qui va prendre le dessus dans toute la suite.

(B.) — *Projets*

(14) Des Grieux est en effet un homme trop pratique pour se laisser abattre, et trop aristocratique pour songer à un travail manuel. Il sait le parasitisme, il connaît le point faible des sots et le succès des filous. Le développement des affaires d'argent, la banqueroute du système de Law, l'accroissement des compagnies de commerce, des fournitures de guerre, du fermage des impôts, du déplacement des fortunes, de la propension des nobles à ne rien faire, des goûts de luxe, tout a contribué à abaisser la moralité du 18e siècle en matière d'argent. Si le gain illicite au jeu est de tous les temps, il est spécialement de celui-là. Aussi sera-ce finalement la ressource de des Grieux.

(a) *examen d'une situation particulière.*

(15) Des Grieux commence par envisager froidement les éléments de sa situation. Le Ciel vient à son aide. Voyez où va se fourrer le Ciel ! Mais surtout une raison subtile ne l'abandonne pas. Il s'agit de tirer parti de ce qu'on a et d'essayer de vivre.

(16) *Industrie.* —

Le sens est bien difficile à établir. Sans être un franc scélérat comme M. Lescaut, le Chevalier des Grieux perd progressivement ses scrupules. Quelle dose d'immoralité verse-t-il dans ce mot, c'est une question à désespérer les psychologues. Notons en tout cas qu'il a employé un terme admirablement adéquat à sa pensée. Au sens technique, l'industrie est l'art de manufacturer des produits marchands. C'est la fonction de l'industriel qui se livre à la grande industrie ou à la petite industrie. Au sens individuel, c'est l'habileté manuelle qui fait d'un homme un artisan distingué: on dit de lui qu'il est industrieux. Au sens péjoratif, c'est l'art de l'escroc, du bandit; et on se demande jusqu'à quel point le Chevalier des Grieux ne consent pas à devenir un chevalier d'industrie. A envisager le peu de connaissances techniques qu'il possède et l'ouverture qu'il fera lui-même à Lescaut de chercher la richesse dans le jeu ou plutôt dans la tricherie, il faut bien reconnaître que le mot industrie placé ici a un son étrangement immoral. C'est alors un euphémisme plein de délicatesse. Des Grieux a de la susceptibilité. Il ne se dirait pas « je m'enrichirai par escroquerie au jeu », le mot industrie exprime sa pensée sans le blesser. Cet euphémisme de décence, d'un emploi très commun, est instructif sur la psychologie des individus qui s'en servent.

(17) *Honnêtement.* —

Le mot est plaisant; ne croyez pas qu'il signifie « par des moyens honnêtes »; ce serait vous abuser étrangement. Il faut entendre « d'une manière suffisamment large », dans une mesure capable de satisfaire les désirs de Manon, de lui assurer à peu près le luxe qu'elle exige. — Plus bas le Chevalier parle « d'honnêtes gens ». Le mot « honnête » a alors son sens moral ordinaire, mais ici point.

(18) *Vingt mille écus.* —

C'est-à-dire, 60.000 francs. C'est la somme liquide que possède Manon lorsqu'elle retrouve le Chevalier. — Dans les plans sensés que fait alors des Grieux et dont nous sommes instruits à leur date (p. 50), cette somme doit suffire à la vie du jeune couple pendant dix ans. On sait comment l'humeur dépensière de Manon vint troubler ses beaux projets. Mais alors deux affirmations se trouvent inconciliables: le Chevalier a fait remarquer quelques pages plus haut que leur fortune est dans le plus grand désordre, et il parle ici d'un avoir de 20.000 écus identique à celui qui existait au début de leur mise en ménage. Posséder cet avoir intact est une preuve d'économie et non de désordre, et la contradiction relevée prouve une certaine hâte chez l'écrivain.

(19) *Nul des changements que j'espérais.* —

« Mon père est âgé, il peut mourir. Je me trouverai du bien, et nous serons alors au-dessus de toutes nos autres craintes. » (p. 51).

— Par deux fois le jeune des Grieux a donc envisagé très froidement la mort de son père comme un moyen d'assurer sa subsistance.

(b) *Considérations générales appliquées à une situation particulière.*

(20) La composition de cette dernière partie présente un grand intérêt:

(*a*) une transition du particulier au général, que la sagesse populaire résume à ceci: après tout, je ne suis pas plus bête qu'un autre. C'est la première proposition d'un syllogisme élémentaire dont voici la suite: et les autres réussissent, donc je dois réussir.

(*b*) Arguments cosmiques, politiques et moraux destinés a légitimer l'escroquerie. Dieu a bien fait toutes choses: les poires sont faites pour être mangées et les Grands pour être exploités: c'est bien. Voilà une conséquence étrange des causes finales:

(*c*) La conclusion se devine: le Chevalier se fera escroc en toute tranquillité de conscience. Il a raisonné son cas, il a donné à sa conduite une base philosophique, il s'est montré un être de raison à ses propres yeux; il sait s'élever au-dessus des préjugés, car le « tu ne voleras point » n'est qu'un préjugé bon pour les personnes bornées et indigne des philosophes, des hommes d'esprit dont il est. Il est déiste et fait intervenir la Providence, mais se montre petit sot en la fourrant dans des intérêts infimes et sales. Il est dans les confidences du Seigneur et déclare en homme qui s'y connaît, quelles sont et quelles ne sont pas les vues de Dieu, et comme par hasard, il les accommode à ses intérêts personnels. Il raisonne sur les conditions humaines; il sait la raison d'être de chacune, son fort et son faible; il faut qu'il y ait des Grands pour faire vivre les Petits. Bref, disons-le pour la sixième fois, il raisonne toujours et sur tout. Par tous ses traits, des Grieux est de la famille des roués d'une part et des penseurs du 18e siècle d'autre part: il sent, pense et agit comme eux, on les connaît par lui; il parle aussi comme eux: sa langue est si claire qu'elle offre peu de prise aux commentateurs.

(21) *Prennent part.* —

Il convient de ne pas se méprendre sur le sens. La locution « prendre part » signifie aujourd'hui « jouer un rôle dans ». Or, ici il faut entendre « recueillir une portion de ». Pour rendre cette nuance la langue moderne doit introduire un adjectif possessif « prendre sa part de », et notez que la préposition suivante change, car « on prend part à quelque chose » et « on prend sa part de quelque chose ».

Conclusion. —

On a loué la clarté et la pureté du style de l'abbé Prévost. Nous avons eu l'occasion de faire apparaître ces qualités dans l'examen de détail. Il parait préférable d'insister sur l'intérêt véritable du morceau, c'est-à-dire sur sa valeur psychologique et historique. Un pareil texte fait figure de document.

Discussion des idées. —

Psychologie de Manon, psychologie de des Grieux, ou plus généralement psychologie de l'amour au 18e siècle.

« Je connaissais Manon . . . misère. » — Le Chevalier fait ici la psychologie de sa maîtresse par la connaissance que lui a donnée d'elle son passé. En expliquant ce passé il nous a fallu empiéter sur la psychologie de Manon. Nous ne pouvons que nous répéter: Manon n'est ni avide ni avare, ni vénale ni insensible, mais elle ne saurait vivre d'amour et d'eau fraiche. L'abondance, le luxe, lui sont plus nécessaires que l'échange des manifestations sentimentales. Elle n'est pas infidèle. Qu'on nous permette un badinage. On nomme héliotrope la fleur qui se tourne toujours vers le soleil; permettez-nous d'appeler chrysotrope une femme qui sans remords et d'ailleurs sans laideur d'âme, se tourne toujours vers l'or. Manon est chrysotrope. — Nous le verrons bien dans la suite du roman, lorsqu'elle consentira aux faveurs de M. de G . . . M . . . L'attitude de Manon est celle d'un grand nombre de femmes au 18e siècle; elles veulent jouir de la vie; ce vouloir annule leur conscience morale; ainsi légères elles deviennent irresponsables et n'ayant plus le sens de l'honnêteté et de la fidélité conjugales, elles ne méritent même plus l'appellation d'infidèles et de déshonnêtes. Jamais époque ne fut plus fertile que ce 18e siècle français en légèreté matrimoniale. Il fallait pour être bien considérée dans le monde qu'une épouse jeune et jolie eût plusieurs amants et un mari plusieurs maîtresses. C'est une théorie. Ce fut une mode, et le roman de Manon Lescaut donne exactement le ton de ce temps.

Psychologie de des Grieux. — Elle peut se résumer en trois traits: amoureux faible, homme de jugement, esprit généralisateur.

Amoureux faible. — Perdre Manon est pire que l'indigence; cette idée prend toute sa force affective car des Grieux est sensible. Il l'énonce une première fois froidement, puis se répète sous une forme pleine de lyrisme et d'emphase et en s'apostrophant lui-même. Voilà pour l'amoureux.

Tout faire et même mal faire pour conserver Manon, sauf la peiner, voilà pour la faiblesse. On lui cachera donc la perte des 20.000 écus; premier mensonge, mais il n'importe. On gagnera de l'argent par industrie ou faveur du hasard. Noter qu'il n'est pas question d'un travail sérieux; le travail est encore considéré comme une déchéance, on ne songe qu'à des expédients. C'est l'escroquerie en puissance, le savoir-faire, comme disent élégamment ceux qui ne savent rien faire.

Des Grieux est un homme de jugement. L'expérience lui profite. La trahison de Manon qui naguère lui était incompréhensible lui a appris maintenant à connaître le caractère de sa maîtresse. Il sait le seul moyen de la garder et ne la blâme point pour autant: faiblesse personnelle si l'on veut, mais surtout de l'époque. Il suppute froidement les avantages éventuels de la mort de son père et les juge très bien sans se laisser détourner par ce qu'il eût appelé, sans doute, des superstitions filiales.

Enfin, il connaît le monde et porte sur la société de Paris des jugements généraux. Il a des formules d'ensemble: « on peut aimer l'argent sans être avare »; et notez qu'il les trouve au milieu de la plus vive émotion. Mais surtout il sait que les Grands sont des sots, les Riches aussi; que les uns et les autres sont de malhonnêtes gens. Les industrieux de ce monde sont les pauvres, toute leur habileté est de vivre aux dépens des Grands, et c'est juste. L'indifférence morale de des Grieux est parfaite. Nous ne disons pas qu'il pencherait pour la corruption, les deux procédés se valent. Ce jugement sévère sur la noblesse a son histoire, aux érudits de la faire. On en marquera deux jalons: *les Caractères* de La Bruyère (1687), spécialement dans le chapitre des Grands et dans le chapitre Des Biens de Fortune, et le fameux monologue de *Figaro* de Beaumarchais, 27 Avril 1784.

Tel est ce morceau, nerveux, serré, vivant, à la fois remarquable par la sensibilité et la clarté, par son importance dans le roman et sa valeur pour notre connaissance du 18e siècle. Passant inaperçu au lecteur superficiel, il fait lever mille idées dans l'esprit du lecteur cultivé, même au cours d'une lecture cursive, et c'est là la marque d'un bon écrit.

On pourrait de la même façon profitable analyser ou expliquer d'autres morceaux du roman. Nous mentionnons ici à titre de simple suggestion quelques pages qui fournissent matière à des leçons analogues.

1. pp. 13–14. « J'avais dix-sept ans et j'achevais mes études ... par un ingrat qui s'en offensait et qui les traitait d'importunités. »

2. pp. 38 et 42. le paragraphe qui commence: « Mon cher Chevalier, me dit-il, je ne vous dis rien ... » comparé avec celui qui commence: « Que les résolutions humaines soient sujettes à changer ... »

3. pp. 62–63. L'amitié de Tiberge: « Ne croyez-pas, reprit-il bientôt, que ma rêverie vienne ... c'était sur les fruits futurs qu'il me faisait cette avance. »

4. pp. 86–87. « Cette connaissance fut le plus rude de tous mes châtiments ... et que la honte est une de leurs plus violentes passions. »

5. pp. 96–98. « Il me répondit que l'aveu que je faisais ... une idée des plus libertines et des plus monstrueuses. »

6. pp. 120–121. « Je consolais Manon, en avançant ... il me parut impossible, en effet, qu'elle pût jamais les oublier. »

7. pp. 122–124. « Je m'assis sur l'herbe; j'entrai dans une mer de raisonnements ... estimer une chose plus que ma vie n'est pas une raison pour l'estimer autant que Manon. »

8. pp. 148–150. « ... elle chargerait du reste mon valet, qu'elle voulait mener avec elle ... je rejoignis mon fiacre, sans pouvoir m'arrêter à la moindre résolution. »

9. pp. 184–186.
ou
10. pp. 194–197.
Choisir un de ces morceaux. L'étudiant devrait porter son effort sur l'exaggération et l'invraisemblance du dialogue. (9) « Je vous assure, Monsieur, lui dis-je, que la modestie ... deux violentes passions qui m'avaient agité, la vengeance et l'amour. » (10) « Monsieur, lui dis-je en tremblant, vous êtes un bon père ... adieu, père barbare et dénaturé. »

11. pp. 203–206. « Vous dirai-je quel fut le déplorable sujet de mes entretiens avec Manon ... père, mère, parents, amis, richesses et félicité ? »

12. pp. 226–229. « Pardonnez, si j'achève en peu de mots un récit qui me tue ... j'invoquai le secours du Ciel et j'attendis la mort avec impatience. »

EXERCICES LITTÉRAIRES ET CRITIQUES

Nous allons aborder l'étude de *Manon Lescaut*, du milieu moral, et des réalités ambiantes, en envisageant cette œuvre à divers points de vue dont voici la rubrique.

  I. Les variantes de l'édition de 1731.
  II. Questions de style.
  III. Rapprochements littéraires.
  IV. Le titre du roman.
  V. L'amour au 18ᵉ siècle et la psychologie de l'amour dans *Manon*.
  VI. Le Chevalier des Grieux, ses devanciers, ses descendants.
  VII. Manon et les Manon fictives et réelles.
  VIII. Caractères secondaires.
  IX. Le problème de la liberté humaine.

Il nous a paru que de cette manière la plupart des questions relatives à *Manon* sont soulevées par elles-mêmes, liées entre elles et mises dans leur place.

I

A. — Variantes de l'édition de **1731**

Le texte de 1731 est accessible au lecteur moderne dans une belle édition (chez Bossard, 140 Bd. St.-Germain, Paris, 1926), avec une introduction par Joseph Aynard. Nous n'avons pas jugé utile ici de relever toutes les variantes, puisque l'édition de 1753 a été considéré par l'auteur comme définitive, et qu'il s'est borné dans sa révision, excepté pour un épisode qu'il a ajouté, à des substitutions ou à des déplacements de mots, à la vérité en grand nombre. Ce sont en somme des variantes de détail inspirées par le goût et par l'euphonie. Nous avons donc choisi parmi ces corrections celles qui nous paraissent les plus importantes pour illustrer les jugements différents qui ont été portés sur les deux textes. Voici deux opinions nettement opposées: (A consulter, 13, Chap. V.)

... « on peut dire qu'elles (les corrections) démontrent que Prévost n'est pas un grand écrivain car il corrige trop souvent pour corriger et parfois pour affaiblir ... Toujours est-il qu'en 1753, Prévost corrige plusieurs passages de ce genre (sur les sentiments religieux) en les remplaçant par des expressions plus incolores.» (11, p. xxvii)

« Et c'est en 1731 qu'il fit paraître Manon Lescaut, sous une première forme très imparfaite ... Le style en est mol et incorrect ... » (12, p. ix)

Brunetière (6, p. 230) et Harrisse (2, p. 381) n'acceptent pas toutes les corrections de 1753 comme heureuses. Brunetière en indique plusieurs pour démontrer que la première forme est de la langue forte et précise du 17e siècle et que la seconde est de la langue noble et vague du 18e. Dans cet ordre d'idées l'étudiant fera son propre commentaire sur les variantes qui suivent:

Page	7	ligne	1-2.	je l'eusse prise pour une *princesse*
"	9	"	14-15.	ils *m'ont allongé deux ou trois grands coups du bout de leurs fusils.*
"	18	"	4.	parce que *n'étant po nt de qualité, quoique d'une assez bonne naissance*
"	40	"	9.	une vie *simple* et chrétienne
"	51	"	1.	nous irons *trois* fois ...
"	57	"	11-12.	*passer une nuit avec* une fille *comme* Manon.
"	79	"	22-23.	je vous jure *qu'il n'aura pas la satisfaction d'avoir passé une seule nuit avec moi.*
"	82	"	26-27.	l'heure *de se coucher* étant arrivée, *il proposa à Manon d'aller au lit.*
"	84	"	3-4.	pauvre Manon fut *menée à l'Hôpital Général*, et moi dans l'autre ...
"	108	"	20-21.	retournant chez lui *de l'idée qui m'était venue à la tête.*
"	129	"	4-5.	ou si ce fut par *un mouvement qui venait de lui-même;*
"	130	"	21-22.	soit *du côté de ma famille, soit du côté du jeu.*
"	173	"	12-13.	malheureusement *entortillée* dans mon ...
"	186	"	9-10.	les deux tiers des *habitants de Paris* se font ...
"	199	"	18.	jusqu'au dernier *sou.*

    "   209   "   21–22.   On cherchait *de tous côtés de* jeunes

    "   228   "   3.   Je demeurai *deux jours et deux nuits avec* la
                                     bouche . . .

    "   230   "   23–24.   Il m'éclaira *des lumières de sa grâce et il*
                                     m'inspira le dessein de retourner à lui par
                                     les voies de la pénitence.

    "   231   "   25.   à Saint-Malo *qui allait à Quebec,*

B — L'épisode du prince italien

(page 130, ligne 23, à la page 139, ligne 10)

Cet épisode ne figure point dans la version de 1731. Prévost l'a ajouté parce qu'il le croyait « nécessaire à la plénitude d'un des principaux caractères.» (Avertissement au lecteur, éd. de 1753.) Ceci prête à discussion. Qu'est-ce que cet épidose ajoute à notre conception du caractère de Manon ? Il est à noter que cette aventure représente peut-être le seul sacrifice que Manon fasse à des Grieux. Il faudrait examiner de près toute cette partie du texte pour bien apprécier l'intention de l'auteur en introduisant cette addition. Voici l'opinion nettement défavorable de M. Aynard (11, p. xxvi) :

« . . . l'épisode du prince italien . . . dépare réellement le roman en diminuant la vraisemblance . . . On peut croire alors qu'elle (Manon) l'aime (des Grieux) véritablement avec passion, qu'elle le préfère à l'argent. On ne lui en sait pas gré, puisque pour le moment elle n'en a pas besoin . . . De plus, la silhouette du prince, en contraste avec tous les autres personnages, n'a aucun relief, aucune vérité . . . C'est une scène, si l'on veut, amusante, ce n'est pas un épisode significatif et parlant, du même ton que le reste du roman."

Thérive en parlant de cet épisode emploie l'épithète « important». C'est aussi l'avis d'autres critiques qui notent un certain développement chez Manon. Il est tout à fait nécessaire d'analyser le texte pour arriver à une conclusion ferme. Voir plus loin, II, (h), p. 267.

(Nous reproduisons ici sous différents chefs des commentaires que l'étudiant acceptera ou non. Il justifiera en tout cas son point de vue par une analyse de ces remarques critiques tout en se basant solidement sur le texte.)

II

Questions de style

(a) *Ce roman n'est point écrit.* (6, p. 231.) « Nulle trace d'affectation, pas ombre de rhétorique, aucun tour de métier, les plus grands effets obtenus par les moyens les plus simples . . . Ne disons donc pas que l'auteur de Manon Lescaut écrit mal ou qu'il n'écrit pas bien, mais disons seulement — s'il faut faire une concession — disons qu'il n'écrit point, c'est-à-dire qu'emporté lui-même par son récit, il écrit sous la dictée des choses, plus préoccupé de les représenter au vrai que de faire attention comment il les représente; ce qui est en vérité une telle manière d'écrire que le triomphe de l'art est d'y pouvoir atteindre . . . *Manon Lescaut*, unique dans l'œuvre de Prévost, ne l'est en quelque sorte pas moins, et pour la forme autant que pour le fond, dans l'histoire de la littérature française.»

(b) *Le style en est perdu.* (Alexandre Vinet, cité par Brunetière, 6, p. 231.) « Il est des styles qui n'apparaissent qu'une fois; on n'écrira plus comme l'abbé Prévost, et *Manon Lescaut* est le dernier exemplaire d'un style perdu.»

(c) *Un style de conversation.* (11, p. xxiii.) « Il faut ajouter . . . qu'il est écrit avec un naturel charmant, sans doute parce que l'auteur porté par ses souvenirs a oublié qu'il était écrivain, ou plutôt parce qu'il ne l'était pas encore . . . Il y a beaucoup d'expressions du langage de la conversation: au premier café, mal en argent, je ne le marchandai point, etc.» L'étudiant continuera cette liste. Voir la remarque de Brunetière, (a), sous cette rubrique.

(d) *Les peintures de l'amour.* (Aynard, 11, p. xxii, cite un commentaire contemporain, 1734, qu'il a trouvé en marge d'un exemplaire de Manon.) « . . . et ce qu'il y a de singulier c'est que les peintures de cet amour le moins chaste, le moins légitime qu'on puisse imaginer ne s'adressent jamais qu'au cœur, sans qu'on y rencontre le moindre détail capable de blesser l'imagination: s'il séduit c'est par des mouvemens d'une telle sensibilité qu'elle seule peut y prendre part, c'est par des scènes d'une tendresse naïve qui ferait le charme de l'amour le plus pur. On a peine à concevoir une séduction si douce avec une immoralité si frappante, et l'on se

demande aussy comment l'homme capable de faire un pareil roman
a passé sa vie à en faire d'autres qui y ressemblent si peu.»

(e) *Contraste avec les autres romans de l'auteur.* Voici les qualités
qui caractérisent les autres romans de Prévost: « goût des situations tendues, pathétiques, invraisemblables et compliquées,
le romanesque dramatique, la sensibilité, la mélancolie, goût de la
vie courante, besoin de discuter, de s'instruire, le sérieux moral, le
romanesque hors vie, hors les possibilités journalières . . . » (8, p.
18.) Lesquelles de ces tendances se retrouvent dans *Manon?*
Comment peut-on expliquer la différence entre cette œuvre et les
autres ? (A consulter, 13, Chap. II.)

(f) *Le souci de la réalité.*

1. — (11, p. xxvii.) « Le livre est très français, mélange de passion et d'ironie. Il est aussi très parisien dans son atmosphère,
c'est un des premiers de nos romans qui parle familièrement de
nos rues, qui nous mène du Pont Saint-Michel au Châtelet, à
Saint-Lazare, de la rue de Saint-André-des-Arcs à Saint-Sulpice,
et au village de Chaillot. L'abbé Prévost n'avait pas oublié non
plus ses aventures au régiment et nous a donné un croquis curieux
de ce type si peu connu, le soldat d'ancien régime.»

2. — (3, p. 287.) « Le souci de la réalité y éclate à chaque page
et dans les plus petits détails de mise en scène . . . C'est tout le décor
du 18e siècle qu'il évoque devant nous: c'est le pont Saint-Michel
avec le café de Feré, c'est la porte Saint-Honoré, c'est . . . l'Hôpital
Général, Saint Lazare, et le Châtelet.»

(g) *Les sous-entendus.* (6, p. 229.) « Rien n'est plus vif, mais
rien n'est plus complet; rien n'est plus fort, mais rien n'est plus
simple; et, ce qui ne laisse pas d'avoir son prix, si rien n'est moins
moral, rien cependant n'est plus discret ou même plus chaste, de
telle sorte que l'on peut dire, comme de toutes les œuvres qui
méritent vraiment d'être appelées classiques, que *Manon Lescaut*
n'est guère moins admirable pour tout ce qui s'y sous-entend que
pour tout ce qui s'y dit, et pour tout ce qu'elle ne contient pas que
pour ce qu'elle contient en effet.» Suggestion: il serait à souhaiter
que le professeur se réservât de faire cette leçon lui-même.

(h) *Les hors d'œuvres dans Manon.* (6, p. 229.) « Il y a des
épisodes superflus dans *Manon Lescaut*, quand ce ne serait que
celui du prince italien, qui d'ailleurs ne figurait pas dans les pre-

mières éditions; et on y peut signaler des conversations inutiles, ou un peu longues, telles que celle de Tiberge avec le chevalier dans la prison de Saint-Lazare. Il ne demeure pas moins vrai que, dans ce récit d'à peine deux cent cinquante pages, et avec la profusion d'aventures qui s'y pressent les unes sur les autres, la narration marche d'une rapidité presque sans exemple.»

(i) *Étude de mots.*

1. — L'empreinte du 18e siècle est visible dans les noms que des Grieux donne à Manon: ex.: « maîtresse de mon cœur, idole, souveraine, » etc. En faire une liste.

2. — La sentimentalité exagérée étudiée dans les mots: ex.: « Transport, emportement, tragique, horrible, des ruisseaux ou des torrents ou des déluges de larmes,» etc. Dégager des tendances romantiques aussi bien que l'influence sur le style du livre de la conversation et des femmes.

(j) Et pour terminer, le témoignage peut-être de Prévost lui-même, paru dans son journal, le *Pour et Contre*, Tome III, p. 137, Paris, Didot, 1734. « Je ne dis rien du style de cet ouvrage. Il n'y a ni jargon, ni affectation, ni réflexions sophistiques: c'est la nature même qui écrit. Qu'un auteur empesé et fardé paraît pitoyable en comparaison! Celui-ci ne court point après l'esprit, ou plutôt après ce qu'on appelle ainsi. Ce n'est point un style laconiquement constipé, mais un style coulant, plein, expressif. Ce n'est partout que peintures et sentiments, mais des peintures vraies et des sentiments naturels. » (Voir aussi, 13, Chap. III et V.)

III

Comparaisons et rapprochements littéraires

(a) *L'entrée en matière.* (3, p. 257.) « Je ne vois pas parmi les romans les plus connus, les plus justement illustres, d'entrée en matière à la fois plus franche, plus simple et plus intéressante. Les deux principaux personnages, je dirais presque les deux seuls personnages, sont présentés avec une netteté et une précision lumineuses. » Il faudrait examiner dans ce but plusieurs romans illustres, classiques ou modernes, pour justifier ce jugement.

(b) *Lesage, Marivaux, et Prévost.*

1. — Leur vie et leur œuvre. (7, p. 92.) « Il n'est pas indispensable avant de les lire (Lesage et Marivaux), de savoir comment ils

ont vécu. Chez lui (Prévost), au contraire, l'homme et l'auteur s'expliquent l'un par l'autre, et le secret de son originalité est dans l'histoire de sa vie. »

2. — Les romanciers. (7, p. 90.) « Lesage et Marivaux sont des auteurs dramatiques qui n'ont fait du roman que par boutades, en manière de distraction et à leurs moments perdus. L'abbé Prévost est un romancier. »

3. — Les romans. (6, p. 257.) « Quoi que l'on pense de Lesage et de Marivaux, Prévost, comme romancier, leur est donc à tous deux supérieur, et, je vais bien plus loin, il serait encore s'il n'était pas l'auteur de *Manon Lescaut*. Car ses romans sont des romans, ce qu'à peine peut-on dire du *Diable boiteux*, ou même de *Gil Blas;* le ressort de ses romans est le vrai romanesque, ce que l'on ne pourrait dire ni de *Marianne*, ni du *Paysan parvenu;* le style de ses romans est le vrai style du roman . . . » Il faudrait préciser le grand rôle de Prévost dans l'histoire du roman.

(c) *Le roman qui n'est plus cornélien.* (11, p. xxiv.) « L'insistance avec laquelle Prévost parle de l'illogisme, ou comme nous dirions, de l'inconscience de la passion, 'qui rend la raison inutile', montre tout le chemin parcouru depuis la *Princesse de Clèves*, encore cornélienne et de raison claire, qui n'admet pas les entraînements du cœur. »

(d) *Le langage de la passion.* (3, p. 244.) « On devine que Prévost excelle dans l'expression de l'amour et ce n'est point un paradoxe que de l'égaler à Rousseau, même de le placer au dessus de lui, quand il parle le langage de la passion. » Choisissez n'importe quelle scène d'amour dans *Manon*, par exemple la rencontre à Saint-Sulpice, pour la comparer avec la promenade sentimentale de Saint-Preux et de Julie, dans la *Nouvelle Héloïse*, Livre IV, lettre 17.

(e) *Choderlos de Laclos.*

1. — Œuvre d'inspiration et œuvre bien faite. (7, p. 335.) "Les *Liaisons dangereuses* peuvent être regardées comme le premier roman bien fait qui ait paru en France. La *Princesse de Clèves*, *Manon Lescaut* sont quelque chose de plus et de mieux que des œuvres bien faites: œuvres d'inspiration toute pure, qui ont devancé la théorie, qui ne se recommencent pas, qui ne s'imitent pas. Il en va autrement des *Liaisons dangereuses;* on y peut apprendre à bâtir et à écrire un roman. »

2. — La galanterie depuis *Manon*. (5, p. 145.) « La corruption
devient un art égal en cruautés, en manques de foi, en trahisons, à
l'art des tyrannies. Le machiavélisme entre dans la galanterie, il
la domine et la gouverne. C'est l'heure où Laclos écrit d'après
nature ses *Liaisons dangereuses*, ce livre admirable et exécrable qui
est à la morale amoureuse de la France du 18e siècle ce qu'est le
traité du Prince à la morale politique de l'Italie du 16e. » Il y aurait une étude très sérieuse à faire sur la passion dans *Manon* et le
raffinement sensuel dans les *Liaisons*, étude de mœurs, surtout.

(f) *La mort de Manon et la mort d'Atala*. (6, p. 229.) « Chateaubriand, plus poète cependant que Prévost, en imitant dans son
Atala le récit ou le tableau des funérailles de Manon au désert,
non seulement ne l'a pas surpassé, mais au contraire l'a gâté, et
uniquement pour avoir voulu, si je puis ainsi dire, le charger en
couleur et le monter en sentiment. » (Voir, 13, Chap. II.)

IV

Le titre du roman

(a) *Histoire du Chevalier des Grieux*. (6, p. 225.) « On s'est
donc encore trompé, selon nous, quand on a cru pouvoir, de notre
temps, transporter du chevalier à Manon le principal intérêt du
roman. Elle aime des Grieux, elle aussi, sans doute, à sa manière,
non sans un peu d'étonnement, mais elle n'est point, en dépit du
titre consacré, le personnage essentiel du roman. C'est des Grieux
qui tient le premier rôle, de même que dans le vrai titre de l'ouvrage: et, jusque dans l'édition de 1753, c'est lui qui tient la première place: *Histoire du chevalier des Grieux et de Manon Lescaut*.
Et si le livre est placé enfin dans le rang qu'il occupe, il ne faut
pas dire: c'est surtout; il faut dire que c'est uniquement au caractère du malheureux chevalier qu'il le doit. »

(b) *Histoire de Manon Lescaut*. (11, p. xvii.) « ... l'abbé
Prévost a su éveiller cette passion qui pousse la foule aux audiences
(des tribunaux) pour voir un homme qui s'est déshonoré, ruiné,
ou qui s'est fait assassin pour une femme. 'Que voyait-il en elle ?'
Aussi le roman dont le héros est des Grieux, où des Grieux parle
seul, où nous ne connaissons que le point de vue de des Grieux,
a-t-il fini par s'appeler uniquement *Manon Lescaut*. »

(c) *Variations*. (7, p. 174.) « Nous avons abrégé, simplifié

depuis longtemps le titre, au risque de fausser l'impression ...
Il y a un âge où en lisant ce livre on ne voit, on n'aime que Manon.
Un autre âge vient vite où l'on s'aperçoit que le personnage essentiel, ce n'est pas elle, mais des Grieux. » Nous gageons que
l'étudiant encore amoureux de Manon changera d'opinion avec le
temps.

(d) *Question annexe: le rôle de la femme dans les romans de
Prévost.* Schroeder (3, p. 291) examine cette question en comparant
l'importance relative de Manon et du Chevalier dans cette histoire d'une passion. Il estime que chez Manon la passion n'a qu'un
éclair, à l'heure de la mort, donc Manon n'est pas et ne peut pas
être le personnage principal. Puis le critique note que Manon,
même personnage secondaire, est la plus importante des héroïnes
créées par l'auteur. Pourquoi les femmes sont-elles si insignifiantes
dans les romans de l'abbé Prévost ? N'oublions pas d'abord qu'il a
fabriqué en séries des romans d'aventures qui, par leur nature, ne
comportent guère de personnages féminins. Ensuite, l'auteur lui-
même n'avait connu dans sa jeunesse orageuse que cette sorte de
femme que l'on appellera cent ans plus tard si joliment la grisette, et « jugeant de toutes par celle-là, il les croit indignes de
figurer dans des œuvres de haute prétention morale comme les
siennes. Il les représente comme des êtres faibles devant la douleur ou l'infortune, livrés aux caprices de leur imagination et de
leurs sens, facilement accessibles à l'amour. Et Manon, malgré sa
mort qui jette un rayon de pure lumière sur un triste passé, nous
donne une idée juste de l'opinion peu flatteuse que Prévost avait
de la femme ». L'heure n'était pas venue pour la femme de figurer
dans le roman. Il serait intéressant d'examiner plusieurs romans
du temps pour mesurer l'insignifiance des rôles féminins.

V

A — L'amour au dix-huitième siècle

(A titre de documentation des études proposées, nous reproduisons ici quelques extraits du livre de fond, La *Femme au dix-
huitième siècle* d'Edmond et Jules Goncourt. Il faudrait citer à
l'appui de ces morceaux les pages dans *Manon* qui correspondent aux
conclusions des Goncourt. Nous laissons à l'étudiant le soin de les
trouver. En même temps, ces observations fournissent une matière

essentielle pour la meilleure compréhension et une pénétration plus profonde de notre roman.)

(a) *L'amour au 17ᵉ et au 18ᵉ siècles.* (5, p. 112.) « Jusqu'à la mort de Louis XIV, la France semble travailler à diviniser l'amour. Elle fait de l'amour une passion théorique, un dogme entouré d'une adoration qui ressemble à un culte ... Elle cache la matérialité de l'amour avec l'immatérialité du sentiment ... Jusqu'au dix-huitième siècle, l'amour parle, il s'empresse, il se déclare, comme s'il tenait à peine aux sens et comme s'il était, dans l'homme et dans la femme, une vertu de grandeur et de générosité, de courage et de délicatesse. Il exige toutes les épreuves et toutes les décences de la galanterie, l'application à plaire, les soins, la longue volonté, le patient effort, les respects, les serments, la reconnaissance, la discrétion ... Un idéal, dans ces siècles, élève à lui l'amour, idéal transmis par la chevalerie au bel esprit de la France, idéal d'héroïsme devenu un idéal de noblesse. Mais au 18ᵉ siècle que devient cet idéal ? L'idéal de l'amour au temps de Louis XV n'est plus rien que le désir, et l'amour est la volupté. Volupté ! c'est le mot du 18ᵉ siècle, c'est son secret, son charme, son âme. Il respire la volupté, il la dégage. La volupté est l'air dont il se nourrit et qui l'anime. Elle est son atmosphère et son souffle. Elle est sont élément et son inspiration, sa vie et son génie. Elle répand l'enchantement dans ses goûts, dans ses habitudes, dans ses mœurs et dans ses œuvres. » C'est le moment de consulter une histoire de la peinture française, celle de Louis Dimier, pour étudier l'œuvre d'un Watteau, d'un Boucher, d'un Greuze, d'un Fragonard, etc.

(b) *Le mariage.* (5, p. 31.) « Le mari auquel la famille jetait brusquement la jeune fille, cet homme au bras duquel elle tombait n'était pas toujours le mari répugnant, gros financier ou vieux seigneur, le type convenu que l'imagination se figure et se dessine assez volontiers. Le plus souvent la jeune fille rencontrait le jeune homme charmant du temps, quelque joli homme frotté de façons et d'élégances, sans caractère, sans consistance, étourdi, volage, et comme plein de l'air léger du siècle, un être de frivolité tournant sur un fond de libertinage. Ce jeune homme, un homme après tout, ne pouvait se défendre, aux premières heures, d'une sorte de reconnaissance pour cette jeune femme, encore à demi vêtue de ses

voiles de jeune fille, qui lui révélait dans le mariage la nouveauté
d'un plaisir pudique, d'une volupté émue, fraîche, inconnue, délicieuse ... Mais quand toutes les distractions des premières
semaines du mariage, présentations, visites, petits voyages, arrangements de la vie, de l'habitation, de l'avenir, étaient à leur fin,
quand le ménage revenait à lui-même et que le mari, retombant
sur sa femme, se trouvait en face d'une espèce de passion, il arrivait
qu'il se trouvait tout à coup fort effrayé. Il n'avait point pensé que
sa femme irait si vite et si loin: c'était trop de zèle. Homme de son
siècle, mari de son temps, il aimait avant tout 'le petit et l'aimable
des choses'. Que venait faire la passion dans son ménage ? »

(c) *La coquetterie.* (5, p. 127.)   « Quand la femme avait ainsi
surmonté les préjugés du passé et de la jeunesse, quand elle était
arrivée à ce point de coquetterie, il lui restait bien peu de scrupules
à dépouiller, et elle n'était pas loin d'être dans cet état d'âme qui
faisait désirer et chercher à la femme du temps ce que le temps
appelait 'une affaire'. »

(d) *Le libertinage chez les femmes.* (5, p. 135.)   « Les femmes de
ce temps n'aiment pas avec le cœur, a dit Galiani, elles aiment avec
la tête. Et il a dit vrai. L'amour, dans tout le siècle, porte les
signes d'une curiosité de l'esprit, d'un libertinage de la pensée.
Il paraît être chez la femme la recherche d'un bonheur ou du moins
la poursuite d'un plaisir imaginé dont le besoin la tourmente, dont
l'illusion l'égare. Au lieu de lui donner les satisfactions de l'amour
sensuel et de la fixer dans la volupté, l'amour la remplit d'inquiétudes ... » Et chez les hommes, quelle forme prenait cet état
d'esprit ?

(e) *La décence dans la galanterie.*

1. — (5, p. 228.)   « Le 18e siècle cache parmi ses courtisanes
toute une petite famille de femmes semblables, qui sauvent tout ce
que la femme peut sauver d'apparences dans le vice aimable, tout
ce qu'elle peut garder de décence dans le commerce de la galanterie,
de constance dans l'amour qui se livre et qui s'attache ... »

2. — (5, p. 157.)   « La passion ! elle a laissé dans ce temps assez
de grands exemples, assez de traces adorables pour racheter toutes
les sécheresses du siècle. Elle a été dans quelques cœurs élus comme
une vertu, comme une sainteté; elle a été dans bien des âmes
faibles, comme une excuse et comme un rachat. Que de beaux

mouvements, que de généreux élans elle a inspirés même à celles qui ont cédé à l'amour à la mode . . . »

B — Psychologie de l'amour dans Manon

(a) *La naissance de la passion.* (3, p. 256.) « En face de cette Manon si adroite, si sensée, qui manœuvre si habilement, avec des apparences de candeur, Prévost a placé des Grieux . . . chez qui la passion naît brusquement et se développe aussitôt avec impétuosité. »

(b) *L'adolescence des amants.* (12, p. xiv.) « On n'a pas assez remarqué que Manon Lescaut est une histoire d'adolescents, presque d'enfants . . . Il fallait cette condition inouïe dans l'histoire de nos lettres, pour que la passion y parlât avec tant de pureté et de candeur. »

(c) *Curieux contraste dans leur passion.* (Voir, 13, Chap. I–II.)

1. — (Lanson, *Littérature Française* (1909), p. 677.) « Des Grieux consent à tout, à tout ce qu'un homme devrait refuser, pour garder Manon. Manon est une petite fille sans instinct moral, qui ne sait qu'aimer son chevalier. Il n'y a qu'une chose qu'elle ne puisse faire pour lui; c'est d'être pauvre, mal vêtue. »

2. — (Bédier-Hazard, *Littérature Française illustrée*, Vol. II, p. 66.) « Les deux héros sont singulièrement attachants. Des Grieux est un enfant, ignorant la vie, ignorant son cœur, qu'une grande passion bouleverse soudain et assujettit à jamais . . . Manon, tout charme, toute tendresse légère et irréfléchie, aussi coquette que tendre . . . aime à sa façon, bien qu'elle ne comprenne guère la passion exclusive et rare de son amant . . . »

3. — (3, p. 273.) « Le malheur est qu'elle ne comprend point l'amour comme des Grieux. Lui le rêve absolu, éternel; elle le considère comme un aimable passe-temps, et la satisfaction passagère des sens. Un malentendu sépare ces deux êtres, qui se dissipera seulement à la fin. »

(d) *Lutte de conscience.* (12, p. xviii.) « Un professeur fort connu a écrit que 'tout le roman de Manon Lescaut est dans les révoltes de l'honneur chez l'homme, dans l'effort de la femme pour accorder l'amour et la coquetterie'. On croit rêver à lire de telles choses: il n'y a pas la moindre lutte de conscience dans l'œuvre de l'abbé Prévost . . . »

(e) *Témoignage de l'auteur ou inspiré par lui.* (Prévost pour prévenir les attaques qui se multiplient contre son livre insère dans son Journal, le *Pour et Contre*, Vol. III, no. 36, p. 137, les remarques suivantes.) « Le Public a lu avec beaucoup de plaisir le dernier volume des *Mémoires d'un homme de qualité*, qui contient les *Aventures du Chevalier des Grieux et de Manon Lescaut.* On y voit un jeune homme, avec des qualités brillantes et infiniment aimables, qui entraîné par une folle passion pour une jeune fille qui lui plaît, préfère une vie libertine et vagabonde à tous les avantages que ses talents et sa condition pouvaient lui promettre; un malheureux esclave de l'amour, qui prévoit ses malheurs sans avoir la force de prendre quelques mesures pour les éviter; qui les sent vivement, qui y est plongé, et qui néglige les moyens de se procurer un état plus heureux; enfin un jeune homme vicieux et vertueux tout ensemble, pensant bien et agissant mal, aimable par ses sentiments, détestable par ses actions. Voilà un caractère bien singulier. Celui de Manon Lescaut l'est encore plus. Elle connaît la vertu, elle la goûte même et cependant elle commet les actions les plus indignes. Elle aime le Chevalier des Grieux avec une passion extrême; cependant le désir qu'elle a de vivre dans l'abondance et de briller, lui fait trahir ses sentiments pour le Chevalier, auquel elle préfère un riche financier. Quel art n'a-t-il pas fallu pour intéresser le lecteur, et lui inspirer de la compassion, par rapport aux funestes disgrâces qui arrivent à cette fille corrompue ! Quoique l'un et l'autre soient très libertins, on les plaint; parce que l'on voit que leurs dérèglements viennent de leur faiblesse et de l'ardeur de leurs passions, et que d'ailleurs ils condamnent eux-mêmes leur conduite, et conviennent qu'elle est très criminelle. De cette manière, l'auteur en représentant le vice ne l'enseigne point. Il peint les effets d'une passion violente qui rend la raison inutile, lorsqu'on a le malheur de s'y livrer entièrement; d'une passion, qui n'étant pas capable d'étouffer entièrement dans le cœur les sentiments de la vertu, empêche de la pratiquer. En un mot, cet ouvrage découvre tous les dangers du dérèglement. Il n'y a point de jeune homme, point de jeune fille, qui voulût ressembler au Chevalier et à sa Maîtresse. S'ils sont vicieux, ils sont accablés de remords et de malheurs. »

VI

A — Le Chevalier des Grieux

(a) Un critique a fait la remarque suivante: « Désormais des Grieux n'aura plus le sentiment du vilain rôle qu'il joue. » A quel moment perd-il la conscience du mal ? Est-ce quand il accepte de partager l'argent honteusement volé par Manon ? Ou bien quand il s'abaisse même à consentir que sa maîtresse partage ses faveurs ? Il faudra suivre dans la conduite du Chevalier la dégradation progressive de son âme dominée par une passion funeste.

(b) Est-il exact de dire que c'est toujours quand des Grieux se prépare à jouir des bienfaits de la fortune qu'un événement inopiné vient s'opposer à sa félicité ? Justifier par l'analyse de ses malheurs cette exclamation du chevalier: « J'étais né pour les courtes joies et les longues douleurs ! »

(c) *Pourquoi sentons-nous si peu l'infamie de ses actes?* (9, p. 1.) « Des Grieux, dès qu'il a recontré cette fille irrésistible, devient sans le savoir, sans le comprendre, par la seule contagion de l'âme féminine, par le seul contact de la nature dépravante de Manon, un fripon, un gredin, l'associé presque inconscient de cette inconsciente et délicieuse gredine. Sait-il ce qu'il fait ? non. La caresse de cette femme a troublé ses yeux et engourdi son âme. Il le sait si peu, il agit avec tant de sincérité, que nous ne sentons plus nous-mêmes l'infâmie naïve de ses actes; nous subissons comme lui la grâce entraînante de Manon, comme lui nous l'aimons, nous aurions trompé comme lui peut-être. »

(d) *En présence des forfaits du Chevalier, convient-il de lui chercher des circonstances atténuantes?* (6, p. 224.) « Aussi n'ai-je jamais compris le mal que se donnent quelquefois encore les faiseurs de préfaces pour excuser, ou atténuer au moins, ce qu'il y a de vilenies et de crimes dans la cruelle histoire du malheureux chevalier. C'est ainsi que se passaient les choses, nous disent-ils, en ce temps-là: tricher au jeu, vivre aux dépens des filles et surtout de leurs protecteurs, . . . voilà comme en usait la meilleure noblesse. Et ils ne voient pas que si l'excuse valait seulement la peine d'être discutée, c'en serait fait du personnage et, partant, du roman de Prévost. Car, si des Grieux n'était plus la passion toute pure, la passion libérée de tous les liens qui la brident, la passion élevée par sa propre puissance au dessus de tout ce que la morale, et l'honneur, et les lois ont inventé pour la contenir, il n'est plus qu'un gredin de bas étage, indigne de tout intérêt, de toute sympathie, de toute pitié même; et qui ne voit que c'est comme si je disais en deux mots qu'il n'est plus des Grieux ? »

(e) *Des Grieux incarnation vivante des erreurs que condamne l'enseignement moral de l'Eglise.* (8, pp. 25, 26, 27.) « Manon est l'histoire de la déchéance de l'homme en qui un 'aveuglement fatal qui fait violer tous les devoirs' tue la conscience, étouffe la notion du bien et du mal, anéantit toute dignité, mais aussi tout respect des lois divines qui par la bouche de l'Eglise commandent au chrétien d'immoler ses passions à un idéal de pureté céleste. Des Grieux oppose à la loi chrétienne du renoncement la loi humaine de la félicité terrestre, la morale du plaisir … Or, les événements dirigés par une volonté mystérieuse se chargent de l'amener à s'incliner devant cette loi divine plus puissante que l'orgueil humain. » Manon le trompe, sa carrière est brisée, il suit Manon en Amérique. Au moment où il se propose de régulariser leur situation, elle meurt. « Le roman de la passion émancipée s'achève par une victoire du renoncement … Le malheur et le sacrifice, le renoncement enfin, réhabilitent à nos yeux la victime de la passion, le héros des faiblesses humaines. »

(f) *Identité de des Grieux avec Prévost.* (10, p. 13.) « Des Grieux, c'est l'abbé Prévost lui-même, sinon ce qu'il a été, du moins ce qu'il aurait pu être entre les mains d'une Manon. Et Tiberge aussi c'est l'abbé Prévost, on pourrait dire que c'est sa conscience, la voix sage qui vous arrête toujours sur le mauvais chemin … Il est fâcheux qu'on soit forcé d'être ici de l'avis de Musset qui trouve que Tiberge ennuie. Chose étrange, il est le modèle des amis et il nous assomme. »

B — Des Grieux, ses devanciers et ses descendants

(a) *La passion chez des Grieux et l'amour selon la Carte du Tendre* dans le roman précieux, *Clélie*, de Mlle de Scudéry. (Petit de Julleville, *Histoire de la Littérature Française*, Vol. VI, p. 471.) « Des Grieux est le premier grand amoureux du roman … toutes les faiblesses, les humiliations, les tortures d'un cœur possédé par la plus folle des passions sont peintes en quelques pages, comme elles ne l'avaient jamais été dans notre littérature. »

(b) Un critique fait remarquer qu'on ne pourrait demander davantage à l'abbé Prévost que d'avoir créé en ce temps où c'est une si grande et si étonnante rareté, un homme amoureux, un homme « à préjugés de province », un homme enfin qui veut du sentiment. Dans cet ordre d'idées établir la descendance de notre héros dans

1. — Saint-Preux, de Rousseau
2. — René, de Chateaubriand
3. — Adolphe, de Benjamin Constant
4. — Obermann, de Sénancour
5. — L'abbé Jocelyn, de Lamartine

Ne pas oublier dans ces analyses la sincérité de Prévost, lequel est vraiment un Lamartine dans son genre.

(c) Prévost est un précurseur dans le mouvement qui substitue au mondain rationaliste de la première moitié du 18e siècle, l'homme sensible. Il a donné libre essor dans ses romans aux sentiments que Nivelle de la Chaussée met sur le théâtre, sentiments qui se retrouvent dans l'œuvre de Rousseau, et qui en 1830 figurent dans la littérature sous le nom de « mal de siècle ». Remarquez que ce mal chez Prévost aura quelque chose de moins sombre, de moins furieux, de moins mélancolique, et surtout quelque chose de plus raisonneur. C'est que le germanisme n'a pas encore exercé son influence. Faire l'analyse sous ce rapport des sentiments exprimés dans *Manon*.

(d) Théophile Gautier a dit : « Le monde est plein de Grandissons qui se conduisent en Lovelaces. » Faire l'application de cette pensée à notre héros. Il faudra connaître les trois romans à succès de Richardson que Prévost a traduits : *Paméla*, 1740, *Clarisse Harlowe*, 1749, où figure Lovelace, et *Grandisson*, 1753.

VII

Manon

(a) *Son aspect.* Des Grieux la voit pour la première fois. « A-t-on remarqué que là, pas plus qu'ailleurs, l'abbé Prévost n'a cru devoir donner de Manon (je parle de son extérieur) une peinture détaillée ? » (3, p. 254.) Pourtant on la voit très distinctement. Pourquoi ? Développer ces explications dans ce sens — que « l'auteur ne néglige rien pour nous laisser une idée juste et définitive de son caractère, permettant à chacun d'imaginer à sa guise et à son goût, la séduisante personne de Manon ». Comment vous la figurez-vous ? Citons cette question de Musset qui est très opportune en ce lieu: (*Namouna*, LVII.)

Pourquoi Manon Lescaut, dès la première scène,
Est-elle si vivante et si vraiment humaine,
Qu'il semble qu'on l'a vue, et que c'est un portrait ?...

Maupassant (9, p. xiii) évoque poétiquement l'éternelle Manon: « Le corps de la Vénus de Milo, la tête de la Joconde, la figure de Manon Lescaut, hantent notre âme et l'émeuvent, et vivront toujours dans le cœur de l'homme, et troubleront toujours tous les artistes, tous les songeurs, tous ceux qui désirent et poursuivent une forme entrevue et insaisissable. » (Voir, 13, Chap. III.)

(b) *Son caractère.* Est-elle perverse, rouée, rusée ?

1. — Non. (3, p. 255.) Elle rencontre des Grieux. « Rêve-t-elle déjà chevaux, voitures, hôtel à Paris et maison des champs, diamants et loge à l'Opéra ? Non ... Elle adore le plaisir, elle n'a pas vingt ans, elle serait bien sotte de ne pas profiter de l'occasion quand un galant homme s'offre à la servir. Ne faisons pas Manon plus rouée qu'elle n'est; l'expérience lui viendra plus tard. »

2. — Oui. (3, p. 295.) « Je ne veux pas dire que Manon n'est pas artificieuse et rusée; seulement, ses ruses sont grossières et ses artifices enfantins, et il faut être des Grieux pour s'y laisser prendre. Elle ne se met pas en frais d'imagination: à quoi bon pour un amoureux aussi naïf ? » Eclaircir cette contradiction apparente dans la pensée de ce critique.

(c) *Fille changeante.* (9, p. xvi.) « C'est par ces traits subtils et si profondément humains que l'abbé Prévost a fait de Manon Lescaut une inimitable création. Cette fille diverse, complexe, changeante, sincère, odieuse et adorable, pleine d'inexplicables mouvements de cœur, d'incompréhensibles sentiments, de calculs bizarres et de naïveté criminelle, n'est-elle pas admirablement vraie ? Comme elle diffère des modèles de vice ou de vertu, présentés sans complications, par les romanciers sentimentalistes, qui imaginent des types invariables, sans comprendre que l'homme a toujours d'innombrables faces ! »

(d) *Ce qui la guide.* (3, p. 192.) « L'argent fait sa grande préoccupation: elle l'avoue d'ailleurs avec franchise et c'est là son excuse. Sauf en une seule occasion, elle va sans hésiter à l'amant qui la paie grassement: l'intérêt la guide, beaucoup plus que le plaisir des sens. »

(e) *La femme dans Manon.* (9, p. xiv.) « Puis voici Manon Lescaut, plus vraiment femme que toutes les autres, naïvement rouée, perfide, aimante, troublante, spirituelle, redoutable, et charmante. En cette figure si pleine de séduction et d'instinctive perfidie, l'écrivain semble avoir incarné tout ce qu'il y a de plus gentil, de plus entraînant et de plus infâme dans l'être féminin. Manon, c'est la femme tout entière, telle qu'elle a toujours été, telle qu'elle est, et telle qu'elle sera toujours. »

(f) *Est-ce que des Grieux la comprend?* (12, p. xvi.) « Manon reste un personnage assez mystérieux ... Le lecteur n'est pas très sûr qu'elle ait répondu dignement à l'amour de des Grieux, et le chevalier lui-même ne l'imagine que parce qu'elle est morte, en sûreté. Du vivant de cette charmante infidèle, il est probable qu'il n'y comprenait au fond rien du tout. »

(g) *Aime-t-elle des Grieux?* Il faut tenir compte ici d'une pensée trouvée dans une lettre de l'époque écrite par Mlle Aïssé à Mme Calandrini (citée par les Goncourt, 5, p. 51): « Il y a bien des gens qui ignorent la satisfaction d'aimer avec assez de délicatesse pour préférer le bonheur de ce que nous aimons au nôtre propre. » Mlle Aïssé avait bien le droit d'émettre cette conviction tirée de son expérience. Elle aimait le Chevalier d'Aydie d'une affection pure et dévouée et il l'aimait de son côté et lui offrait le mariage. Elle l'a refusé de crainte que ce mariage ne brisât sa carrière.

(h) *Faut-il la condamner tout en subissant son attrait?* (Vers de Musset qu'il adresse à Manon dans *Namouna*, 1832, LIX–LX.)

« Manon! sphinx étonnant! véritable sirène!
Cœur trois fois féminin, Cléopâtre en paniers!
Quoi qu'on dise ou qu'on fasse, et bien qu'à Sainte-Hélène
On ait trouvé ton livre écrit pour des portiers,
Tu n'en es pas moins vraie, infâme, et Cléomène
N'est pas digne, à mon sens, de te baiser les pieds.

Tu m'amuses autant que Tiberge m'ennuie.
Comme je crois en toi ! que je t'aime et te hais !
Quelle perversité ! quelle ardeur inouïe
Pour l'or et le plaisir ! Comme toute la vie
Est dans tes moindres mots ! Ah ! folle que tu es !
Comme je t'aimerais demain, si tu vivais ! »

Note au 3me vers: On raconte que Napoléon a lu *Manon* à Sainte-Hélène et qu'il a déclaré le livre propre à des portières ou concierges.

(i) *Manon, a-t-elle vraiment existé ?*

1. — (3, p. 290.) « Manon est bien l'une de ces aimables et rieuses filles, que notre abbé ne dédaigna point, sans jamais s'astreindre à une liaison définitive. Elle est bien de son temps, très profondément débauchée, mais inconsciente dans sa débauche et gardant un semblant de décence dans les chutes les plus honteuses. » N'oublions pas « qu'ayant vécu comme une grisette, elle meurt comme une amante ». Les Goncourt aussi font remarquer que nous oublions à la longue les flétrissures de la courtisane, pour ne plus songer qu'à la tendresse émouvante de la femme. Est-il possible qu'une telle femme ait existé ? Cette question rappelle les drames de Dumas fils et d'Augier.

2. — (Lemoinne, *Études critiques et biographiques*, Paris, 1856, cité 3, p. 252.) « Manon est naturelle, mais d'un naturel un peu cru. Cela est plus exact sans doute; mais la réalité est-elle toujours bonne et belle ? et sans aimer le fard, ne peut-on préférer une vérité bien mise, à la vérité toute nue de la Fable ? Le portrait de Manon a le défaut des portraits mal faits: il est trop ressemblant. »

(j) *Son caractère, est-il changé par ses malheurs ?*

1. — Oui. (7, p. 159.) « Tant d'épreuves et de leçons ont changé le cœur de Manon. Elle n'est plus la fille folle, coquette, avide de plaisirs, incapable de comprendre le mal qu'elle fait à des Grieux. »

2. — Non. (5, p. 229.) « Toutes ces figures de courtisanes rayonnantes ou modestes, attendrissantes ou cyniques, une figure les voile, les efface, les poétise. Leurs ombres en passant devant les yeux, évoquent dans le souvenir un nom qui fait oublier leurs noms,

et dès qu'on remue cette histoire des filles du passé, ces cendres du vice, cette poussière du scandale, on voit se lever doucement, comme un parfum qui sortirait d'une corruption, cette héroïne d'un immortel roman: Manon Lescaut. Gardons-nous pourtant des séductions d'un chef-d'œuvre. Démêlons la vérité, l'observation de la création, de l'invention de l'écrivain. Manon Lescaut est un type romanesque, avant d'être un type historique; et il faut se défendre de voir en elle une représentation complète de la prostitution du 18ᵉ siècle, une image fidèle du caractère moral de la courtisane du temps. Sans doute, il y a toute une partie de sa figure, toute une moitié de sa vie, éclairées par les bougies des tripots et les lustres des soupers, que Prévost a saisies sur le vrai, sur le vif. Qu'on la suive, depuis la cour du coche d'Arras à Amiens jusque sur la route de l'exil, elle agit, elle parle, elle charme comme la fille du temps; elle en a les jolis côtés de fraîcheur, les premières apparences de grisette, puis les facilités, les naïvetés d'impudeur, les faiblesses devant l'argent, les perfidies naturelles et comme ingénues. Elle descend peu à peu, elle enfonce dans le vice naturellement, sans remords; elle cède sans révolte instinctive, sans répugnance d'âme aux nécessités de la vie, aux leçons de son frère, aux offres de M. G... M... Elle va du rire aux larmes, de la délicatesse à l'infamie, gardant pour l'homme qu'elle entraîne un fond d'attachement sincère, mais sensuel et qui ne l'élève point jusqu'au remords. Cette Manon, la Manon qui ne veut que 'du plaisir et des passe-temps', Prévost la peint d'après nature, et c'est l'âme de la fille qu'on retrouve en elle. Mais arrêtez-vous à la transfiguration, à l'expiation par le malheur, la torture, l'humilité, la honte, l'agonie: la Madeleine que des Grieux suit sur la route d'Amérique, la femme dont il creuse la fosse avec cette épée qui est tout ce que son amour lui a laissé du gentilhomme, cette courtisane qui expire en se confessant à l'amour dans un dernier souffle de passion, cette Manon repentie et martyre, Prévost l'a tirée de son cœur, de son génie; le 18ᵉ siècle ne l'a pas connue. »

B — Les Manon fictives et réelles

(a) *Les Manon d'antan.* (9, p. xi.) « Autrefois les adorables vivantes dont la beauté nous émeut de loin s'appelaient Cléopâtre, Aspasie, Phryné, Ninon de Lenclos, Marion de Lorme, Mme de

Pompadour . . . » Préciser par l'étude de la vie de ces femmes ce qui les rapproche de Manon dans la pensée de Maupassant.

(b) *Les Manon du 18ᵉ siècle.* (5, p. 224.) « Chose singulière ! Toutes les femmes de ce monde s'élèvent avec leurs aventures. De la prostitution, elles dégagent la grande galanterie du 18ᵉ siècle. Elles apportent une élégance à la débauche, parent le vice d'une sorte de grandeur, et retrouvent dans le scandale comme une gloire et comme une grâce de la courtisane antique. » Puis sont mentionées les suivantes: Sophie Arnould, Mlle Dervieux, Mlle Duthé, Julie Talma . . . Faire comme dans (a) pour ces dames adorables.

(c) *Les grandes amoureuses.* (Édition de *Manon*, Librairie des Bibliophiles, chez Jouaust, préface d'Arsène Houssaye, p. 9.) « A côté de Manon Lescaut de l'abbé Prévost n'aimez-vous pas la Margucritc de Goethe, la Juliette de Shakspeare, l'Hélènc d'Homère, toutes les grandes amoureuses de la galerie idéale ? » Faire comme dans (a) et (b).

(d) *Manon et la Mélibea* dans la *Celestina* de Fernando de Rojas. Faire la comparaison.

(e) *Manon et la Célimène* dans le *Misanthrope* de Molière. Faire le rapprochement.

(f) *Manon et les héroïnes de Richardson.*

1. — Paméla dans *Paméla*

2. — Clarisse dans *Clarisse Harlowe*

3. — Clémentine dans *Grandisson*

Est-ce que Richardson connaissait déjà l'histoire de Manon quand il a écrit la scène de la mort de Clarisse et le pardon tardif de sa famille ? A consulter, Lebreton, 7, p. 165. Il y a bien une édition londonienne de *Manon* qui porte la date 1734, sans nom d'auteur. Il y en a aussi une traduction de l'époque de B. White, mais sans date.

(g) *Manon, symbole de la trahison et de l'infidélité.*

1. — Rapprocher de la Dalilah de Vigny, la *Colère de Samson*.

2. — Nous avons déjà cité les vers de Musset sur Manon. Examiner dans cet ordre d'idées *Souvenir* et la *Nuit d'Octobre*.

(h) *La petite femme.* (12, p. xv.) « Avec le personnage de Manon, un type accède à la littérature . . . celui de la ' petite femme '. Cette espèce tient son rang dans la psychologie comme dans la société. Et l'on sait que l'expression ne désigne pas tant la licence que la frivolité, la légèreté puérile. » Etudier la succession de Manon comme type littéraire dans trois œuvres du 19e siècle:

1. — *L'Aventurière* d'Augier.

2. — *La Dame aux camélias* de Dumas fils. (3, p. 292.) « La Marguerite Gautier de M. Alexandre Dumas est moins vivante et moins vraie que Manon. »

3. — La *Sapho* de Daudet.

Dans toutes ces analyses tenir compte de ces sages réflexions de Maupassant (9, p. xvii): « Aucune femme n'a jamais été évoquée comme celle-là, aussi nettement, aussi complètement; aucune femme n'a jamais été plus femme, n'a jamais contenu une telle quintessence de ce redoutable féminin, si doux et si perfide ! »

(i) *Les opéras tirés de Manon.* Il y en a deux très connus dont il faudrait examiner les livrets pour voir les curieuses différences qui existent dans l'utilisation de l'action fournie par les caractères de Prévost:

1. — Le livret d'Henri Meilhac et de Philippe Gille, musique de Massenet, Opéra Comique de Paris, 1884, 5 actes.

2. — Le livret de Domenico Oliva, musique de Puccini, Théâtre Royal de Turin, 1893, 4 actes.

Dans l'opéra de Massenet, Manon meurt sur la route du Havre. Celui de Puccini est plus fidèle au texte de Prévost. Pourtant il nous présente une Manon « dont la fougue emportée contraste avec la tendresse parfois un peu mièvre de l'œuvre de Massenet. » (3, p. 261.) (A consulter, 13, Chap. III.)

VIII

Caractères secondaires

(a) *Le dédain pour le frère Lescaut* est très général parmi nos critiques qui le traitent de bretteur, de soudard effronté, d'escroc cynique, et autres termes non moins polis. Il représente assez fidèlement le bas-fonds de la société parisienne du 18e siècle. Nous nous bornons ici à reproduire deux textes qui se rapportent à lui et qu'il ne sera pas trop difficile de justifier.

1. — (3, p. 298.) « Prévost a campé hardiment le personnage. Dès sa première apparition, il a pris soin de nous éclairer sur la grossièreté de ses mœurs, sa brutalité, ses vices qu'il ne cherche pas à dissimuler . . . »

2. — (Petit de Julleville, *Littérature Française*, Vol. VI, p. 473.)
« . . . la satanique et pittoresque silhouette du frère Lescaut, joueur,
bretteur, entremetteur, escroc de marque, chenapan presque
romantique, qui finit par être tué comme un chien, au coin d'une
rue, sans la moindre oraison funèbre. »

(b) *Un père de famille au 18ᵉ siècle.*

1. — (3, p. 293.) « On traite des Grieux comme un homme de
25 ans, et il en a 17 ! Ajoutez que son père, en dépit d'excellentes
intentions, s'y prend fort gauchement avec lui. Il lui annonce en
éclatant de rire, la trahison de Manon . . . Ce père si plein d'esprit
ne trouve rien de mieux pour consoler son fils que de lui proposer
une nouvelle liaison plus durable. »

2. — (Petit de Julleville, *Littérature Française*, Vol. VI, p. 473.)
« . . . le père du petit chevalier, charmant, fringant, spirituel,
indulgent aux faiblesses de cœur, intraitable sur la dignité du nom
et le respect de la famille. »

(c) *L'ami modèle.* (A consulter, 13, Chap. IV.)

1. — (Petit de Julleville, *Littérature Française*, ibid.) « . . . l'ami
grave et fidèle, au cœur tendre, à la parole consolante, indulgent
aux autres et sévère à lui-même: Tiberge est le bon ange, souvent
mal écouté, mais qui veille toujours et sauvera les dernières épaves
du naufrage où sombre la conscience de des Grieux. »

2. — (3, p. 293.) « L'excellent Tiberge a plus de tact (que le
père du chevalier), il n'excuse pas la grande passion de des Grieux,
du moins la comprend-il un peu, mais il n'est pas plus adroit,
lorsqu'il engage son ami à renoncer au siècle, pour embrasser l'état
ecclésiastique. »

3. — (*Pour et Contre*, Tome III, no. 36, page 137, Paris, Didot,
1734.) « Au reste, le caractère de Tiberge, ce vertueux ecclésiastique, ami du Chevalier, est admirable. C'est un homme sage,
plein de religion et de piété; un ami tendre et généreux; un cœur
toujours compatissant aux faiblesses de son ami. Que la piété est
aimable, lorsqu'elle est unie à un si beau naturel ! »

IX

Le problème de la liberté humaine

C'est une question qui intéresse Prévost, qu'il a dû entendre
discuter beaucoup au séminaire, et qu'il discute interminablement

lui-même dans ses œuvres.   Ce sont même les pages les plus en-
nuyeuses dans *Manon*.   Abordons cette question par cette citation.

(a) *Y a-t-il une force supérieure à notre volonté?* (7, p. 175.)
« Ce problème est celui du désaccord qui existe entre les instincts
de notre nature et les exigences de la loi humaine ou divine. Prévost est troublé, il n'est pas le seul à l'être, de porter en lui tant
d'ardeurs et de besoins que la religion et la morale lui ordonnent de
refouler. Il n'est pas surprenant que le prêtre transfuge, trois fois
entraîné par son cœur hors du noviciat ou du couvent, ait tenté de
se justifier à ses yeux, qu'il se soit demandé s'il n'y avait pas une
force supérieure à la volonté, et si ses entraînements n'avaient pas
leur excuse. »   Quelles sont les conclusions que l'on pourrait tirer à
ce sujet d'un examen de l'enseignement moral dans *Manon?* Tenir
compte en même temps de ce témoignage de l'auteur, cité par Brunetière (6, p. 219) : « Il me parut, après un sincère examen, que, les
droits de la nature étant les premiers de tous les droits, rien n'était
assez fort pour prescrire contre eux; que l'amour en était un des
plus sacrés, puisqu'il est comme l'âme même de tout ce qui sub-
siste; et qu'ainsi tout ce que la raison et l'ordre établi parmi les
hommes pouvaient faire contre lui, était d'en interdire certains
effets, sans pouvoir jamais en condamner la source. »

(b) *Le devoir accompli ou la faiblesse humaine?* (7, p. 179.)
« . . . une cornélienne, telle que la princesse de Clèves, capable de
vaincre son cœur, dût-elle en mourir, est supérieure à des Grieux;
(voilà) pourquoi, en d'autres termes, la morale de Mme de la
Fayette qui nous enseigne la beauté du devoir accompli est supérieure à celle de Prévost qui nous peint la misère et la faiblesse
humaines. »   Faut-il accepter ce jugement du critique? Et de-
vons-nous nous condamner nous-mêmes selon notre secrète pré-
férence pour la princesse ou pour le chevalier? Sommes-nous libres
d'opter pour l'un ou pour l'autre? Ces notes d'autres critiques
viennent ici fort à propos :

1. — (3, p. 261.)   « Depuis Racine, personne n'avait su, à ce
degré, nous donner l'amère et pénétrante sensation de notre impuissance en face des tentations charnelles. Car c'est par un attrait
tout sensuel que Manon reprend et reconquiert celui qu'elle a
trahi. »

2. — (8, p. 19.) « Prévost instaure dans la littérature bourgeoise la royauté de la passion maîtresse sur la volonté humaine, plus puissante que les conventions, plus puissante que tous les impératifs: honneur, religion, sentiments de famille, toute puissante parce qu'élémentaire et fatale . . . On justifie la passion en invoquant la nécessité, la fatalité. On en proclame la toute-puissance, la puissance irrésistible. On ennoblit la passion en auroléant d'une sorte de grandeur tragique les faiblesses, les compromis, les vilenies, les abdications auxquelles elle entraîne. »

3. — (11, p. xiv.) « On voit que l'abbé Prévost a mis consciemment dans le roman la toute puissance de la passion qui n'était admise jusque là que dans la tragédie à l'antique. »

(c) *La question du jansénisme* se pose ici tout naturellement. Il faudrait préparer une explication littéraire sur chacune des conversations entre Tiberge et des Grieux. Utiliser dans ces discussions ces remarques: (Voir surtout, 13, Chap. IV.)

1. — (3, p. 284.) « . . . des Grieux affirme en vrai janséniste, que l'homme n'a pas la liberté d'agir à sa guise, et qu'en dépit de ses bonnes intentions, il est incapable, avec ses seules ressources, de pratiquer la vertu. »

2. — (2, p. 64.) « Dans *Manon Lescaut* la religion ne joue aucun rôle. Ce sont les passions du genre humain aux prises avec elles-mêmes et qui, pour ne pas avoir été combattues, amènent des misères appelées à servir d'exemple. »

3. — Pascal a prétendu résoudre ce problème en déclarant la nature humaine mauvaise. Il l'avait domptée en lui-même jusqu'au renoncement absolu. Mais Rousseau apportera une tout autre solution. Il maintiendra que la nature est bonne et ses lois sacrées. Dans ce développement de la pensée depuis les jansénistes qui sacrifient tout à Dieu jusqu'aux philosophes qui libèrent l'homme de ses entraves, Prévost joue un certain rôle. Il faudrait par un examen très soigné des pages de *Manon* tâcher de dégager l'influence de Prévost dans cette direction.

(d) *Quelles sont les idées de des Grieux sur Dieu?* Il a l'exaltation religieuse qui vient peut-être du quiétisme, qui est une source d'exaltation sentimentale en opposition avec la sécheresse de la première moitié du 18e siècle. Les étudiants les plus avancés pourront ajouter à ces idées des aperçus nouveaux qu'ils recueilleront de leurs études.

BIBLIOGRAPHIE A

(Seulement sont donnés dans cette première liste les noms des livres auxquels se rapportent les exercices d'explication)

1. Henry Harrisse, *Bibliographie et notes pour servir à l'histoire de Manon Lescaut*, Paris, 1875.
2. Ibid., *l'Abbé Prévost, histoire de sa vie et de ses œuvres*, Paris, 1896.
3. V. Schroeder, *l'Abbé Prévost, sa vie, ses œuvres*, Paris, 1898.
4. Pierre Heinrich, *Prévost historien et la Louisiane*, Paris, 1907.
5. Edmond et Jules de Goncourt, *la Femme au dix-huitième siècle*, Paris, 1887.
6. Ferdinand Brunetière, *Études critiques,* 3me série, Paris, 1887.
7. Lebreton, *le Roman au dix-huitième siècle*, Paris, 1898.
8. Édition de *Manon Lescaut*, introduction par H. Gillot, Biblioteca Romanica, Strasbourg, s.d.
9. Édition de *Manon Lescaut*, introduction par Maupassant, Talandier, Paris, s.d.
10. Édition de *Manon Lescaut*, introduction par Gauthier-Ferrières, Larousse, Paris, s.d.
11. Édition de *Manon Lescaut*, introduction par Aynard, Bossard, Paris, 1925 (texte de 1731).
12. Édition de *Manon Lescaut*, introduction par Thérive, Payot, Paris, 1926.
13. Etudes sur *Manon Lescaut*, réunies par M. Paul Hazard, University of Chicago Press, Chicago, 1929. Ces études sont suivies d'une bibliographie critique absolument nécessaire pour qui voudra poursuivre les recherches suggérées dans les exercices littéraires ci-dessus.

BIBLIOGRAPHIE B

(Liste des dix-sept romans de Prévost, composant 59 volumes)

1. *Mémoires et aventures d'un homme de qualité qui s'est retiré du monde;* tomes I–IV, 1728; V–VII, 1731.

2. *Le philosophe anglais ou l'histoire de M. Cleveland, fils naturel de Cromwell;* tomes I–IV, 1731; V, 1732; VI, 1738; VII–VIII, 1739.

3. *Le doyen de Killerine;* tome I, 1735; II–III, 1739; IV–VI, 1740.

4. *Histoire d'une Grecque moderne;* 2 vol., 1740.

5. *Histoire de Marguerite d'Anjou;* 2 vol., 1740.

6. *Mémoires pour servir à l'histoire de Malte ou l'histoire de la jeunesse du commandeur . . . ;* 2 vol., 1741.

7. *Compagnes philosophiques ou mémoires de M. de Montcal;* 4 vol., 1741.

8. *Histoire de Guillaume le Conquérant;* 2 vol., 1742.

9. *Paméla* (Richardson); traduction, 4 vol., 1742.

10. *Voyages du capitaine Robert Lade;* 2 vol., 1744.

11. *Mémoires d'un honnête homme;* 1 vol., 1745.

12. *Clarisse Harlowe* (Richardson); traduction, 6 vol., 1751.

13. *Grandisson* (Richardson); traduction, vol. I–III, 1755; IV–VI, 1756.

14. *Le monde moral ou mémoires pour servir à l'histoire du cœur humain;* tome I, 1760; II, 1764 (posthume).

15. *Mémoires pour servir à l'histoire de la vertu* (Frances Sheridan); traduction, 4 vols., 1762.

16. *Almoran et Hamet, anecdote orientale* (John Hawkesworth); traduction, 1 vol., 1763.

17. *Lettres de Mentor à un jeune seigneur;* 1 vol., 1764 (posthume).

Pour compléter cette liste des œuvres de Prévost, il faut ajouter *Le pour et contre*, ouvrage périodique (1733–40), 20 vol. et 2 vol. de *Tables; L'histoire générale des voyages* (1745–70), 21 vol. dont dix-sept sont de Prévost; et un *Manuel lexique ou dictionnaire portatif des mots français dont la signification n'est pas familière à tout le monde*, 2 vol., 1750.

Oxford Contemporary
French Series

A BOOK OF FRENCH VERSE FROM HUGO TO LARBAUD

Chosen and edited by T. B. RUDMOSE-BROWN . . 75¢

ABOUT, LE ROI DES MONTAGNES

Edited by J. SENIOR . . . . 70¢

DAUDET, CONTES ALSACIENS ET PROVENÇAUX

Chosen and edited by RUSSELL SCOTT . . . . 50¢

FARRÈRE & CHACK, LA BATAILLE DES FALKLAND

Edited by W. G. HARTOG . . . . 50¢

FRANCE, LE LIVRE DE MON AMI

Edited by V. F. BOYSON . . . . 70¢

FRANCE, LA BÛCHE

Being the first part of *Le Crime de Sylvestre Bonnard* 50¢

FRANCE, DIFFÉRENTS SOUVENIRS DE JEUNESSE

Being episodes selected from his novels . . . . 50¢

FRANCE, RIQUET

Selected and adapted from his novels . . . . . 50¢

GIDE, SI LE GRAIN NE MEURT

With a preface by the author . . . . 50¢

LOTI, PÊCHEUR D'ISLANDE

Edited by J. SENIOR . . . . 70¢

MARGUERITTE, GENS QUI PASSENT

Nine tales edited by F. O. GREEN . . . . . 50¢

SELECTIONS FROM MARCEL PROUST

Edited by PAYEN-PAYNE . . . . 50¢

SOME OTHER TITLES IN THE

Oxford French Series

By AMERICAN SCHOLARS

BEAUMARCHAIS, LE MARIAGE DE FIGARO
Edited by E. F. LANGLEY $1.15

CHATEAUBRIAND, ATALA AND RENÉ
Edited by CAROLINE STEWART 1.00

DE CUREL, LA REPAS DU LION
Edited by A. G. FITE 1.00

DUMAS FILS, LA DAME AUX CAMÉLIAS
Edited by H. A. SMITH and R. B. MICHELL . . 1.10

DUMAS PÈRE, HENRI III ET SA COUR
Edited by BAUDIN and BRANDON 95

MOLIÈRE, LES FEMMES SAVANTES
Edited by C. H. C. WRIGHT 1.00

DE MUSSET, QUATRE COMÉDIES
Edited by R. WEEKS 1.10

PHILIPPE, ENFANTS ET PETITES GENS
Edited by HARVITT and DOUB-KERR 1.10

ROSTAND, CYRANO DE BERGERAC
Edited by A. G. H. SPIERS 1.50

ADVANCED FRENCH COMPOSITION
By HELEN B. POSGATE 1.25

LABICHE ET MARTIN, LA POUDRE AUX YEUX
Edited by L. CARDON 90

MONTESQUIEU, LETTRES PERSANES
Edited by R. L. CRU 1.35